Eleanor & Grey

Obras da autora publicadas pela Editora Record

ABC do amor
Arte & alma
As cartas que escrevemos
No ritmo do amor
Sr. Daniels
Vergonha
Eleanor & Grey
Um amor desastroso

Série Elementos
O ar que ele respira
A chama dentro de nós
O silêncio das águas
A força que nos atrai

Série Bússola
Tempestades do Sul
Luzes do Leste
Ondas do Oeste
Estrelas do Norte

Com Kandi Steiner
Uma carta de amor escrita por mulheres sensíveis

BRITTAINY CHERRY

Eleanor & Grey

Tradução de
Thalita Uba

15ª edição

EDITORA RECORD
RIO DE JANEIRO • SÃO PAULO

2024

EDITORA-EXECUTIVA
Renata Pettengill

SUBGERENTE EDITORIAL
Mariana Ferreira

ASSISTENTE EDITORIAL
Pedro de Lima

AUXILIAR EDITORIAL
Juliana Brandt

REVISÃO
Marina Albuquerque

CAPA
Letícia Quintilhano

IMAGEM DE CAPA
Miodrag Igniatovic / Getty Images

DIAGRAMAÇÃO
Beatriz Carvalho
Júlia Moreira

TÍTULO ORIGINAL
Eleanor & Grey

CIP-BRASIL. CATALOGAÇÃO NA PUBLICAÇÃO
SINDICATO NACIONAL DOS EDITORES DE LIVROS, RJ

C449e
15ª ed.

Cherry, Brittainy C.
　　Eleanor & Grey / Brittainy C. Cherry; tradução de Thalita Uba. – 15ª ed. – Rio de Janeiro: Record, 2024.
　　406 p.

　　Tradução de: Eleanor & Grey
　　ISBN 978-85-01-11825-7
　　1. Romance americano. I. Uba, Thalita. II. Título.

20-63707

CDD: 813
CDU: 82-31(73)

Meri Gleice Rodrigues de Souza – Bibliotecária – CRB-7/6439

Copyright © 2019 by Brittainy C. Cherry. Publicado mediante acordo com Bookcase Literary Agency.

Texto revisado segundo o Acordo Ortográfico da Língua Portuguesa de 1990.

Todos os direitos reservados. Proibida a reprodução, no todo ou em parte, através de quaisquer meios. Os direitos morais da autora foram assegurados.

Direitos exclusivos de publicação em língua portuguesa somente para o Brasil adquiridos pela
EDITORA RECORD LTDA.
Rua Argentina, 171 – Rio de Janeiro, RJ – 20921-380 – Tel.: (21) 2585-2000, que se reserva a propriedade literária desta tradução.

Impresso no Brasil

ISBN 978-85-01-11825-7

Seja um leitor preferencial Record.
Cadastre-se no site www.record.com.br e receba informações sobre nossos lançamentos e nossas promoções.

Atendimento e venda direta ao leitor:
sac@record.com.br

À minha mãe.
Obrigada por acreditar.

Parte Um

"Quando eu era pequeno e via coisas assustadoras nos noticiários, minha mãe me dizia: 'Procure quem está ajudando. Você sempre encontrará pessoas que estão ajudando.'"

Fred Rogers

Prólogo

Eleanor

8 DE ABRIL DE 2003

Tudo que minha mãe sabia da vida, tinha aprendido com Mister Rogers.

Para minha mãe, Mister Rogers era o melhor professor de lições de vida do universo, e jurava de pés juntos que ele havia salvado a vida dela milhares de vezes. Sempre que ficava chateada, recorria às palavras dele na hora de enfrentar os problemas. Sempre que se sentia feliz, ela se entregava à felicidade de corpo e alma. Sempre que se entristecia, tentava descobrir o que havia provocado nela aquela tristeza.

Eu nunca conheci uma mulher com tanto controle da própria energia. Sua consciência de si mesma era algo a ser aplaudido de pé. Ela nunca levantava a voz e era a pessoa mais calma do mundo. Não dava para ficar com raiva estando perto da minha mãe. Não mesmo.

Era por causa dela que tínhamos as "Terças com Rogers".

Terça-feira era o único dia em que não jantávamos à mesa — cada um comia com uma bandeja no colo, sentado no sofá. Não houve uma terça sequer sem que ela, meu pai e eu assistíssemos a um episódio de *Mister Rogers' Neighborhood*. Era uma tradição esquisita, mas algo que minha mãe fazia desde pequena. Ela via o programa toda semana com a minha avó e, quando conheceu meu pai, fez com que ele prometesse que manteria essa tradição se eles tivessem filhos um dia.

Eu também amava o programa dele. Não creio que muitos jovens de 16 anos conhecessem — e muito menos adorassem — Fred Rogers, mas, para ser sincera, eles não sabiam o que estavam perdendo. Embora fosse um programa antigo, as lições de vida dele ainda eram bem relevantes.

Aquela terça não foi diferente para mim. Comemos rocambole de carne com purê de batata, falamos de música, rimos das piadas horríveis do meu pai e conversamos sobre a coleção de cardigãs do Mister Rogers, que era muito parecida com a minha, já que minha mãe fazia um novo para mim todos os anos como presente de aniversário.

Tudo ia muito bem, até que três palavras estragaram tudo.

— Estou com câncer.

Meu corpo reagiu de uma maneira que não pensei ser possível. Recostei na almofada do sofá como se alguém tivesse me dado um soco na boca do estômago, forçando todo o ar para fora do pulmão.

Eu me virei para a minha mãe me sentindo confusa, perplexa, angustiada. As palmas das minhas mãos começaram a suar, meu estômago ficou embrulhado e eu tive a sensação de que iria vomitar.

— O quê? — sussurrei, quase não conseguindo dizer essas palavras.

Três palavrinhas.

Foram apenas três palavrinhas. Três palavrinhas que mudaram meu estado de espírito. Três palavrinhas que partiram meu coração. Três palavrinhas que eu nunca queria ter ouvido.

Estou com câncer.

Meus olhos se fixaram na boca da minha mãe enquanto ela falava comigo. Pelo menos eu achava que ela estava falando comigo. Será que ela tinha dito alguma coisa mesmo? Ou será que eu tinha inventado aquilo? Estaria eu ouvindo coisas? Seriam ecos do passado me assombrando?

Meu avô teve câncer.

Ele lutou contra o câncer.

Ele morreu de câncer.

Não tinha nada de bom naquela palavra.

Balancei a cabeça de um lado para o outro, sentindo tudo rodar à medida que as lágrimas começavam a rolar lentamente pelo rosto da minha mãe. Olhei para o meu pai, e ele também estava prestes a chorar.

— Não.

Foi só o que consegui dizer.

Foi só o que me veio à mente.

Balancei a cabeça mais uma vez.

— Não. Não, isso não é verdade.

Meu pai apertou a ponte do nariz, no ponto entre as sobrancelhas.

— É verdade.

— Não — insisti. — Não é.

Não era possível que minha mãe estivesse com câncer. De jeito nenhum.

Pessoas como ela não tinham câncer. Ela era a mulher mais saudável do mundo. Quer dizer, caramba, a ideia dela de lanche fora de hora era um suco de cenoura com maçã e pepino. Se você a cortasse, ela provavelmente sangraria brócolis. Pessoas saudáveis como a minha mãe não ficavam doentes. Elas só ficavam cada vez mais saudáveis. Não era possível...

Ah, não...

Agora meu pai estava chorando também.

Meu pai não chorava. Eu conseguia contar nos dedos de uma das mãos o número de vezes que eu tinha visto meu pai derramar uma lágrima.

— Eleanor... — Ele me chamava de "Eleanor" quando o assunto era sério, e meu pai nunca era muito sério. Ele fungou e fechou os olhos. — Isso é difícil pra todo mundo. Nós tivemos vontade de te contar assim que descobrimos, mas não soubemos como. Além disso, precisávamos fazer mais alguns exames e...

— É grave? — perguntei.

Ambos ficaram em silêncio.

Aquilo não podia ser um bom sinal.

Parecia que meu coração estava sendo arrancado, pedacinho por pedacinho, de dentro do peito.

Minha mãe cobriu a boca com a mão, as lágrimas ainda rolando pelo rosto.

Meu pai voltou a falar. Dizendo meu nome inteiro — *de novo*.

— Eleanor... Por favor, entenda. Nós vamos precisar nos unir para poder passar por isso.

— Nós vamos lutar contra ele — prometeu minha mãe. Sua voz falhando, trêmula, assustada e hesitante. — Vamos lutar contra isso, Ellie, eu prometo. Você, seu pai e eu. Vamos acabar com a raça dessa doença.

Eu não conseguia respirar. Queria sair correndo. Queria me levantar e fugir daquela sala, daquela casa, daquela realidade. Mas a maneira como minha mãe me olhava... Dava para ver a angústia dela. Cada centímetro de seu corpo tremia de medo e dor.

Eu não podia abandoná-la.

Não daquele jeito.

Eu me inclinei para perto dela no sofá e a abracei. Então me aconcheguei a ela, afundando a cabeça em seu peito, ouvindo as batidas aceleradas de seu coração.

— Eu sinto muito — sussurrei, enquanto as lágrimas eclodiam dos meus olhos e a tristeza tomava conta de mim. Eu não sabia o que mais podia fazer, então apenas a abracei forte e continuei repetindo: — Sinto muito. Sinto muito. Sinto muito.

Ela me abraçou ainda mais forte e me segurou como se nunca mais fosse me soltar. Então os braços do meu pai nos envolveram, e nós nos apertamos como se nossas vidas dependessem daquele abraço.

Nossas lágrimas caíam sincronizadas, e ficamos unidos como um só corpo.

À medida que a angústia nos assolava, minha mãe pressionou os lábios na minha testa e disse baixinho palavras que me fizeram chorar ainda mais.

— Eu sinto tanto, Ellie.

Mas tudo ficaria bem, porque nós lutaríamos contra ele.

Lutaríamos contra ele juntos.

E venceríamos essa batalha.

Capítulo 1

Eleanor

21 DE JUNHO DE 2003

Tudo que eu sabia da vida, tinha aprendido com Harry Potter.

Para mim, Harry Potter era o melhor professor de lições de vida do universo, e eu jurava de pés juntos que ele havia salvado a minha vida milhares vezes. Sempre que eu ficava triste, escrevia feitiços para transformar as pessoas em ratos, lesmas ou sapos.

Nem preciso dizer que lidar com pessoas não era o meu forte. E tudo bem, pois eu era ótima em evitar seres humanos — bem, pelo menos até ser forçada a interagir com eles.

— Você está de castigo. Está proibida de ficar no seu quarto — anunciou minha mãe, parada à minha porta, esfregando as palmas das mãos no rosto.

Os cabelos castanhos estavam presos num coque bagunçado, e o avental de pintura estava amarrado na cintura, cobrindo a camisa de malha do Pink Floyd. Os tênis All-Star verdes fluorescentes estavam cobertos de tinta, e os óculos cor-de-rosa de lentes grossas estavam apoiados no topo da cabeça. Ela estampava um sorriso enorme no rosto.

Minha mãe havia passado o dia todo pintando na garagem, pois era nos fins de semana que tinha oportunidade de relaxar e mergulhar de cabeça em sua paixão pela arte. Durante a semana, ela era apenas a boa e velha babá simpática de todos os dias, salvando as crianças de vidas tediosas. Nos fins de semana era quando ela se soltava.

Dois meses haviam se passado desde o diagnóstico do câncer, e eu adorava quando ela pintava. Enquanto estivesse pintando, as coisas pareciam bem. Enquanto continuasse sendo ela mesma, os dias eram mais fáceis.

E, na maior parte do tempo, ela continuava sendo a mesma pessoa de sempre. Às vezes, ficava cansada, mas, ainda assim, era minha mãe. Só tirava mais sonecas que o normal, só isso.

Estreitei os olhos, logo após erguer o olhar do livro que estava lendo.

— Você não pode proibir alguém de ficar no próprio quarto.

— Posso, sim. Seu pai e eu conversamos e decidimos botar você de castigo fora dessas quatro paredes. Curta suas férias de verão! Você precisa se divertir com seus amigos.

Desviei o olhar para o livro que tinha em mãos e em seguida voltei a encará-la.

— E o que você acha que eu estou fazendo?

Eu amava minha mãe mais que tudo na vida. De todas as mães do mundo, ela era a mais incrível, mas, naquele momento, estava sendo totalmente insensível. Aquele não era um dia de verão qualquer, no fim das contas. Era 21 de junho, o dia pelo qual eu esperava ansiosamente fazia três anos.

Três. Longos. Dolorosos. Anos.

Ela agia como se não se lembrasse de que *Harry Potter e a Ordem da Fênix* havia sido lançado naquele dia. Só o fato de ainda ter coragem de falar sobre qualquer outro assunto que não fossem Harry, Rony e Hermione já era um absurdo.

— Eleanor, são suas férias de verão, e você ainda não saiu desse quarto.

— É porque eu tive que reler os primeiros quatro livros do Harry Potter pra poder me preparar pra esse aqui.

Francamente, ela devia ter entendido. Era como se, na época dela, houvesse o lançamento de um álbum do Black Sabbath e, em vez de deixar minha mãe ouvir as músicas novas, minha avó a mandasse comprar leite na loja da esquina.

Uma tremenda falta de noção.

Black Sabbath > leite.

Harry Potter > vida social.

— A Shay falou que vai ter uma festa hoje à noite — comentou minha mãe, se jogando na minha cama. — Provavelmente vai ter gente fumando e enchendo a cara — brincou ela, cutucando meu braço.

— Nossa, que legal — comentei, tentando soar irônica. — Não posso perder essa.

— Tá, tudo bem, eu sei que você não é radical como sua mãe era na adolescência, mas acho que todo jovem de 16 anos deveria ir a uma festa sem a supervisão de adultos pelo menos uma vez na vida.

— Por que eu ia querer fazer isso? Por que *você* ia querer que eu fizesse isso?

— Nós não transamos desde que as férias começaram — explicou meu pai de modo casual, juntando-se à conversa.

— *Paaaaai* — grunhi, tapando os ouvidos. — Me poupe!

Ele entrou no quarto, se sentou na cama atrás da minha mãe e a abraçou.

— Ah, qual é, Ellie? Todos sabemos que o sexo é um ato lindo e natural, que deveria ser exaltado quando realizado de modo consensual e respeitoso.

— Ai, Jesus, por favor, para de falar. Sério. Para.

Eu tapei os ouvidos com mais força e eles riram.

— Ele só está provocando você, mas a verdade é que nós estávamos querendo fazer uma maratona de filmes de terror, e eu sei como você detesta esses filmes — comentou minha mãe, e eu fiquei grata por ela ter me avisado antes.

Uma vez, quando eu era pequena, surpreendi os dois vendo *Brinquedo assassino*, e durante semanas fiquei convencida de que minhas bonecas iam me atacar. Eu me livrei de todos os bichos de pelúcia que tinha. A gente não se dá conta de como aquelas bonecas Quem Me Quer são assustadoras até imaginá-las com uma faca na mão.

Não vou nem comentar sobre quando meu pai achou que eu já tinha idade suficiente para ver *O Iluminado*.

Alerta de *spoiler*: eu não tinha idade suficiente.

A partir daquele dia, sempre que eles resolviam ver um filme de terror, eu ia para a casa da Shay. E não haveria problema nenhum eu ir para a casa dela mais uma vez, se aquele dia não fosse, justamente, aquele dia.

— Vocês não podem esperar uns dias? — perguntei.

— Nós até esperaríamos, mas como é nosso aniversário de casamento...

Minha mãe parou de falar, achando que aquilo seria suficiente para me convencer.

Alerta de *spoiler*: não seria.

— Ah, caramba, é hoje? — perguntei. — Não foi há pouco tempo, tipo... no ano passado?

Meu pai bufou.

— Que coisa... Você consegue se lembrar de datas de lançamento de livros, mas esquece o aniversário de casamento dos próprios pais?

— Você entenderia se tivesse lido esses livros, pai.

— São os próximos da minha lista — brincou ele.

Ele dizia isso desde o lançamento do primeiro livro do Harry Potter. Eu ia esperar sentada.

— Só estou dizendo, Ellie, que seria ótimo, pra mim e pro seu pai, ter a casa só pra nós dois hoje à noite. Além disso, você sabe como é difícil termos um tempo sozinhos pra... Bem, você sabe — ponderou minha mãe.

— Transar — decretou meu pai. — É claro que você pode ficar, mas sabe como as paredes são finas. Se além de ouvir os gritos dos filmes de terror, você quiser ouvir os gritos da sua mãe, pode ficar em casa, sem problemas.

— Pelo amor de... Vocês poderiam parar de falar agora, por favor?

O passatempo preferido dos meus pais era me deixar o mais constrangida possível. E eles eram muito bons nisso. Sempre se divertiam com a minha agonia.

Meu pai não conseguiu se controlar.

— Se você quiser, pode usar tampões de ouvido enquanto nós...

Eu saltei da cama.

— Tá bom! Tá bom! — gritei. — Vocês venceram. Vou à festa com a Shay.

Eles sorriram, satisfeitos.

— Apesar de eu achar que é um golpe baixo vocês usarem essa conversa sobre sexo pra me deixar constrangida e me tirar de casa.

— Ah, querida. — Minha mãe sorriu e repousou a cabeça no ombro do meu pai, que a abraçou mais forte. Eles eram tão apaixonados que dava nojo. — A melhor parte de ser mãe e pai é deixar os filhos adolescentes constrangidos. Não se esqueça disso.

— Não vou me esquecer... Enfim, devo voltar lá pelas dez, então façam tudo o que tiverem que fazer até as dez.

— Por que não volta à meia-noite hoje? Você é jovem! Agora vai, aproveita a sua liberdade! Faz umas loucuras! — gritou meu pai. — E fica de olho na Shay, tá?

— Deixa comigo.

— Ah, e quer levar umas camisinhas? — perguntou minha mãe, o que fez com que eu me contorcesse toda. Ela estava adorando cada segundo daquilo.

— Não, mamãe querida. Não preciso delas.

~

— Você está bem? — perguntou Shay, olhando no espelhinho de bolsa e passando outra camada de gloss nos lábios.

Estávamos na varanda da casa de algum colega de escola aleatório. Minha prima Shay era linda. Era tão bonita que aquela beleza toda parecia uma tremenda injustiça com as outras meninas do ensino médio. E tinha sido assim durante a vida toda dela. Minha tia Camila era uma latina deslumbrante, e Shay se parecia muito mais com ela do que com meu tio Kurt, o que era uma bênção, pois ele era um babaca. Quanto menos Shay tivesse em comum com o pai, melhor.

Ela havia herdado a beleza todinha da mãe. Aposto que, no dia que Shay nasceu, ela se desenrolou de um tapete vermelho, com os paparazzi perguntando o que ela estava usando. E eu podia imaginá--la respondendo "macacão de bebê, de JCPenney".

Seus cabelos eram pretos como os da Branca de Neve, e os olhos eram de um castanho-escuro intenso, contornados pelos cílios que toda menina sonhava em ter. Ela tinha curvas em lugares onde eu só tinha pneus murchos, mas a melhor característica da Shay era que ela não tirava proveito da própria beleza. Era uma das pessoas mais pé-no-chão e engraçadas do mundo. Além disso, era defensora do empoderamento feminino, graças ao pai de merda que tinha.

Nós não mencionávamos muito o nome do Kurt desde que a mãe dela tinha se separado dele, e eu achava melhor assim. Sempre que Shay falava do pai, só o chamava de "aquele bosta" que tinha ferrado com a vida dela e da mãe.

Meu pai ainda chamava Kurt de irmão, embora não se orgulhasse muito disso. Da mesma forma que Mufasa ainda reconhecia Scar como irmão, apesar de saber que o outro não passava de um canalha escroto.

Talvez as coisas tivessem sido diferentes se Mufasa tivesse banido Scar.

Hakuna matata, acho...

Shay não se declarava inimiga dos homens, mas se classificava como amiga incondicional das mulheres.

Eu gostava disso nela, porque muitas meninas da nossa idade depreciavam umas às outras para que os caras gostassem delas. Quanto desperdício de energia. Parecia que o ensino médio tinha feito com que elas esquecessem todos os ensinamentos das *Spice Girls* no ensino fundamental.

Shay estava altíssima com seus sapatos de salto. E, cara, eis aí uma menina que sabia usar salto alto.

Minhas panturrilhas doíam só de pensar em calçar um sapato daqueles.

— Sim, estou bem — respondi, olhando para meu cardigã amarelo com libélulas que minha mãe tinha feito para mim.

Por baixo dele estava a velha camisa de malha do Metallica que eu tinha roubado do meu pai porque não cabia mais na barriga dele desde 1988. Minha calça jeans rasgada preferida e meus tênis All-Star amarelos completavam o *look*.

Meus cabelos castanhos estavam presos num rabo de cavalo, e a coisa mais próxima de maquiagem que eu tinha no rosto eram os resquícios microscópicos do sabonete com o qual eu o havia lavado de manhã. Pelo menos meu aparelho fixo estava limpinho e cintilante.

Eu devia ter colocado sutiã com bojo. Não que fosse ajudar muito. Sutiãs com bojo só funcionam quando há alguma coisa para se destacar no bojo.

Minha bolsa transversal artesanal — também feita pela minha mãe — estava pendurada no meu ombro e eu já contava as horas para que aquilo tudo acabasse.

— Só estão na festa os meninos do time de basquete e os amigos deles — comentou Shay, como se isso fosse fazer alguma diferença para mim.

— Tá bem.

— Alguns deles são legais — garantiu ela. — Nem todos são babacas.

— Não vejo a hora.

— Tá, vamos nessa — disse Shay, abrindo a porta e entrando na casa cheia de pessoas que eu não gostaria de ter que ver.

Ver meus colegas de turma fora da escola parecia uma forma cruel de punição. Eu já os via o suficiente durante o ano letivo, e a última coisa que queria era ficar que nem sardinha em lata ali com eles.

Minha concepção de festa estava mais para reprises de *Whose Line Is It Anyway?* de pijama em casa com meus pais, comendo uma quantidade absurda de pipoca e hambúrguer. No caso da minha mãe, hambúrguer vegano, claro. Alguns anos atrás ela havia assistido a um documentário sobre o tratamento dado aos animais de abate, o que mudou a vida dela para sempre.

Meu pai também tinha visto esse documentário, mas permanecia fiel ao seu bife ao ponto.

— Vou pegar uma Coca pra você — disse Shay.

— Você vai beber?

Ela fez que não com a cabeça.

— Não bebo desde aquele episódio com o Landon. Prefiro me manter sóbria a ficar com ele bêbada de novo.

— Isso é bem sensato, mas, se você acabasse bêbada, eu a impediria de beijar aquele imbecil.

— É por isso que você é minha prima preferida.

— Sou sua *única* prima. Se puder trazer Coca com gelo, eu agradeço muito. Vou ficar ali...

— Num canto. — Ela abriu um sorriso maroto. — Aposto cinco pratas que vou te encontrar num canto com um livro na mão.

— É quase como se você me conhecesse desde pequena.

Ela riu e tentou avançar depressa, sem muito sucesso. Sempre que Shay entrava em algum lugar, todos queriam sua atenção — e ela era tão legal que falava com cada um deles.

Se fosse eu, teria seguido em frente.

Demoraria um tempo até minha bebida chegar, mas dei sorte de conseguir um bom esconderijo debaixo da escada — um canto de leitura bem no estilo Harry Potter.

Botei os fones de ouvido, não por estar escutando música, mas porque as pessoas tendem a deixar você em paz quando está de fone. Os introvertidos sempre podiam contar com esse excelente recurso: fingir estar ocupado para evitar interação humana. E fingir estar ocupado com duas atividades ao mesmo tempo era mais eficaz ainda.

Só um livro nem sempre é suficiente para fazer as pessoas te ignorarem, mas um livro *e* fones de ouvido te transformam praticamente num fantasma.

É tão difícil ser uma pessoa introvertida num mundo extrovertido, onde as normas sociais incluem festinhas em casa, atividades extracurriculares coletivas, semanas temáticas e eventos com pessoas que você não tem a menor vontade de ver, só para poder dizer que está "aproveitando a vida ao máximo".

Eu enxergava a vida em sociedade como um terror para os introvertidos, mas tinha certeza de que a maré estava para mudar nesse sentido. Eu esperava ansiosamente pelo dia em que a imprensa e os meios de comunicação defenderiam a ideia de que ficar em casa era a nova moda e que socializar com pessoas que você detesta era coisa do passado. Nós, os introvertidos, ficaríamos eufóricos!

Em silêncio... Sozinhos... Com uma boa xícara de café, um bom livro e nossos fiéis gatos.

Eu me sentei no chão com as pernas cruzadas, parecendo um pretzel, e apoiei as costas na parede. Quanto mais encolhida estivesse no meu cantinho, menos as pessoas repararíam em mim. *Continuem, trouxas. Não tem ninguém aqui. Sou parte da parede.*

Enfiei a mão na bolsa e peguei meu livro. Então mergulhei de novo no mundo da magia. Levei alguns minutos para conseguir me desligar do barulho à minha volta, mas J.K. Rowling tornava fácil a minha imersão completa em cada palavra que ela escrevia.

Surpreendentemente, aquela até que não estava sendo uma festa tão alucinada assim. Algumas pessoas estavam bebendo, mas a maioria parecia estar mais preocupada em escolher músicas e dançar mal. Duas pessoas a alguns passos de mim conversavam sobre estatísticas de basquete e exercícios físicos.

Pensei que haveria mais gente se pegando — embora minha ideia de como sejam festas de estudantes venha principalmente de programas de TV e comédias românticas estereotipadas, acho.

Para falar a verdade, nem parecia tão incomum que eu estivesse lendo. Por mais estranho que fosse, eu até que me encaixava ali.

Foi só quando me dei conta da presença de dois caras tentando sussurrar um para o outro enquanto falavam da Shay, que ergui os olhos do livro. Porque eles não estavam falando só da Shay — estavam falando de mim também.

De *mim*.

Isso não acontecia. Durante todos os meus anos na escola, eu tinha conseguido não chamar atenção e ser ignorada na maior parte do tempo. Eu tinha quase certeza de que ninguém nem sabia quem eu era. Eu não passava de uma menina aleatória que usava roupas estranhas e com quem Shay almoçava todos os dias.

— Cara, a Sorriso Metálico tá aqui — disse uma das vozes, meio sussurrando, meio gritando por cima da música ruim.

— Não é legal você chamar a mina assim — grunhiu o outro.

— Tá. Você já viu a boca dela? Acho que a gente pode chamar, sim. Ela é prima da Shay, né?

— É. O nome dela é Eleanor — respondeu o outro.

Hum...

Ele tinha dito meu nome. A maioria das pessoas me chamava de Sorriso Metálico ou de "prima da Shay".

Estranho.

— Vai dar uma bajulada nela e fazer a mina cair nas suas graças. Aí a Shay vai ver que eu me dou bem com a família dela. Com certeza vai voltar pra mim.

Olhei para os dois, tentando parecer indiferente, antes de voltar para o meu livro.

É claro que era Landon Harrison tentando achar um jeito de abrir caminho até o coração da minha prima — ou, mais precisamente, até a calcinha dela.

Os dois foram os protagonistas da peça da escola no ano anterior. Eles tinham ficado juntos em plena Semana da Tecnologia quando Shay estava um tanto alcoolizada. Depois disso, ela cometeu o erro mais clichê que uma atriz pode cometer — se apaixonou pelo personagem que o ator interpretava. Erro de principiante.

Landon, definitivamente, não era o Sr. Darcy.

Eles namoraram uma semana, até o Landon botar um chifre na cabeça da Shay na noite de estreia da peça. Depois que ela terminou com ele, Landon iniciou a missão de reconquistá-la — talvez por não aceitar a possibilidade de uma menina não querer ficar com ele e de não aceitar suas traições.

Para azar do Landon, Shay era uma mulher forte o bastante para não tolerar as merdas dele. Ela nem olhava na direção dele, exceto quando havia vodca na equação.

— Não devia ser você a fazer essa aproximação? — perguntou o outro.

Olhei para ele discretamente. Greyson East era um dos melhores alunos da nossa sala. Ele, assim como a Shay, era amado por todos.

Greyson era irritantemente lindo, se vestia bem e era o astro do basquete que poderia ter qualquer menina do mundo. Quando eu pensava em popularidade na escola, era Greyson que sempre me vinha à cabeça. Bom, era o rosto dele que estava estampado no site do colégio, no fim das contas. Ele era bem importante na escola.

— Cara, eu não posso falar com aquela coisa. Ela me dá medo. Ela vive lendo e só usa aqueles suéteres esquisitos.

Eu poderia ter me ofendido por ele me chamar de "coisa", mas simplesmente não ligava. Era apenas um trouxa sendo um trouxa. Eles não sabiam se comportar de outra forma. Às vezes, agiam de um jeito idiota mesmo.

— Que perda de tempo — comentou Grey desdenhosamente, fingindo estar entediado.

Quase sorri com o nível de ousadia na voz dele, mas a raiva suprimiu meu sorriso.

— Me quebra esse galho — pediu Landon.

— Não vou fazer isso — retrucou Greyson. — Deixa a menina em paz.

— Ah, qual é? — insistiu Landon. — Você me deve uma pela Stacey White.

Greyson suspirou. E suspirou de novo. Então soltou um último suspiro, longo e derrotado.

— Tá bom.

Ah, não.

Não, não, não, não...

Tentei absorver as palavras do meu livro, mas minha visão periférica se fixou nos tênis que se aproximavam. É claro que ele estava de Nike, porque tudo em Greyson era clichê. Ele podia muito bem virar garoto-propaganda da marca. Quando aqueles tênis branquíssimos, ainda sem marquinha alguma, pararam diante de mim, ergui os olhos com certa relutância.

Agora os olhos dele estavam me encarando.

Aqueles olhos cinzentos...

Eram de um tom de cinza que a gente acha que só existe nos romances melosos, nos quais o herói parece perfeito demais. Ninguém tinha olhos cinza de verdade. Eu estava viva havia dezesseis anos e jamais vira outros olhos cinza além dos de Greyson. Azuis-claros? Sim. Verdes? Sim. Mas os de Greyson eram bem diferentes de tudo o que eu já tinha visto. Dava para entender por que eram tão atraentes.

Ao ser alvo daquele olhar cinza e *daquele* sorriso, eu entendi por que a maioria das meninas se derretia por ele.

Ai, meu Deus, faz isso parar.

Ele acenou de leve quando nossos olhos se encontraram, e abriu um sorrisinho maroto, o que me irritou. Aqueles sorrisos podiam funcionar com as Stacey Whites da vida, mas não comigo. Voltei a olhar para o meu livro, tentando ignorá-lo.

Mas os tênis permaneceram no mesmo lugar. Então, com o canto do olho, percebi que ele estava se abaixando, se abaixando, se abaixando, até ficar de joelhos bem na minha frente. Ele acenou de novo, com o mesmo sorriso forçado.

— Oi, Eleanor, e aí? — disse ele, quase como se vivêssemos conversando e ele só estivesse me dando um oi para pôr o papo em dia.

Resmunguei baixinho.

Ele arqueou uma das sobrancelhas.

— Você falou alguma coisa?

Pelo amor de todas as coisas justas no mundo, ele não tinha visto meus fones e meu livro? Não sabia que era 21 de junho? Por que ninguém parecia entender a importância de se ler um livro de cabo a rabo assim que você coloca as mãos nele?

Às vezes, eu odiava este mundo.

— Eu disse "não". — Tirei os fones. — Não faz isso.

— "Isso" o quê?

— *Isso*. — Apontei para mim e para ele. — Sei que Landon mandou você vir conversar comigo pra chegar na Shay, mas esquece. Não estou interessada, nem ela.

— Como você ouviu o que a gente falou se tá de fone?

— Fácil: não tinha música nenhuma tocando aqui.

— Então pra que o fone?

AIMEUDEUSSERÁQUEDÁPRAVOCÊSÓIREMBORA?

Não havia nada pior que um extrovertido tentando entender as profundezas da mente de um introvertido.

Expirei ruidosamente.

— Olha, eu entendo. Você tá tentando ser um bom amigo e tudo mais, mas sério, eu só quero ler meu livro em paz e ficar na minha.

Greyson passou as mãos pelos cabelos como um maldito modelo de xampu. Juro que ele fez aquilo em câmera lenta, enquanto um vento inexistente soprava os fios.

— Tudo bem, mas posso, tipo, só ficar aqui do seu lado um tempo? Só pro Landon pensar que tô fazendo um favor pra ele.

— Não tô nem aí pro que você faz. Só faz isso em silêncio.

Ele sorriu e... *merda*. Era fácil gostar daquele sorriso.

Voltei a ler meu livro enquanto Greyson se acomodava ao meu lado. De vez em quando, ele dizia:

— Só falando com você pra ele achar que tá rolando uma amizade.

E eu respondia com:

— Só respondendo pra você não parecer tão ridículo quanto tá sendo.

Ele abria aquele sorriso de novo, eu olhava para ele e voltava para o meu livro.

Finalmente, Shay chegou com minha Coca e me entregou um copo de plástico com um picolé dentro.

— Não consegui achar gelo, mas achei que um picolé poderia manter sua bebida gelada por um tempo. Além disso, é um picolé de cereja, então, *voilà*! É uma Cherry Coke. — Ela voltou os olhos para Greyson e ergueu uma das sobrancelhas. — Ah, Grey... Oi, o que tá rolando?

— Ah, nada. Só tô conhecendo melhor a Eleanor.

Ele fez aquela coisa do sorriso, e a Shay caiu na hora, como uma gazela idiota na cova de um leão.

— Ah, que legal! Ela é minha pessoa preferida no mundo todo, então, você se deu bem. Vou deixar vocês conversarem.

Ela acenou para mim como se não tivesse percebido o pânico nos meus olhos, que imploravam: "Abortar! Abortar! Me salva!" Ela vagou para longe como a borboleta sociável que era e me deixou presa em meu casulo com Greyson.

— Quanto tempo isso ainda vai durar? — perguntei a ele.

Ele deu de ombros.

— Não sei. O tempo que for necessário pro Landon parar de jogar o caso da Stacey White na minha cara.

— O que você fez com a Stacey White?

Ele estreitou os olhos e arqueou uma das sobrancelhas.

— Como assim, o que eu fiz com ela?

— É que parece que aconteceu alguma coisa.

Ele se ajeitou e cortou o contato visual.

— Na verdade, foi o contrário. Não aconteceu nada, e meio que isso não é da conta de ninguém.

— Acho que é da minha conta, sim, se é por isso que você veio aqui socializar comigo.

— Entendi. — Ele ficou em silêncio por um instante, então abriu a boca de novo. — Por que a Shay não dá mais uma chance pro Landon?
— Ele botou um chifre nela. Depois de uma semana.
— É, eu sei, mas...
Fechei meu livro. Estava claro que eu não ia conseguir ler mais nada por um bom tempo.
— Não tem "mas" nenhum. Eu fico passada de ver que vocês acham que podem se dar bem com qualquer uma só por causa da aparência de vocês. Mas a Shay não é burra. Ela sabe que merece coisa melhor.
Greyson empurrou a bochecha com a língua.
— Você acabou de me chamar de bonito por tabela?
— Só não deixa isso subir à sua cabeça.
— Pode acreditar, já subiu. — Ele começou a tamborilar os dedos na perna. — Então, qual é a sua?
— Achei que a gente fosse só fingir que tá conversando.
— É, mas já deu. Então, você curte... ler?
Ele indicou meu livro com a cabeça.
— Bem observado, Capitão Óbvio — falei.
Ele riu.
— Você é petulante.
— Puxei isso da minha mãe.
— Gostei.
Enrubesci, e odiei que isso tivesse acontecido. Meu corpo estava reagindo à personalidade naturalmente fofa dele, o que era irritante, embora minha mente tivesse sido instruída a detestá-lo. Eu tinha passado o último ano observando meninos como Greyson e vendo meninas se derretendo nas mãos deles sem nem parar para pensar.

Meu cérebro nunca quis ser uma dessas meninas, mas meu coração claramente não se importava com o que a minha mente queria.

Desviei o olhar, porque meu coração acelerou quando nossos olhos se encontraram.

— Eu nunca li *Harry Potter* — comentou ele e, pela primeira vez na vida, senti pena de Greyson East. Que vida triste a dele.

— Isso é bom — falei. — Porque, se você tivesse lido, eu provavelmente teria que desenvolver uma queda idiota e irrealista por você, o que vai contra tudo aquilo em que eu acredito.

— Você é petulante *e* direta.

— Isso eu puxei do meu pai.

Ele sorriu.

Eu gostei.

Tanto faz.

— Então, livros e libélulas? — perguntou ele.

Ergui uma das sobrancelhas.

— Como você sabe das libélulas?

— Bom, o seu suéter tem libélulas e as presilhas no seu cabelo também têm formato de libélulas.

Ah, tá. A chance era grande de eu ser única menina na festa com presilhas de libélulas no cabelo.

— É meio que uma coisa minha e da minha mãe.

— Libélulas?

— É.

— Isso é esquisito.

— Eu sou esquisita.

Ele estreitou os olhos, como se estivesse me estudando, tentando esquadrinhar meu DNA com o olhar.

— O que foi? — perguntei, sentindo meu estômago dar uma cambalhota.

— Nada. É só que... Eu posso jurar que te conheço de algum lugar.

— Bem, a gente estuda na mesma escola — comentei sarcasticamente.

— Não... eu sei disso, mas é que você... — Ele parou de falar e balançou a cabeça. — Sei lá. Você não foi à festa da Claire Wade, né?

— Com certeza não.

— Do Kent Fed?

Fiquei apenas olhando para ele.

— Entendi. É estranho, porque eu posso jurar...

Antes que ele conseguisse terminar a frase, foi interrompido por Landon, que chegou como um furacão.

— Missão abortada, cara. A Shay é uma vaca — disse ele, meio rabugento, a cara amarrada.

Estava claro que minha prima tinha ferido seu ego.

— Chama minha prima de vaca mais uma vez e eu vou te mostrar o que é ser vaca de verdade — falei.

Landon olhou para mim e revirou os olhos.

— Ai, tanto faz, esquisitona.

— Não precisa ser babaca, Landon — disse Greyson, me defendendo. — E ela tem razão. A Shay não fez nada contra você. Foi você que pisou na bola. Ela não é uma vaca só porque não te quer de volta.

Como é que é?

Greyson East acaba de passar para o nosso lado?

Ora, ora.

Parece que um dia vou ter filhos com ele, então.

As malditas borboletas no meu estômago não queriam parar quietas, então você pode imaginar o meu alívio quando Greyson se levantou para ir embora. Minha pele é bem clara, então, quando enrubesço, fica bastante evidente. Viro o tomate mais maduro do mundo. Ele não precisava testemunhar isso.

— Tanto faz, cara. Vamos embora — respondeu Landon, olhando através de mim como se eu não existisse.

Mas não tinha problema. Eu olhava para ele exatamente da mesma forma.

— A gente se fala depois, Eleanor. — Greyson me deu um tchauzinho enquanto se afastava. — Boa leitura.

Eu disse tchau bem baixinho e retomei a leitura. Volta e meia, no entanto, Greyson pairava pela minha mente, ao lado de Ron Weasley.

Pouco tempo depois, Shay reapareceu e fomos para casa.

— Então, parece que você e o Greyson estavam num papo bom — observou ela.

Dei de ombros.

— Foi tranquilo.

— Ele é gente boa, Ellie. Nada a ver com o Landon. O Greyson é um cara bonito, elegante e sincero.

Ela disse aquilo como se estivesse querendo me convencer a permitir que as borboletas continuassem no meu estômago, enquanto eu tentava, de alguma forma, arrancar as asas delas.

Dei de ombros novamente.

— Ele é legal.

— Só "legal"? — provocou ela, cutucando meu braço, provavelmente vendo minhas bochechas ficando vermelhas.

— É.

Só legal.

Shay ia dormir no meu quarto aquela noite, e, quando entramos em casa, a TV da sala estava ligada em um filme de terror qualquer. Corri até ela, peguei o controle e apertei o botão de desligar. Lá estavam os dois apagados no sofá. Meu pai estava todo esticado, e minha mãe, aconchegada em seus braços.

— A gente acorda os dois? — perguntou Shay.

Peguei uma coberta e botei em cima deles.

— Não. Eles sempre voltam pra cama de manhã.

Aquela era uma cena normal com meus pais — minha mãe aconchegada nos braços dele depois de os dois terem pegado no sono vendo televisão. Sempre que ela se mexia, meu pai sorria, ajustava os braços em torno dela e ficava confortável de novo. Eu nunca tinha visto duas pessoas se tornarem uma só de forma tão integral. Eu duvidaria da existência de almas gêmeas, não fossem os meus pais.

Capítulo 2

Greyson

— Cara, eu não entendo. Eu sou lindo, ela é linda! Só não entendo por que ela não quer ficar comigo — protestou Landon, gesticulando freneticamente enquanto voltávamos da festa. — Tipo, a gente é praticamente o Nick Lachey e a Jessica Simpson de Raine, Illinois. A gente foi feito um pro outro!

Ele falou de um jeito tão inflamado que foi difícil saber se estava brincando ou não.

Sinceramente, teria dado muito mais certo com a Shay se ele tivesse ficado tão obcecado assim por ela enquanto ainda estavam namorando. Ele deu um passo em falso e um tiro no pé ao mesmo tempo.

— Acho melhor você desencanar, cara. Não acho que ela esteja interessada.

— Ela só ainda não sabe que tá interessada. Você vai ver. Vocês todos vão ver!

Revirei os olhos, mas deixei que ele continuasse falando. Não fazia sentido tentar argumentar com alguém chapado daquele jeito.

— Enfim, foi mal eu ter feito você conversar com a prima esquisita dela — continuou ele, passando a mão pelos cabelos.

— Ela não é tão esquisita assim.

— Ela usa cardigã todo dia. Está sempre com a cabeça enfiada num livro. Esquisita.

— Só porque uma pessoa é diferente não significa que ela seja esquisita — ponderei, ficando um pouco defensivo com relação a Eleanor.

Tudo bem, ela tinha as particularidades dela, mas Landon também. Ele mordia o garfo e o raspava nos dentes, fazendo um barulho insuportável. Não conseguia ver um filme sem dizer: "Peraí, volta um pouco, perdi um lance." E não conseguia deixar de lado aquela maldita paixonite pela Shay só porque ela tinha ferido o ego gigantesco dele.

Tudo bem, talvez a Eleanor gostasse de cardigãs um pouco demais da conta, mas pelo menos ela não era babaca.

— Tá bom, tá bom. Tô vendo que você fez uma amiga hoje — disse Landon, jogando as mãos para o alto. — Ainda acho que ela é uma esquisitona solitária, mas tanto faz.

Eleanor era mesmo solitária, de certa forma. Ela era mestre em ficar sozinha, exceto quando estava com a Shay.

Eu queria ser um pouco mais assim, às vezes.

A vida ia ser menos complicada.

Landon morava no mesmo quarteirão que eu e, assim que chegamos à frente da minha casa, ele calou a boca ao ouvir os gritos que vinham lá de dentro.

Meus pais estavam em casa.

Que beleza era participar desse espetáculo.

Landon enfiou as mãos nos bolsos e abriu um sorriso patético.

— Quer dormir lá em casa hoje?

Fiz que não com a cabeça.

— Não, tudo bem. Vou correndo pro meu quarto. Tenho certeza de que meu pai vai arranjar um motivo pra sair de casa logo, logo.

— Tem certeza?

— Tenho. Boa noite.

Ele coçou a nuca, parecendo hesitar diante da minha decisão, mas seguiu caminho.

— Tudo bem, boa noite, Greyson. — Então ele parou e se virou de novo. — Vou deixar a janela do quarto de visitas no primeiro andar aberta, caso você precise, beleza?

Embora às vezes fosse um péssimo ser humano, ele era um excelente melhor amigo.

— Valeu, Landon.

— Falou. Boa noite.

Quando cheguei à porta de casa, parei. Eu sabia que o que me esperava do outro lado não era nada agradável.

Meus pais estavam disputando para ver quem gritava mais alto.

Isso não era novidade. Sempre que os dois estavam em casa, eles brigavam. Minha mãe devia estar de porre de vinho, xingando meu pai, e ele devia estar de porre de uísque, dizendo para ela calar a boca.

Independentemente do que tivesse acontecido, eu tinha certeza de que a culpa era do meu pai. Ele era muito bom em fazer merda e depois distorcer as coisas para que a culpa recaísse na minha mãe. Eu nunca conheci alguém tão bom em *gaslighting* quanto ele. O professor Handers tinha nos ensinado essa palavra — *gaslighting* — no ano passado, na aula de inglês. Assim que ele explicou que esse termo significava abuso psicológico, entendi que era a definição perfeita do que meu pai fazia com minha mãe.

Ele era um manipulador profissional. Tanto no trabalho como em casa. Fazia minha mãe pensar que era louca. Quando ela sentia cheiro de perfume na roupa dele, ele dizia que o perfume era dela. Quando minha mãe via uma marca de batom na camisa dele, meu pai a convencia de que tinha sido coisa dela. Se meu pai afirmasse que o céu é verde, ela seria capaz de duvidar da própria visão.

Uma vez, ele a forçou a ir a um hospital para fazer um exame psiquiátrico.

Os testes comprovaram que ela era sã. Só havia se casado com um imbecil.

Meu pai ficava sinistramente calmo durante os surtos da minha mãe. O que era outro jogo mental dele — fazer parecer que ela tinha enlouquecido, mesmo que fosse ele quem a estivesse deixando maluca. Às vezes, eu tinha a impressão de que meu pai deixava números de telefone de outras mulheres em determinados lugares só para que ela os encontrasse. E, vindo dele, não duvido de nada.

Quando eu era mais novo, ele tentava me fazer ficar do lado dele — me usar para fazer minha mãe pagar o pato. Mas eu nunca cedia. Sempre soube que o único erro da minha mãe tinha sido se apaixonar por um monstro.

Meu pai era um mentiroso, um traidor. Um homem perturbado.

Na verdade, minha mãe havia cometido outro erro: o de ter continuado com ele.

Isso eu nunca entendi.

Eu não sabia se era porque ela o amava ou porque amava a vida confortável que ele nos proporcionava. De qualquer forma, não era uma relação saudável. Acho que era por isso que minha mãe quase nunca parava em casa. Talvez ela achasse que suas viagens pelo mundo com a grana do meu pai compensassem todo o resto. Talvez, de alguma forma, ela se sentisse "por cima" ao gastar o dinheiro dele.

— Eu sei que você anda se encontrando com ela, Greg! — berrou minha mãe enquanto eu me sentava no último degrau da varanda à frente da casa.

Tapei os ouvidos e me esforcei ao máximo para bloquear os sons das vozes deles.

Ah, como eu queria que meu avô ainda estivesse vivo. Eu fazia de tudo para não lembrar que ele tinha morrido, porque esse fato mexia muito comigo, mas, algumas vezes, minha vontade era sair de fininho e ir até a casa dele para ver velhos filmes de kung fu ao lado dele, comendo uma quantidade absurda de pipoca.

O melhor do meu avô era que ele não tinha nada a ver com meu pai.

Ele era um homem bom em todos os sentidos, e o mundo era um lugar muito pior sem ele.

Já fazia algumas semanas que ele tinha ido embora e eu ainda não sabia como parar de sentir falta dele.

O orientador educacional do colégio me disse que, com o tempo, ficaria mais fácil lidar com a perda, mas eu não acredito muito nisso. Não estava ficando mais fácil, só mais solitário.

Virei a cabeça e olhei pela janela. Algo se espatifou na sala de estar. Minha mãe havia arremessado uma garrafa de vinho na cabeça do meu pai, mas tinha errado — ela sempre errava.

A faxineira teria uma trabalheira para limpar aquele vinho tinto do carpete de novo.

— Vai embora, Greg! Vai! — rugiu ela. — Vai ficar com aquela piranha!

Como sempre, meu pai saiu de casa como um furacão.

Acho que para ele era melhor quando minha mãe o mandava embora. Aí ele ficava livre para ir para a casa da mulher com quem estivesse traindo minha mãe no momento.

Ele parou quando me viu sentado na varanda.

— Greyson. O que você está fazendo aqui fora?

Ele puxou um cigarro e acendeu.

Evitando você.

— Acabei de chegar, estava com o Landon.

— Sua mãe está agindo como uma maluca de novo. Será que ela está tomando os remédios?

Não falei nada, porque toda vez que ele dizia que ela era louca, eu queria dar um soco na cara dele.

Meu pai estreitou os olhos e balançou a cabeça de cima para baixo.

— Fiquei sabendo que o Landon começou um estágio no escritório de advocacia do pai.

— Foi.

Eu sabia aonde ele queria chegar.

— Quando é que você vai dar as caras na EastHouse e aprender alguma coisa, hein? Não vou tocar aquilo sozinho pra sempre, e já passou da hora de você entender o básico. Quanto antes você aprender as coisas, mais cedo vai estar pronto para assumir tudo um dia.

Lá vamos nós de novo.

Meu pai estava decidido a me fazer trabalhar na sede da EastHouse Whiskey porque tinha certeza de que um dia eu assumiria o comando da empresa. Meu avô havia fundado a EastHouse e tinha dado seu sangue e seu suor por ela até se aposentar. Meu pai seguiu os passos dele.

Era um negócio de família, e eu pretendia assumi-lo um dia, para honrar a memória do meu avô.

Eu só não planejava fazer isso tão cedo.

— Está surdo, garoto? Não estou falando a sua língua? — vociferou ele.

Eu me levantei e enfiei as mãos nos bolsos.

— Só acho que ainda não tô pronto pra isso.

— Não está pronto? Você já tem 16 anos. Não tem tempo a perder. Se pensa que esse negócio de basquete vai te garantir um futuro brilhante, está se iludindo. Você não tem talento suficiente pra viver de basquete.

Três observações se faziam necessárias ao comentário dele:
1. Eu tinha 17 anos, não 16.
2. Eu não queria ser um astro do basquete.
3. Me deixa em paz, pai.

Com o polegar e o indicador pressionando a ponte do nariz, passei direto por ele e entrei em casa. Ele gritou que ainda não tinha terminado o assunto do estágio que queria que eu fizesse na empresa e que voltaríamos a conversar sobre isso outra hora, mas eu não dei a mínima bola para aqueles gritos. Ele não ficava em casa tempo suficiente para tentar me convencer de nada.

Quando entrei, vi minha mãe catando os cacos da garrafa de vinho.

— Mãe, peraí, deixa que eu faço isso... antes que você se corte — falei, vendo minha mãe cambalear, embriagada, para trás e para a frente.

— Me larga — ralhou ela, empurrando meu braço. Ela olhou para mim, com o rímel escorrendo pelas bochechas, e franziu o cenho. Então colocou a mão suja de vinho no meu rosto e abriu a boca para falar. — Você é a cara do seu pai. Sabe como isso me dá raiva? Faz com que eu te odeie quase tanto quanto odeio ele.

— Você está bêbada — falei. Quando ficava de porre, minha mãe parecia se transformar em outra pessoa. O olhar era de ódio. Seus cabelos ficavam desgrenhados. — Vou botar você na cama.

— *Não!* — Ela se desvencilhou de mim e me deu um tapa na cara, murmurando: — Vai se foder, Greg.

Minha bochecha ardeu, e meus olhos se fecharam. Na mesma hora, os olhos dela se encheram de lágrimas, e ela tapou a boca com as mãos.

— Meu Deus! Perdão, Greyson. Por favor, me perdoa. — Ela começou a chorar aos soluços. — Não posso mais viver assim. Simplesmente não posso.

Eu a abracei e a apertei de leve, porque tinha certeza de que, se eu não a abraçasse, ninguém mais faria isso.

— Tá tudo bem, mãe. Você só tá cansada. Vai pra cama. Tá bom? Está tudo bem.

Peguei os cacos de vidro grandes e os joguei na lixeira enquanto ela andava tropegamente até o quarto. Ela provavelmente não estaria mais em casa quando eu acordasse na manhã seguinte. Teria ido pegar um avião para sua próxima aventura. Mas nossos caminhos se cruzariam de novo quanto ela precisasse de sua briga mensal com meu pai e de uma garrafa de vinho para jogar nele.

Fui até o banheiro para lavar o vinho das mãos e do rosto. Quando olhei no espelho, odiei o que vi.

Eu me parecia muito com meu pai e meio que me odiava por isso também.

Quando fui me deitar para dormir, tentei tirar meus pais da cabeça, mas, quando fiz isso, foi meu avô que entrou na minha mente, e isso só me deixou mais triste ainda.

Então pensei na Eleanor Gable.

A menina que lia livros em festas e que adorava libélulas.

Esse pensamento não se mostrou tão pesado como os outros.

Então deixei que ficasse.

Capítulo 3

Eleanor

Dois dias haviam se passado desde a festa, e eu ainda não tinha terminado de ler *Harry Potter e a Ordem da Fênix*. Minha concentração estava abalada, e eu não conseguia tirar Greyson da cabeça.

Não era pela aparência, nem pelas coisas que tinha dito. Eram alguns pequenos detalhes no jeito de ser dele.

Eu não conversava com muitas pessoas, mas reparava bastante nelas.

Reparei na forma como ele ficava pouco à vontade em certas situações, a maneira como tamborilava os dedos na perna e como nunca ficava imóvel.

Reparei que ele tinha cheiro de bala de alcaçuz.

Pensar nele era como um pesadelo diurno do qual eu não conseguia acordar. E me perguntava se ele também estaria pensando em mim.

Esse era um conceito totalmente novo na minha vida.

Eu não tinha paixonites, a não ser por personagens fictícios. Eu sempre achava os meninos da minha idade idiotas e superficiais. Tudo no ensino médio era o pior tipo de clichê possível.

Para mim, tudo parecia forçado e falso, baseado em coisas rasas, como aparências, popularidade e quanto dinheiro seus pais ganhavam. Eu não queria fazer parte de nada disso.

Até Greyson aparecer com aquele sorriso idiota. Agora eu era uma daquelas meninas, vivia pensando nele quando não devia, e ficava lendo vários artigos sobre como é ter uma queda por alguém.

— Oi, Snickers — disse meu pai, entrando no quarto enquanto girava um lápis entre os dedos.

— O quê?! Nada. Peraí. Hã? — respondi, meio atrapalhada, me apressando em fechar o navegador no computador. Minha respiração ficou ofegante enquanto eu tentava disfarçar o nervosismo. — Oi, pai — falei com um suspiro, abrindo um sorrisão para ele.

Ele arqueou uma das sobrancelhas.

— O que você está escondendo?

— Nada. Você tá precisando de alguma coisa? O que tá rolando?

Ele passou a mão na barriga e estreitou os olhos. Meu pai tinha uma bela de uma barriga, que costumava chamar de "Doritos", em homenagem à causa do aumento da pança. Minha mãe era vegana e sempre tentava levar meu pai para o time dela, mas ele se recusava a parar de comer bacon — o que eu entendia totalmente.

Na maior parte do tempo, minha mãe era boa em controlar a alimentação do meu pai. Ele estava pré-diabético até que ela o convenceu a seguir seu programa alimentar, por assim dizer. Ela afirmava que ficaria muito feliz se ele comesse uma salada junto com o jantar, então ele comia salada, porque fazê-la feliz era sua atividade preferida.

Eu sempre dava uma risadinha quando o via esfregando seu Doritos enquanto tentava descobrir alguma coisa, como se sua barriga fosse uma lâmpada mágica com todas as respostas.

— Eu vim te avisar que só você e eu vamos jantar hoje. Sua mãe está um pouco indisposta.

Senti um aperto no estômago quando a preocupação tomou conta de mim.

— Ah? Ela está bem?

— Só um pouco moída de gripe. — Ele sorriu. — Ela está bem, Ellie. Juro.

Ele tinha me chamado de "Ellie", e não de "Eleanor", então eu acreditava nele.

Ele coçou o queixo.

— Então... Sobre o jantar...

— Hoje não dá. Vou ficar de babá da Molly. — Eu vinha tomando conta da Molly Lane duas vezes por semana nos últimos meses, às segundas e às sextas depois da escola. Ela era uma menininha danadinha de 5 anos que morava perto da nossa casa. Não dava para tirar os olhos dela um segundo sequer. — Pra falar a verdade, eu tenho que ir pra lá daqui a pouco.

— Ah, hoje é segunda-feira, não é? — Ele torceu o nariz. — Bem, acho que seremos eu, *Frasier* e o "Méqui" pro jantar, então.

— A mãe sabe sobre a parte do McDonald's? — perguntei, ciente da última atualização do programa alimentar do meu pai.

Ele pegou a carteira e tirou uma nota de vinte.

— Ela precisa saber?

— Você está me subornando?

— Não sei. Está funcionando?

Fui até ele e peguei a nota.

— Tá, sim.

Ele segurou minha cabeça com as mãos e beijou minha testa.

— Você sempre foi minha filha preferida.

— Eu sou sua única filha.

— Até onde sabemos. Eu frequentei muitos shows de rock no início dos anos oitenta.

Revirei os olhos, sem conseguir evitar o riso.

— Você sabe que a mãe vai sentir o cheiro de batata frita em você. Ela sempre sente.

— Algumas coisas valem o risco. — Ele deu um último beijo na minha testa. — A gente se vê mais tarde. Manda um "oi" pra Molly e pros pais dela!

— Vou mandar.

— Te amo, Snickers.

Ele tinha me apelidado com o nome do chocolate preferido dele, uma demonstração de carinho.

— Também te amo, pai.

Depois que ele saiu, comecei a me arrumar para ir à casa da Molly. Eu sempre levava alguns dos meus livros preferidos da infância para ler para ela antes de dormir. Molly amava livros quase tanto quanto eu. No fundo, eu tinha um pouco de inveja do fato de que um dia ela leria todos os livros do Harry Potter pela primeira vez.

Eu daria tudo para experimentar de novo a sensação de ler aqueles livros pela primeira vez.

Raine, Illinois, era dividida em duas partes, separadas por uma ponte — o lado leste e o lado oeste. Eu morava na parte oeste, mas a casa da Molly ficava na leste, na rua Brent. Embora eu morasse perto, assim que você cruzava a pequena ponte, já percebia uma diferença. Nós tínhamos uma boa situação financeira, mas não éramos tão ricos como as famílias ao leste da ponte.

Todas as residências do quarteirão da casa da Molly valiam uma quantidade absurda de dinheiro. Eram mansões — mansões gigantescas. Raine era uma bela cidadezinha de classe média, exceto quando você ia para o lado leste. Era lá que moravam todas as pessoas ricas que trabalhavam em Chicago, mas que gostavam de um estilo de vida mais tranquilo. Minha mãe tinha trabalhado de babá para famílias daquele lado da ponte e ganhado uma quantidade de dinheiro considerável. Eu podia jurar que até o ar dali cheirava a notas de cem dólares. Se não fosse pela Molly, eu não teria motivo nenhum para estar naquela parte da cidade.

— Você é a babá da Molly Lane! — gritou uma voz quando meus tênis pisaram no primeiro degrau da varanda da frente na casa da menina.

Eu me virei para ver de onde vinha a voz. Então, do outro lado da rua, três casas à esquerda, estava um menino com um sorriso enorme no rosto. Greyson acenou.

Olhei para trás, para ter certeza de que era para mim que ele estava acenando e — ai, caramba — era.

Passei a mão pela nuca e disse:

— Ah, pois é.

Foram as únicas palavras em que consegui pensar. Quando percebi que ele vinha na minha direção, meu coração começou a fazer acrobacias no peito e a bater cada vez mais rápido.

Ele fez aquele movimento de passar a mão nos cabelos em câmera lenta de novo, e meu coração, de alguma forma, parou e acelerou ao mesmo tempo.

— Faz tempo que você toma conta dela? — perguntou ele.

— Faz, alguns meses.

Minhas mãos começaram a suar. *Por que minhas mãos estão suando? Será que ele está vendo a culpa estampada na minha cara? Será que ele está percebendo que eu tenho pensado nele? Será que consegue farejar o meu medo?! Ai, meu Deus, meus cotovelos estão suando?* Eu nem sabia que cotovelos suavam!

— Eu ia à igreja com a Molly quando ela era menorzinha. A melhor parte era quando a igreja toda estava em silêncio e ela gritava "Uma pista! Uma pista", como naquele programa de televisão *Pistas de Blue*, e aí corria até o altar e começava a dançar.

Dei uma risadinha. Parecia mesmo algo que a Molly que eu conhecia e adorava faria.

Ele enfiou as mãos nos bolsos da calça de moletom e se balançou para a frente e para trás com seus tênis Nike.

— Mas não é daqui que eu te conheço. Solucionei esse mistério outro dia.

— Ah, é? E de onde você me conhece?

— Da Clínica de Oncologia Sherman. — O sorriso dele meio que evaporou, e meu coração meio que gritou. — Eu te vi entrando e saindo de lá algumas vezes.

Ah.

Isso era constrangedor.

Eu ia à Clínica de Oncologia Sherman com meus pais sempre que minha mãe tinha sessões de quimioterapia. Durante muito tempo, minha mãe não quis que eu a acompanhasse, porque achava que eu ficaria triste, mas, sinceramente, eu ficava mais triste por não estar lá com ela.

Não falei nada.

— Você está doente? — quis saber ele.

— Não, eu não.

Ele torceu o nariz.

— Alguém que você conhece está doente?

— Hum... minha mãe. Ela tem câncer de mama — respondi com um suspiro e, no instante em que a palavra "câncer" saiu da minha boca, eu tentei sugá-la de volta. Toda vez que eu dizia essa palavra, meus olhos se enchiam de lágrimas.

— Sinto muito, Eleanor — disse ele, e eu soube que estava falando a verdade, pois seus olhos não mentiam.

— Obrigada.

Ele continuou me encarando, enquanto meu estômago dava cambalhotas.

— Alguém que você conhece está doente? — perguntei.

Dessa vez, foi ele quem ficou constrangido.

— Estava. Meu avô. Ele morreu algumas semanas atrás.

Os olhos dele fizeram algo que eu não sabia que os olhos de Greyson East podiam fazer: ficaram tristes.

— Sinto muito, Greyson — falei, e torci para que ele percebesse em meus olhos que eu estava sendo sincera.

— É, valeu. Todo mundo diz que agora ele não tá sofrendo mais. Sei lá. A sensação que dá é que um pouco do sofrimento ficou pra trás e meu avô me deixou encarregado dele.

Greyson esfregou o polegar na base do maxilar, e eu fiquei perplexa. Ele estava triste.

Triste de verdade. Isso era um choque para mim porque eu nunca tinha visto nenhum traço de tristeza nele. Aos meus olhos, ele parecia ser sempre aquele menino popular e de espírito livre que todos amavam.

Então os populares também ficavam tristes.

Greyson deixou de lado o ar carrancudo e sorriu.

— Então, eu tava pensando... A gente devia sair qualquer dia desses.

Ele falou aquilo com tanta naturalidade, como se a ideia de a gente sair não fosse totalmente absurda.

Ri, sendo sarcástica, para disfarçar o nervosismo.

— Ah, tá, Greyson.

— Não, eu tô falando sério. A gente devia sair.

Olhei para os dois lados da rua, só para ter certeza de que ele estava falando comigo.

— Você não quer sair comigo — falei.

— Quero, sim.

Puxei a barra do meu cardigã roxo.

— Não, não quer.

— Quero, sim — insistiu ele.

— Por causa da Shay?

Ele arqueou uma das sobrancelhas e deu um passo à frente.

— Nem tudo gira em torno da sua prima. Algumas coisas giram em torno de você.

— Então... é só que isso não faz o menor sentido. Por que você iria querer sair comigo?

— Por que eu não iria querer? Eu te achei interessante naquela festa e queria te conhecer melhor.

— Eu tava lendo um livro, de fone de ouvido, numa festa da galera da escola. Isso não é interessante. É esquisito.

— Gosto de coisas esquisitas.

Eu ri.

— Não. Você não gosta. Você gosta do que *não* é esquisito.

— Como você sabe do que eu gosto?

Olhei ao redor e dei de ombros.

— É só uma suposição.

— Bem, você não deveria fazer suposições. Se quiser, pode sair comigo e me conhecer de verdade — propôs ele.

— Nós não vivemos no mesmo mundo, Greyson. Você é você, e eu sou eu. Quer dizer, olha o tamanho da sua casa, você é um cara popular e...

— Olha aqui, se você não quer sair comigo, é só dizer. Não precisa inventar desculpas — ele me interrompeu, o que fez com que eu me empertigasse.

— Não, não é isso. É só que... Nós não temos muito em comum, eu acho.

— Bem, a gente pode descobrir se tem ou não, e depois vê o que acontece.

Estreitei os olhos.

— Tudo bem, então assim que você descobrir algo que a gente tenha em comum, eu saio com você.

Ele estreitou os olhos, quase como se não estivesse acreditando em mim.

— Jura de dedinho? — perguntou ele, esticando o mindinho para mim.

— Você não tá falando sério.

— Tô, sim. Preciso da sua palavra. Então, se eu descobrir que a gente tem alguma coisa em comum, você vai sair comigo. Juramento de dedinho.

— *Tá booom* — grunhi, enquanto enganchava meu mindinho no dele. Tentei ignorar a sensação que o toque dele causou em mim. — Prometo. Preciso ir agora. Tenho que tomar conta da Molly.

Ele sorriu, satisfeito.

— Tudo bem, a gente se fala depois — disse ele.

Abri um sorriso meio involuntário, e ele percebeu.

— Você devia fazer isso mais vezes, Eleanor.

— Aham. Tchau, Greyson. — Dei as costas para ele e senti minhas bochechas corarem enquanto subia correndo os outros degraus da escada da varanda, ainda sorrindo de orelha a orelha. Quando parei diante da porta da casa, me virei de frente para ele de novo. — O pessoal me chama de "Ellie". Pode me chamar assim também, se quiser.

— Tá bem, Ellie. — A maneira como ele pronunciou meu apelido me fez corar ainda mais. — E você pode me chamar de Grey.

— Só "Grey"?

— É, só "Grey". — Ele se virou e ergueu a mão. — Tchau, Ellie.

Os cantos da minha boca se arquearam para cima enquanto eu o via se afastar, então disse baixinho para mim mesma, sem entender direito o que vinha acontecendo na minha vida ultimamente:

— Tchau, Grey.

— É seu namorado? — perguntou uma voz de criança.

Ergui o olhar e vi a danadinha da Molly parada à porta com as mãozinhas na cintura. Seus cabelos ruivos cacheados escorriam pelos ombros, e ela batia o pé no chão sem parar.

— O quê? Não. Ele não é meu namorado.

— Então por que o seu rosto ficou vermelho?

— Meu rosto não está vermelho.

— Uhum. Você parece uma maçã.

— Algumas maçãs são verdes — argumentei, andando até ela.

— Mas você é uma maçã vermelha, por causa do seu *namorado* — provocou ela. De repente, a Molly começou a dançar pela varanda, cantando em voz alta: — Ellie tá namorando! Ellie tá namorando!

— Molly, para com isso! — sussurrei, meio gritando, olhando para trás e vendo que Greyson nos observava. Meu Deus, eu estava horrorizada.

— Por que você não vai dar um beijo nele? Vai dar um beijo no seu namorado. — Ela continuava insistindo no assunto "namorado", me fazendo grunhir enquanto esfregava as mãos no rosto.

— Ele não é meu namorado! — afirmei mais uma vez.

— Se não é seu namorado, então quem ele é? — perguntou ela, botando as mãos na cintura daquele jeito danadinho de novo.

— É o Grey — respondi com um suspiro, jogando as mãos para cima antes de caminhar até ela e pegar aquela criaturinha enxerida nos braços. — É só o Grey.

— *Gray* é cinza — exclamou Molly. — Mas ele não é cinza, é bronzeado.

Eu ri.

— É, mas não é por isso que ele se chama Grey. É que o nome dele só é... Grey.

— As pessoas podem ter nomes de cores?

— Hum, sim, acho que podem.

— Posso ser rosa?

Dei de ombros.

— Tudo bem, Rosa.

— E você vai ser Vermelho! Que nem o seu rosto agora.

É, parecia adequado.

Capítulo 4

Eleanor

Sabe aqueles primeiros minutos depois que você termina um livro incrível?

Aqueles instantes em que você não sabe exatamente o que fazer?

Você fica ali, olhando para as últimas palavras, sem saber ao certo como seguir com a vida.

Como assim o livro acabou?

Como podem os personagens ir sumindo de vista assim, de repente?

Para você, eles ainda estão marcados na sua alma. As ações e os diálogos deles seguem vivos e fortes em sua mente. Suas lágrimas nem secaram ainda e você já anseia por mais.

Eu adorava essa sensação — a história de amor, ao mesmo tempo doce e amarga, entre uma pessoa e um livro que chega ao fim.

Foi o que aconteceu comigo quando terminei *Harry Potter*.

Eu não sabia o que fazer. Minha mãe ainda estava se recuperando da gripe dela, e meu pai estava vendo televisão, então fiz a única coisa que me pareceu natural: pensei em Greyson.

Eu era oficialmente um clichê adolescente ambulante.

Toda vez que ia tomar conta da Molly, ficava cada vez mais nervosa só de pensar que Greyson poderia estar sentado na varanda do outro lado da rua, a três casas dali. Eu sabia que era ridículo da minha parte, mas, em alguns daqueles dias, pode ser que eu tenha começado a pentear os cabelos com mais empenho e é até possível que eu tenha pedido umas dicas de maquiagem para a Shay.

E talvez tenha exagerado um pouquinho na hora de tirar a sobrancelha também.

Sempre que via que Greyson não estava lá, eu respirava aliviada, mas logo depois ficava deprê.

Até que numa sexta-feira, três semanas depois da nossa primeira interação em frente à casa da Molly, meu coração acelerou quando ele atravessou a rua correndo, vindo na minha direção.

— Sou Grifinória — declarou ele, agitando na mão o livro que vinha carregando.

Arqueei uma das sobrancelhas e puxei a barra do meu cardigã.

— O quê?

— Eu disse que sou Grifinória. Tenho quase certeza, na verdade. Fiquei meio na dúvida entre Grifinória e Corvinal, mas aí eu li uns artigos na internet e tenho quase certeza de que sou Grifinória.

— Você leu *Harry Potter*?

Ele confirmou com a cabeça.

— Li. Foi mal eu ter levado tanto tempo pra falar contigo de novo, mas esses livros são enormes.

— Você... — Meu coração batia forte dentro do peito. — Você leu *todos* os livros?

— Todos os cinco, e agora estou contando os dias até o lançamento do próximo.

Eu também, Grey. Eu também.

— Por que você leu todos?

— Pra gente ter alguma coisa em comum. Além disso, eu queria que você desenvolvesse uma queda idiota e irrealista por mim, o que vai contra tudo aquilo em que você acredita.

Ele começou a folhear o livro, mostrando algumas de suas citações preferidas, que ele havia sublinhado. Ele falava depressa, comentando sobre as coisas de que tinha gostado mais e sobre as outras de que tinha gostado menos em cada um dos livros. Ele me revelou quem eram seus personagens preferidos, me contou os detalhes que o irritaram, e era como se soubesse *exatamente* do que estava falando.

Eu continuava perplexa com o fato de ele ter lido todos os cinco livros só para ter algo em comum comigo.

Se ele fosse um personagem de livro, seria o herói.

Depois de me mostrar a última citação que havia sublinhado, ele fechou o livro e deu de ombros.

— E aí, você é o quê?

— Hein?

— Qual é a sua casa de Hogwarts?

— Ah. — Deslizei a ponta do tênis pela calçada. — Sou Lufa-Lufa.

— Foi o que eu imaginei.

— É, a maioria das pessoas acha que é a pior casa.

— Os Lufa-Lufas me pareceram fortes, mas de um jeito reservado, além de leais. Não há nada de errado com pessoais leais e resilientes. Acho que deveria ter mais gente assim.

Eu sorri.

Ele sorriu para mim também.

— Você devia fazer isso mais vezes, Ellie. — E tamborilou os dedos na lombada do livro. — Então, agora que a gente tem alguma coisa em comum, isso quer dizer que a gente pode sair?

— Bem, eu fiz essa promessa, não fiz? E, como Lufa-Lufa, preciso cumprir minha palavra.

— Beleza. Então, o que você vai fazer na próxima terça?

— Hum... Nada?

— Ótimo. Quer me encontrar na minha casa? Vou pensar em alguma coisa pra gente fazer.

Dei de ombros, tentando bancar a indiferente.

— Tudo bem. — *Um lembrete para mim mesma: joelhos também suam.* — Bem, preciso ir tomar conta da Molly.

— Beleza. Até terça!

Ele foi embora e, durante alguns segundos, fiquei me perguntando se eu estaria presa num sonho. Mas eu não estava nem um pouco a fim de me beliscar porque tinha medo de acordar. Se aquilo fosse um sonho, eu queria viver nele um pouquinho mais.

~

— Estou a fim de um cara — declarei no domingo à tarde, sentada com minha mãe em nosso recanto secreto no Lago Laurie.

Nós frequentávamos aquele lugar desde que eu me entendia por gente; no inverno, a gente se cobria de roupas bem quentes, dos pés à cabeça, só para ficar perto da água. Se havia uma coisa que minha mãe amava, era a água. Ela dizia que era porque a água tinha um efeito curativo nela. Seu sonho era um dia colocar os pés no mar e ficar parada lá com os braços bem abertos, mas, como estávamos em Illinois e não havia oceano algum por perto, esse sonho teria de esperar mais um pouquinho.

Por ora, pequenos lagos e lagoas nos serviam bem. Tínhamos como missão passar um tempo sentadas diante da nossa lagoa secreta, observando as libélulas voarem ao nosso redor. O Lago Laurie ficava lotado de gente no verão. Um dia, durante nossas explorações por lá, encontramos uma pequena extensão de água escondida em meio às árvores. E era exatamente ali que íamos para nos sentar e conversar.

Depois de um tempo se sentindo indisposta, ela finalmente estava bem o suficiente para sair de casa, e eu fiquei feliz em poder retomar nossos passeios regulares juntas, só nós duas. Ela ainda parecia cansada, mas não cansada demais. Parecia aquele cansaço que as pessoas sentiam quando dormiam até tarde.

Mesmo assim, nas profundezas da minha mente, eu estava preocupada. Não conseguia evitar. Essa preocupação provavelmente duraria para sempre.

Minha mãe inclinou a cabeça para mim, e seus olhos azuis se iluminaram de alegria ao ouvir minhas palavras. Havia duas coisas sobre as quais nós quase nunca conversávamos: esportes e meninos. Eu nunca me interessei nem por um nem por outro, mas, naquela tarde, eu sabia que precisava contar para ela, porque ela era a pessoa em quem eu mais confiava. Eu contava tudo para a minha mãe. Éramos como Lorelai e Rory Gilmore.

— Minha nossa! Quem? Como? De onde?!

— O nome dele é Greyson East. Nós trocamos algumas palavras naquela festa que você e papai me forçaram a ir algumas semanas atrás.

Ela jogou as mãos para o céu, toda feliz.

— Eu sabia que estava sendo uma boa mãe ao te forçar a ir a uma festa regada a entorpecentes!

Dei uma risadinha.

— Mais ou menos isso.

— E aí, me conta tudo. Quais são os interesses dele? Como ele é? Se ele fosse um animal, qual seria?

Ela apoiou o queixo nas mãos e ficou olhando para mim com olhos arregalados e interessados.

Então contei tudo para ela — tudo o que eu sabia, pelo menos.

Ela ergueu uma das sobrancelhas.

— É por isso que você tem usado minha maquiagem?

— Você percebeu?

— Querida, eu estou doente mas não estou morta. Além disso, talvez seja melhor eu te dar umas aulas de maquiagem, porque acho que você exagerou no curvex.

Eu ri.

— Eu só queria, sei lá, ficar um pouco mais feminina.

— Não é usando maquiagem que você vai ser mais mulher. Você estava de maquiagem quando conheceu esse cara?

— Não...

— Então não tem por que começar a fazer isso agora, a não ser que você queira. Faça as coisas por você, Ellie, não pelos outros. Ele gostou de você exatamente do jeito que você é.

Meu estômago dava cambalhotas enquanto eu brincava com os polegares.

— Ele é o contrário do que eu imaginei que seria minha primeira paixonite.

— Em que sentido?

— Não sei. Eu achava que seria um cara nerd ou, tipo, um artista, ou um músico. O Greyson é popular.

— Você fala como se ele tivesse uma doença sexualmente transmissível — brincou minha mãe. — As pessoas gostam dele, e daí? Isso não é uma coisa ruim.

— É, mas não são só "as pessoas", é *todo mundo*. Ele poderia ficar com qualquer menina que quisesse, então é difícil pensar que ele iria querer...

— Não. — Minha mãe apoiou a mão no meu joelho. — Não fazemos isso. Não nos inferiorizamos. — Ela ajeitou meu cabelo atrás da orelha e segurou meu rosto com as mãos. — Você não é só linda por fora, Eleanor Rose, você é deslumbrante por dentro. Você é criativa, tem a risada mais gostosa que eu já ouvi. Você é gentil, generosa e corajosa. Nunca pense que não é boa o suficiente com base no que as revistas definem como beleza. Você. É. Linda.

Minha mãe fazia isso sempre que eu escorregava e caía nas minhas inseguranças adolescentes aleatórias.

Era fácil, para mim, não me sentir bonita em um mundo de rainhas do baile, mas minha mãe sempre fazia com que eu me lembrasse do meu valor.

Eu era uma filha sortuda.

— Além disso, parece que você atraiu a atenção dele com a sua aparência *e* com a sua inteligência — observou ela. — Essa é a parte mais importante.

— Podemos não contar pro papai? Ele é um pouco dramático com essas coisas.

— Seu pai nunca pegou numa arma na vida, mas acho que sua primeira paixonite seria o suficiente para tirá-lo do sério, então vamos manter isso entre nós duas.

— Obrigada.

De repente minha mãe teve uma crise de tosse. Ela demorou para recuperar o fôlego, e eu fiquei preocupada. Quando parou, ela balançou a cabeça.

— Estou bem, Ellie.

Eu ouvi as palavras dela, mas, às vezes, **sentia** que eram apenas mentiras para me poupar de sofrimentos. Eu tinha a sensação de que as mães fariam qualquer coisa para impedir que os filhos experimentassem qualquer forma de dor.

Apoiei a cabeça no ombro dela enquanto observávamos a água, e três libélulas passaram.

— Ele leu *Harry Potter*, os cinco livros, porque eu falei pra ele que a gente não tinha nada em comum e ele fez questão de garantir que a gente teria alguma coisa em comum.

Os olhos dela se arregalaram e seu queixo caiu.

— Ele leu sua série preferida?

— Aham.

— Eleanor?

— Sim?

— Casa com esse menino.

Capítulo 5

Eleanor

Eu estava com meu cardigã de libélulas quando fui para a casa do Greyson na terça-feira. Era o que eu estava usando da primeira vez que conversamos e pensei nele como um amuleto da sorte. Não passei maquiagem, porque isso não importava, e também porque eu já estava de saco cheio de ficar acertando o olho com o aplicador de rímel.

Enquanto andava pela rua Weston, eu me esforçava ao máximo para controlar o nervosismo. A gente só ia sair, afinal de contas, não se casar.

Não havia motivo para complicar as coisas.

Cheguei à varanda da frente da casa do Greyson e toquei a campainha.

Esperei alguns segundos, retorcendo os dedos e batendo o pé no chão, até ele chegar à porta. Foi o tempo mais longo que tive de esperar alguém atender a porta, mas, de novo, considerando o tamanho da casa do Greyson, era compreensível.

Quando ele abriu a porta, trazia no colo um enorme gato preto e fofo. Meus olhos se arregalaram de euforia.

— Meu Deus, quem é esse?

— Esse é o Miau, meu melhor amigo — respondeu Greyson, deixando que eu acariciasse o bichano. — É um velho gorducho, mas é o cara mais legal das redondezas.

Sorri para o felino.

— Oi, Miau. Eu sou a Ellie.

O gatinho miou antes de saltar dos braços de Greyson e voltar para dentro da casa, sem demonstrar o menor interesse em mim. Não consegui evitar o riso.

— Ele é fofo — comentei.

— É, sim. Então, está pronta pra ir? — perguntou Greyson, pegando um casaco de moletom com capuz no hall de entrada da casa.

— Estou. Mas aonde vamos, exatamente?

— Eu tive a chance de ver um pouco do que você gosta quando li aqueles livros, então queria te mostrar uma coisa que eu gosto. A gente vai ao cinema.

— Ah! Qual? — perguntei, enquanto descíamos os degraus da varanda.

— Bem, toda terça-feira, o Cinema Cameron passa uns filmes antigos de kung fu. O que está em cartaz essa semana é o *Cinco dedos de violência*.

— Você gosta de ver filmes antigos de kung fu?

— Gosto. Eu via muito com meu avô, antes de ele morrer. Aí depois passei a ir sozinho. — Ele se deslocou para lá e para cá e fez aquele gesto de retorcer os dedos, o que demonstrava um certo grau de desconforto. — Se você odiar a ideia de ir ao cinema, a gente pode fazer outra coisa, tipo tomar sorvete ou coisa assim. Eu só pensei...

Ai, meu coração

Sorri e balancei a cabeça, esfregando a mão esquerda no braço direito.

— Acho essa ideia perfeita.

Ele sorriu para mim.

— Você devia fazer isso mais vezes, Grey — falei, sorrindo ao repetir as palavras dele.

Fomos até o cinema a pé. Quando chegamos, ele comprou pipoca e bala. Eu não conseguia comer nada daquilo direito por causa do aparelho, mas não tinha problema. Já tinha borboletas suficientes no meu estômago para me saciar.

A bala preferida dele era a de alcaçuz, e ele disse que tinha aprendido a gostar com o avô.

As borboletas no meu estômago não sossegaram quando nos sentamos na sala de cinema. Pelo contrário, acho que ficaram ainda mais eufóricas. Eu podia jurar que o braço dele foi chegando mais perto do meu e que o meu foi se aproximando do dele durante o filme. Meu coração parou de bater quando o dedinho dele tocou no meu.

Quando meu nervosismo atingiu o nível máximo, pousei as mãos no meu colo e fiz um esforço enorme para não ficar pensando naquele leve toque. Mas também tive raiva de mim mesma por ter afastado a mão — e se eu tivesse deixado a mão ali? Nós teríamos enganchado os mindinhos? Teríamos dado as mãos? Será que ele teria sentido o sangue correndo a mil pelo meu corpo?

Toda vez que Greyson ria do filme, eu também ria, porque ele tinha aquele tipo de risada que faz você pensar que acabou de conhecer a pessoa mais feliz do mundo. O filme era ótimo, mas a melhor parte era observar o quanto Greyson estava curtindo. Os olhos dele permaneceram fixos na tela, e ele jogava a cabeça para trás nas partes que o faziam rir, enquanto enchia a boca de pipoca.

De repente me pareceu surreal o fato de eu ter achado que conhecia o menino popular da escola só de vê-lo pelos corredores. Eu estava totalmente equivocada. Greyson era muito mais do que suas habilidades no basquete, seus tênis Nike e sua beleza física.

Muito de sua personalidade não dava para ser vista na escola: do amor pelo gato ao amor por filmes de kung fu; da maneira como ele sentia saudades do avô à maneira como seus olhos pareciam, às vezes, extremamente solitários.

Eu me sentia uma idiota por tê-lo julgado antes de saber mais sobre ele.

Tudo o que eu estava aprendendo me fazia gostar cada vez mais dele. Greyson possuía muitas camadas, e cada vez que ele revelava uma, era como se estivesse me revelando um grande segredo.

— Gostou? — perguntou ele, soando meio inseguro.

— Foi incrível! Eu nunca tinha visto um filme de kung fu.

Ele suspirou aliviado, colocando a mão no peito.

— Ai, que bom. Fiquei um pouco tenso. A maioria das meninas acha esquisito eu gostar desse tipo de filme, mas eu adoro.

— Eu adoro que você adora.

— E agora? Quer comer alguma coisa?

— Eu sempre quero comer alguma coisa — respondi.

Fomos a uma sorveteria, onde descobri outra coisa que tínhamos em comum: adorávamos sorvete de baunilha com calda de chocolate. Também não tínhamos vergonha de comer demais. Mas, enquanto comíamos, não pude deixar de me perguntar uma coisa.

— O que te fez querer sair comigo? — indaguei, sentindo o rosto esquentar um pouquinho depois que as palavras saíram da minha boca.

Ele parou a colher cheia de sorvete no ar e arqueou uma das sobrancelhas.

— Como assim?

— É que pareceu ser um lance meio aleatório, só isso.

— Ah. — Ele comeu a colherada de sorvete e então falou com a boca cheia. — Você não me deu muita bola naquela festa.

— E isso te fez querer sair comigo?

— Aham.

— Mas por quê?

— Porque a maioria das meninas age como se tudo o que eu faço e digo fosse mágica, sendo que eu falo muita coisa idiota. Eu diria que uns bons noventa por cento do que eu digo é só besteira.

— Eu arredondaria pra cem por cento — brinquei.

Ele riu.

— Tá vendo? Foi por isso. Outras meninas nunca diriam isso. É como se elas gostassem de um cara que criaram na própria cabeça. Elas não fazem ideia de quem eu sou de verdade. Você não deu a mínima pra mim.

— Você quer sair comigo porque eu não dou a mínima pra você?

— É, exatamente.

Eu ri.

— Isso parece bem doido.

— Talvez, mas é verdade. Além disso... Com a sua mãe doente...

Ele parou de falar, e eu senti uma contração estranha no estômago.

— Não quero que você me chame pra sair porque sente pena de mim — falei.

Eu não precisava da piedade dele.

— Não, não é isso. Quer dizer, eu sinto pena, sim, mas não sei como explicar. — Ele passou a mão na testa. — Acho que o que eu quero dizer é... Quando meu avô ficou doente, eu só conseguia pensar nisso e me lembro de querer que alguém pudesse me distrair da doença dele só por um segundo. Eu quero fazer isso por você. Quero te dar uma coisa diferente pra pensar. Não quero que você se sinta sozinha.

Eu não tinha certeza se aquele menino era real.

Nem nos meus livros os heróis eram tão fofos assim.

Mordi o lábio inferior enquanto tomava meu sorvete.

— Ah.

Foi tudo o que consegui dizer, porque minhas emoções estavam me sufocando.

— O que me leva ao nosso próximo assunto. — Ele entrelaçou os dedos das mãos e alongou os braços antes de colocá-los em cima da mesa. — Tenho uma proposta pra você.

— Ah é? Qual?

— A gente tem que continuar se vendo, pelo menos uma vez por semana, pra evitar que você enlouqueça.

— Como assim?

— Você vai ficar maluca de tanto se preocupar com a sua mãe sete dias por semana. Acredite em mim, eu sei. Já passei por isso.

— Eu estou bem — afirmei.

Ele arqueou uma das sobrancelhas.

— Quantas vezes por semana você dá buscas sobre câncer na internet?

Hum...

Umas quatro ou sete...

— Só uma vez ou outra — menti.

Ele sorriu.

— Todos os dias, né? Também aposto que essas buscas te deixam ainda pior. É por isso que uma vez por semana você tem que tirar essa doença da sua cabeça. Era por isso que meu avô me fazia ir com ele ao cinema às terças, pra aliviar tensão. Ajudou bastante.

— Você quer que eu vá ao cinema com você toda terça?

— Não, a gente vai fazer outras coisas também. O objetivo é fazer você parar de pensar tanto em coisas tristes, pelo menos por algumas horas. Depois disso, você pode voltar pras suas pesquisas melancólicas na internet — disse ele meio brincando.

Estreitei os olhos.

— Só uma vez por semana?

— Isso. Eu só preciso de umas três ou quatro horas do seu tempo. É um acordo em que todo mundo sai ganhando.

— E o que você ganha com isso? Quer dizer, eu entendo como eu me beneficio, tenho uma folga da realidade, mas você não ganha nada com isso.

— Ganho a sua companhia, o que significa que não vou ficar tão sozinho.

Eu ri

— Você está sempre rodeado de pessoas. Nem deve saber o que é solidão.

Ele pareceu meio triste de repente e esfregou o nariz com o polegar. Seu olhar se fixou na tigela de sorvete quase vazia.

— Você nunca ficou num lugar lotado sentindo que ninguém sabe nada sobre você? — questionou ele. — As pessoas falam de você de um jeito falso. Tudo o que sabem sobre você são mentiras aleatórias que inventaram na própria cabeça, mas ninguém te *conhece de verdade*. As pessoas só conhecem o personagem fictício que criaram. Isso é que é solidão: viver em um mundo onde ninguém te vê de verdade.

Caramba.

Ele tinha acabado de descrever toda a minha experiência no ensino médio.

— Tá bom. Talvez você realmente saiba como é — falei.

— E aí, o que me diz? Topa? — perguntou ele, juntando a palma das mãos.

— Topo — respondi depressa, e não me importei com o fato de aquela palavra ter saído tão rápido da minha boca, não me importei com o quanto eu parecia ansiosa. — Eu topo.

Ele sorriu.

Eu gostei.

Tanto faz.

— Beleza. Vou montar uma lista de coisas que a gente pode fazer! Acho que vai ser bem divertido.

Ele parecia muito animado, o que me deixou animada também.

Terminamos o sorvete e então ele me acompanhou até a minha casa. Fiquei feliz por Greyson ser bem falante, porque muitas vezes eu ficava sem ter o que dizer com as pessoas. Ele era ótimo em manter a conversa fluindo.

— Obrigado por ter saído comigo hoje, Ellie. Eu me diverti muito — disse ele, virando-se com seus tênis da Nike.

— É, eu também.

— Que tal a gente se encontrar na próxima quarta?

— Encontro marcado — concordei, então senti minhas bochechas queimarem. — Quer dizer, não tipo um "encontro *encontro*", mas, tipo, você sabe... Quando duas pessoas combinam de fazer alguma coisa... Não quis dizer...

— Encontro marcado. — Greyson riu, tranquilo como sempre. — A gente se fala. Ah, e fica longe da internet, tá?

Ele fez que ia embora, mas eu o chamei, e ele se virou de novo para mim.

— Eu só queria que você soubesse que eu te vejo, sabe? Vejo o Greyson que o resto do mundo não vê.

Ele franziu o nariz e esfregou a nuca.

— Que bom. Porque eu também te vejo.

Eu havia passado tempo demais me escondendo nas sombras. Evitava as pessoas porque ser invisível parecia uma atitude segura. Se eu fosse invisível, as pessoas não podiam me julgar. Se eu fosse invisível, as pessoas não podiam rir da minha cara. Sempre pensei que essa fosse a escolha certa — ficar escondida.

Naquela tarde, meus pensamentos começaram a mudar lentamente de direção, porque Greyson se deu ao trabalho de olhar para mim.

Quem diria que ser vista poderia ser tão bom?

Capítulo 6

Greyson

Meus pais estavam brigando de novo. Era tarde da noite, e eu não tinha para onde fugir, então me tranquei no quarto e coloquei os fones de ouvido, aumentando bastante o volume da música. Era quase impossível ignorá-los, mas me esforcei ao máximo.

Sentado na cama, olhando para o teto, pensei em novas ideias de programas para fazer com Eleanor quando a gente saísse de novo. Pensei em lugares que talvez ela fosse gostar de conhecer e em coisas que talvez fosse gostar de fazer.

Tentei pensar em comidas que fossem fáceis de ela comer com o aparelho, para que não acabasse frustrada ao me ver devorando uma pizza. Pensei se seria uma boa levar flores para Eleanor, para deixar seu dia um pouquinho melhor, mas aí pensei que ela talvez pudesse não gostar de flores. Nem todas as meninas gostam de flores, embora a maioria sim.

Então me vi pensando no sorriso dela.

O sorriso dela era sempre contido, e ela quase nunca mostrava os dentes. Talvez porque usasse aparelho e se sentisse insegura. Mas ela não tinha motivo nenhum para se sentir insegura. Quando Eleanor dava um sorriso de verdade, era a coisa mais linda do mundo.

Minha mãe chamou meu pai de babaca, e eu ouvi algo se quebrar.

Aumentei o volume da música e me concentrei ainda mais nos meus pensamentos.

Patins.

Fiquei me perguntando se Eleanor gostava de andar de patins.

Eu adoraria levá-la para andar de patins.

Embora eu provavelmente fosse cair de bunda.

Naquela noite, eu só pensei em Eleanor. Ultimamente, pensar nela parecia ser a única coisa que me impedia de pirar. Eu sabia que tinha dito a ela que queria ser seu amigo para que ela não se sentisse sozinha, mas talvez eu precisasse de uma amizade tanto quanto ela.

Talvez eu precisasse dela mais do que ela de mim.

— Beleza, pega quantos livros quiser, e aí a gente vai pra parte dois da aventura de hoje — falei para a Eleanor enquanto a gente atravessava o corredor de livros de fantasia em um sebo. Fazia apenas uma semana que eu não a via, mas jurava que parecia bem mais tempo.

— Ah, Grey, você nunca deveria dizer essas palavras pra uma viciada em livros. Vamos precisar de uma carreta pra carregar tudo — disse ela, meio brincando.

— Tá! Então a gente vai ficar só com dois por enquanto e aí a gente pode ir pra próxima parada. Mas não tem pressa. Pode olhar à vontade.

Ela foi procurar os dois livros, enquanto eu me esforçava ao máximo para reduzir minhas opções a cinco.

Escolhi um de fantasia e um de terror, e ela escolheu um romance histórico e uma novela humorística.

Eu com certeza ia pegar os livros dela emprestados quando ela terminasse de ler.

— Muito bem, aonde vamos agora? — ela quis saber, apertando os livros contra o peito.

— Vamos a um café ler nossos livros. Concluí que é isso o que as pessoas fazem: bebem café e leem.

Ela ficou vermelha, mas tentou esconder isso de mim. Ela se virou de leve para o outro lado, e achei aquilo fofo pra cacete.

— Ah, legal — disse ela. — Mas eu nunca tomei café.

— O quê?! E você ainda se diz viciada em livros? — Eu ri. — Eu também nunca tomei café direito, mas a gente pode descobrir quais são os nossos preferidos.

Ela sorriu, e também achei aquilo fofo pra cacete.

Eu adorava quando ela sorria — quando *realmente* sorria, mostrando o aparelho todo. Os sorrisos verdadeiros indicavam que ela não estava triste naquele momento, e isso era bom. É essencial ter alguns momentos na vida em que você não está muito triste.

Fomos para um café a algumas quadras dali. Depois que entramos, provamos quase todas as especialidades da casa.

Fiquei me perguntando se Eleanor teria percebido que meu olho estava sofrendo contrações involuntárias por causa do excesso de cafeína no meu corpo.

Mas acho que ela não percebeu, porque estava ocupada falando sem parar. Talvez a cafeína provocasse esse efeito nela — Eleanor ficava menos tímida.

Descobri que eu gostava de *mocaccino*. Eleanor, porém, foi mais específica com suas preferências: dois cubinhos de açúcar, uma dose de baunilha, uma dose extra de leite.

Depois que a gente escolheu as bebidas, a conversa morreu. A gente ficou só tomando café e lendo. Só que, de vez em quando, ela olhava para mim e sorria, me fazendo sorrir também.

Eu estava gostando cada vez mais do sorriso dela. Podia me acostumar a ver esse sorriso uma vez por semana.

Depois de algumas horas, a gente andou de volta até a casa dela. Eu adorava o jeito como ela abraçava os livros junto ao peito, como se fossem bebês de colo.

— Sabe em que eu não pensei nessas últimas horas? — perguntou ela quando a gente chegou à varanda da frente da casa dela.
— Em quê?
— Em câncer.
Sorri.
Ótimo.

~

A gente começou a se ver cada vez mais, e, quando não se via, batia papo pelo Messenger do AOL. Eu falava sobre meus filmes de kung fu preferidos e ela falava dos livros preferidos dela. Nosso dever de casa era ver os filmes ou ler os livros e depois compartilhar nossas opiniões com o outro.

Quando Eleanor ia tomar conta da Molly, passava primeiro na minha casa, onde eu sempre estava sentado na varanda da frente, esperando por ela. Eu a acompanhava por três casas, atravessava a rua e a deixava lá, na porta. Depois, enquanto andava de volta para a minha casa, pensava no sorriso dela.

Eu pensava na risada dela, em seus cardigãs preferidos e em como ela reluzia quando falava de um bom livro. Pensava no jeito como seu sorriso virava uma careta quando eu perguntava pela mãe dela. Pensava nas coisas que a deixavam mais feliz e nas coisas que a deixavam triste.

Em tudo.

Eu pensava em tudo.

Ficava fazendo listas de coisas diferentes que a gente podia fazer. Maneiras diferentes de manter a mente dela ocupada. Formas diferentes de tê-la por perto.

De repente, Eleanor passou a ser meu primeiro pensamento de manhã e o último antes de a minha cabeça encostar no travesseiro à noite.

Eu não sabia que isso era possível...

Não sabia a velocidade com que o coração podia começar a bater por alguém que não passava de uma desconhecida até poucas semanas antes.

Capítulo 7

Eleanor

Finalmente, decidi mostrar as libélulas a Greyson. Nós nos encontramos no estacionamento do Lago Laurie e, quando ele chegou, eu podia jurar que estava mais lindo do que nunca. Estava só de camisa de malha branca e jeans escuros, mas, para mim, estava maravilhoso.
— Oi.
Sorri.
— Oi — respondeu ele, me abraçando.
Ele veio até mim e me abraçou.
Isso mesmo.
Ele me abraçou.
Nosso primeiro abraço.
Ele também agiu da forma mais natural do mundo, como se abraços fossem nosso padrão de cumprimento. Eu retribuí o abraço e provavelmente o segurei por mais tempo do que deveria, mas eu não me importava. Ele também pareceu não se importar, porque me abraçou com força até que eu o soltasse.

Quando me afastei, pigarreei e não consegui olhar para ele, de tão nervosa que estava. O que aquele abraço significava? Será que os segundos a mais que ficamos abraçados significavam mais do que um abraço normal de amizade? Será que ele também estava nervoso? Será que eu estava analisando demais cada segundo de cada dia desde que Greyson East entrara na minha vida?

— Cadê as libélulas? — perguntou ele, me resgatando dos meus pensamentos dramáticos.

Pigarreei de novo e esfreguei a mão esquerda no braço direito.

— Ah, é por aqui. Vamos.

Nós atravessamos as áreas mais populares do parque, onde as pessoas faziam piquenique e jogavam vôlei. O lago ficava lotado no verão. Raine não tinha muitos dias de calor, então todos faziam questão de aproveitar o sol o máximo possível.

Quando Greyson e eu chegamos à trilha, ele parecia decidido a fazer carinho em todos os cães que cruzavam nosso caminho. Toda vez que encontrava um bichinho, seus olhos se iluminavam como se aquele fosse o único cachorro do planeta inteiro. Então ele se virava para mim e falava:

— Olha o focinho dele, Ellie! Ai, meu Deus! Ele tá sorrindo.

Era como se ele tivesse descoberto seu novo melhor amigo — até aparecer o próximo.

Ele amava os animais. E isso tornava ainda mais difícil, para mim, controlar os sentimentos que cresciam cada vez mais dentro de mim por aquele cara.

Será que você poderia não ser tão perfeito, Greyson? Isso seria ótimo, obrigada.

Quando estávamos mais ou menos na metade da trilha, indiquei a esquerda com a cabeça.

— Tá. Agora temos que passar pelo meio das árvores.

Ele arqueou uma das sobrancelhas.

— Você não tá tentando me levar pro meio da floresta pra, tipo, me matar, né?

Eu ri.

— Não seja bobo, Grey. Se eu quisesse te matar, já teria feito isso há muito tempo.

— Nossa. Agora estou bem mais calmo.

Passamos por entre as árvores, os galhos nos acertando várias vezes. Demorava mais ou menos três minutos para sair da mata fechada e chegar à clareira e, quando chegamos, Greyson abriu um sorriso de orelha a orelha.

— Caramba — disse ele, olhando para aquela extensão de água.

Comparado ao lago em si, era bem pequeno, mas, olhando assim de forma isolada, parecia imenso, principalmente quando o público presente estava limitado a duas pessoas. Havia alguns troncos grandes caídos, que era onde eu e minha mãe nos sentávamos para conversar. Flores do campo desabrochavam, e o verde da grama era o mais intenso que teríamos durante o ano todo.

— Não é?

Eu o levei até um tronco, e nos sentamos lado a lado.

Durante um tempo, ficamos apenas em silêncio, observando a beleza natural ao nosso redor. Greyson não falou muito, mas seu sorriso falava alto o bastante para me garantir que ele não estava odiando.

De repente, uma libélula passou voando perto de nós.

— Dá pra entender por que você adora esse lugar. É de uma paz — comentou Greyson.

— É, e estar perto da água ajuda minha mãe. Ela fica inspirada pra pintar.

Ele ergueu uma das sobrancelhas, intrigado.

— Sua mãe é artista?

— É. Ela pinta desde sempre. É o passatempo dela. E é muito boa nisso.

— E esse é, tipo, o trabalho dela?

— Bem, na verdade, ela é babá de dia e artista de noite. No fundo ela poderia pintar em tempo integral, se quisesse, mas ela gosta muito de ser babá.

— Isso é muito legal.

Franzi a testa.

— É, acho que sim.

— O que foi?

— É que ela parou de trabalhar como babá há pouco tempo e não tem pintado tanto quanto pintava — falei, me ajeitando no tronco. — Acho que tem ficado muito cansada por causa da quimioterapia.

O sorriso do Greyson evaporou.

— Sinto muito, Ellie.

— É, eu também. — Quando menos minha mãe pintava, mais a doença dela se tornava real na minha cabeça. Mas eu me esforçava ao máximo para afastar esses pensamentos. Se sucumbisse àquele buraco negro de tristeza, nunca mais sairia dele. — E seus pais? O que eles fazem? — perguntei, mudando de assunto.

Ele deu de ombros.

— Meu pai é CEO de uma fábrica de uísque, e minha mãe vive viajando pra se divertir. Eles não ficam muito em casa. Não vejo minha mãe há algumas semanas, e meu pai só volta pra casa de vez em quando, pra dormir. Mas o que ele mais faz é ficar no apartamento que tem em Chicago.

— Então você fica sozinho a maior parte do tempo?

— Aham. Quer dizer, antes eu tinha meu avô, mas, desde que ele morreu... Sou só eu.

— Você sente falta deles? — indaguei. — Sente falta de ter seus pais por perto?

— Não faz diferença. Sentir falta não vai fazer com que eles sejam mais presentes. Eu só prometo a mim mesmo que serei diferente, sabe? Quero ser diferente quando tiver filhos, um dia. Eu nunca os abandonaria. Eles querem que eu assuma a empresa daqui a um tempo, mas eu não seguiria o exemplo do meu pai. Eu arrumaria tempo pra minha família. Seria presente. Meu avô conseguia fazer as duas coisas: ser pai e administrar a empresa. Ele era muito presente.

— Acho que as pessoas subestimam a importância de se estar presente.
— É muito importante — concordou ele.
— Então você vai assumir a empresa do seu pai?
— Vou. Foi meu avô que fundou a empresa. É uma tradição da família, acho.
— É isso o que você quer fazer? — questionei. — A propósito, o que você quer ser quando crescer?

Ele respondeu sem pensar muito.
— Feliz.
— Feliz?
— É. Só isso. Era isso o que o meu avô me dizia. Ele falava: "Greyson, presta atenção. Você pode ser o que quiser no mundo, e está tudo bem. Não importa a sua profissão, desde que você tenha comida na mesa e um lugar pra morar. O mais importante de tudo é ser feliz. Então, quando você crescer, não se esquece de ser feliz. Todo o resto vai se encaixar." Então, é isso, eu só quero ser feliz. Não importa o que eu faça, quero ser feliz fazendo isso.

Gostei da resposta dele mais do que podia expressar.
— E você, Ellie? O que você quer ser?
— Feliz — respondi, roubando a resposta dele. — Acho que só quero ser feliz também.

Ele sorriu e empurrou meu ombro de leve. Depois, jogou a cabeça para trás e olhou para o céu.
— Gostei muito desse lugar.
— É. É uma bela fuga do mundo trouxa — comentei.

Ele riu.
— Você realmente curte essas coisas de *Harry Potter*, hein?
— É apenas o ar que respiro — respondi, sendo pragmática.

Eu não sabia o que teria acontecido comigo se eu não tivesse lido *Harry Potter*. Não sei como teria sobrevivido aos últimos anos. Se não tivesse lido os livros, talvez hoje acreditasse nas mentiras que as pessoas contam a meu respeito.

Eu acharia que minha vida não era mágica, e isso seria uma pena.

Era triste o fato de que muitas pessoas viviam a vida sem saber que eram repletas de magia.

— Acho legal você ser tão fã — comentou ele. — E estou realmente ansioso pro lançamento do próximo livro.

— Eu também. Mal posso esperar.

Ficamos sentados ali, observando as libélulas zunirem para lá e para cá.

De repente, respirei fundo e soltei o ar devagar.

— Posso te fazer uma pergunta? Você não precisa responder, se não quiser — perguntei.

— Qualquer coisa.

— O que aconteceu entre você e a Stacey White? Repito, você não precisa responder, mas acho que, na medida em que foi isso que meio que nos aproximou...

Ele coçou o nariz.

— É constrangedor.

— Você não precisa me contar. Mesmo. Só fiquei curiosa.

Ele juntou as mãos, girou os ombros para trás e estalou o pescoço.

— É... bem, acho que eu também teria ficado curioso. Mas é que é muito constrangedor.

— Eu uso cardigãs de crochê com libélulas, Greyson. "Constrangedor" é meu sobrenome.

Ele suspirou e assentiu, virando-se para me encarar. Então juntou as mãos novamente.

— Tá bem. Então, eu e a Stacey. A gente tava ficando há um tempo, não muito, e eu nem tinha certeza se ela era alguém que eu deveria namorar, porque, bom, ela não faz muito o meu tipo. Ela é meio egocêntrica, mas enfim. Tudo ia bem, até ela se sentir pronta pra, bem, você sabe...

As bochechas dele coraram e, pela primeira vez na vida, eu testemunhei Grey ficando envergonhado.

Finalmente, estávamos jogando de igual para igual.

— É, eu sei.

Fiz que sim com a cabeça, me esforçando ao máximo para deixá-lo à vontade.

— Quando eu contei pra ela que nunca tinha feito aquilo, ela riu, achando que eu tava brincando, então eu também ri, tentando amenizar o clima. Mas aí, quando a gente foi fazer, eu não consegui... — Ele olhou para baixo. — Bem, quer dizer, eu tava nervoso... Não consegui... levantar.

Aquelas últimas palavras não passaram de um sussurro, e eu jurava que nunca tinha gostado tanto dele.

— Eu só tava nervoso e ansioso, e sei que é constrangedor o fato de eu ter 17 anos e nunca...

— Eu também nunca fiz isso — interrompi.

Ele olhou para mim, surpreso, o que foi uma surpresa para mim. A menina que usa cardigãs e ama Harry Potter é virgem?

Não brinca!

— Sério? — perguntou ele, parecendo feliz por não ser o único virgem no planeta.

— Aham. E isso não é nada problemático. Eu nunca nem beijei na boca.

— Discordo de você — falou ele. — É problemático, *sim*.

Dei de ombros.

— Acho que as pessoas da nossa idade dão uma importância excessiva a esse assunto.

— A Stacey deu mesmo uma importância excessiva a esse assunto. Ela riu da minha cara e tirou sarro de mim, dizendo que o cara mais popular da escola não conseguia nem dar conta dela. Aí terminei com ela. Mas ela não aceitou muito bem o fim do namoro e ameaçou contar pra todo mundo sobre o meu... Hum... Problema de desempenho. Aí eu contei pro Landon e ele deu um jeito em tudo. Ele sabia de uns podres da Stacey que ela não queria que os outros descobrissem, então ela fechou o bico, o que me fez ficar devendo uma pro Landon.

— Entendi.

— É. Ele é um babaca, mas é meu melhor amigo, então pelo menos é um babaca leal.

— Caramba. Isso foi, pra falar a verdade, bem legal da parte dele... Você sabe, até ele te chantagear e te forçar a conversar com uma menina esquisita numa festa.

— Eu não me arrependo disso — afirmou ele, sendo pragmático.

Suspiro.

— Nem eu.

— Te devo um obrigado, Ellie.

— Pelo quê?

Ele pigarreou e coçou a nuca.

— Nessas últimas semanas depois que meu avô morreu, eu andava me sentindo bem sozinho e triste; até quando tava com outras pessoas, em festas e tal. Era difícil. Mas, quando tô com você, não me sinto sozinho. Quando tô com você, sinto que pertenço a algum lugar. Então, te devo uma por isso. Quase me esqueci de como era.

— Quase se esqueceu de como era o quê?

Ele ergueu um ombro.

— Me sentir feliz.

Capítulo 8

Eleanor

— Qual será a nossa grande aventura de hoje? — perguntei a Greyson quando ele chegou à minha casa num sábado à tarde.

Eu realmente precisava de uma folga da realidade, pois minha mãe tinha tido uma noite difícil. Agora ela estava descansando, enquanto meu pai tomava conta dela. Eu perguntei se ela queria que eu ficasse em casa, mas ela preferiu que eu saísse com Greyson e me divertisse. Ela queria que eu me distraísse, em vez de ficar preocupada.

Greyson sorriu, e enfiou as mãos nos bolsos da calça.

— Tô com vontade de ganhar um bicho de pelúcia pra você lá no parque de diversões.

Achei a ideia legal.

A companhia de Greyson era adorável por vários motivos. Eu adorava a maneira como ele se expressava, gesticulando muito, enquanto falava. Adorava o fato de ele cantarolar quando estava feliz. Às vezes, estávamos andando pela rua e ele começava a bater o pé enquanto cantarolava alguma canção aleatória.

Eu adorava o fato de que, quando ele me olhava, fixava os olhos em mim, como se eu fosse a única menina para a qual ele olharia pelo resto da vida. Adorava a forma como ele me ouvia quando eu falava e respondia com perguntas para aprofundar a conversa. Adorava a pequena covinha que surgia na bochecha esquerda dele quando ele sorria.

Eu adorava como a mão dele acidentalmente tocava na minha enquanto segurávamos na barra do brinquedo Xícara Maluca do parque. Adorava o fato de ele conseguir comer três cachorros-quentes e ainda aguentar algodão-doce. Adorava a risada dele.

Nossa, eu adorava a risada dele.

Também adorava sua determinação em ganhar uma porcaria de um bicho de pelúcia para mim.

— Não tem problema, Grey — falei, rindo.

Estávamos parados diante da barraquinha onde ele estava se esforçando ao máximo para acertar o alvo com uma bola de beisebol para ganhar um bicho de pelúcia para mim.

— Não! Eu consigo.

Ele bufou, parecendo mais decidido do que nunca, embora já tivesse errado o alvo 14 vezes. Ele pegou a bola, deu um passo atrás e arremessou com toda a força.

Errou por alguns centímetros.

— Droga — resmungou ele.

— Cinco pratas por mais cinco bolas — avisou o moço da barraca.

— Não vale a pena — falei, tocando de leve no braço de Greyson. — Essas coisas são feitas pra gente perder mesmo.

Greyson estreitou os olhos e pegou a carteira, tirando mais cinco dólares. Pelo andar da carruagem, o coitado ia ter de sacar dinheiro da poupança da faculdade para conseguir ganhar aquele panda de pelúcia para mim.

Ele começou a arremessar as bolas de novo e, claro, continuou errando. Em determinado momento, até o moço da barraca começou a franzir a testa observando as tentativas de Greyson.

— É essa aqui — declarou ele enquanto segurava a vigésima bola na mão. — Essa bola vai ser diferente de todas as outras — profetizou.

De certa forma, ele estava certo.

Greyson esticou o braço para trás e depois o projetou para a frente e, em um acidente bizarro, a bola acertou o canto do alvo e ricocheteou, voltando direto para ele e acertando seu rosto em cheio.

— Minha nossa! — gritei, quando Grey cambaleou para trás e caiu no chão. Corri até ele e me agachei. — Grey, você está bem?

— Eu ganhei? — perguntou ele, o olho esquerdo fechado.

O vermelhão do impacto da bola já havia se pronunciado enquanto eu o ajudava a se levantar.

— Não, é claro que não.

— Droga, eu pensei que dessa vez tivesse acertado.

— Aqui, cara. Só leva o urso — disse o atendente, estendendo o brinquedo para nós. — Qualquer um que se esforce a esse ponto pra impressionar uma menina merece dar um bichinho de pelúcia pra ela.

Greyson abriu um sorriso torto com seu olho já inchado. Ele pegou o panda e me entregou.

— Tá vendo? Eu sabia que esse era o meu arremesso da sorte! — exclamou ele.

Eu ri.

— É, bom, vamos procurar um lugar pra sentar. Vou tentar achar gelo pra colocar no seu olho.

Ele me deu o bicho de pelúcia e eu o abracei com força.

Obrigada, Grey.

Eu o levei até um banco e o forcei a se sentar e depois fui procurar gelo para colocar no olho dele. Quando voltei, ele estava sentado no mesmo lugar, o olho todo roxo, comendo um algodão-doce e sorrindo feito um bobo.

Eu gostei tanto dele naquele momento — TANTO.

Ele continuou enfiando algodão-doce na boca enquanto eu me sentava ao lado dele.

— Fica parado — ordenei, enquanto colocava o gelo coberto por um pano no olho dele. Ele se encolheu de leve quando o sentiu em sua pele. — Foi mal — falei, afastando o pano. Meus dedos tocaram delicadamente a região inchada. — Só quero fazer isso antes que piore. — Pressionei o gelo de novo na pele dele, e ele sorriu.

— Gosto disso — confessou ele.

— Do gelo no seu rosto?

— Não. Gosto quando você me toca.

Meu coração parou de bater, eu parei de respirar, e Greyson continuou sorrindo.

Não respondi, porque tinha me esquecido completamente de como se formulava as palavras, mas tinha certeza de que o rubor nas minhas bochechas expressava exatamente como as palavras dele faziam com que eu me sentisse.

— Então, sei que hoje foi um dia agitado, mas, se você estiver a fim, consegui o DVD de um dos filmes de kung fu preferidos do meu avô. Fiquei pensando que a gente podia ver esse filme lá em casa — ofereceu Greyson.

— Parece uma boa.

Pegamos o caminho da casa dele e, embora eu ficasse olhando para o olho cada vez mais inchado de Greyson, ele não parecia nem um pouco incomodado com aquilo. Só começou a cantarolar, então comecei a cantarolar com ele.

Cantarolamos ao longo de todo o caminho de volta, até chegarmos à casa dele e o sorriso de Grey sumir.

Vinham gritos da casa, e dava para ver pela janela os pais dele berrando um com o outro.

O comportamento de Greyson mudou, à medida que o constrangimento foi tomando conta dele. Ele se virou para mim e esfregou a nuca.

— Hum... talvez a gente devesse fazer isso outro dia.

— Claro, tudo bem, sem problemas.

— A gente se fala mais tarde?

— Claro.

Eu me virei para ir embora, mas então olhei para trás e o vi olhando para a casa com uma expressão de derrota. Estava claro que ele não queria entrar e enfrentar aquela gritaria toda.

— Ei, na verdade, eu não queria ir pra casa agora — falei. — Quer ir até o Lago Laurie... ficar um tempo por lá?

Ele precisava de um tempo. Precisava de algo para afastar a tristeza de sua mente.

Talvez ele precisasse de mim tanto quanto eu precisava dele para não desmoronar.

Ele olhou para mim, e percebi um lampejo de alívio em seu rosto.

— É, pode ser. Vamos nessa.

— Seus pais são sempre assim? — perguntei, sentada ao lado dele em nosso tronco no Lago Laurie.

— Tem sido pior nos últimos tempos. Eu não entendo. Se eles se odeiam tanto, por que continuam juntos? Não consigo nem me lembrar de uma época em que eles gostavam de verdade um do outro.

— Sinto muito, Grey. Deve ser difícil pra você.

— É mais fácil quando eles não estão em casa e, por sorte, eles quase nunca estão. Além disso, no ano que vem eu vou pra faculdade, e aí não vai fazer mais diferença.

— Mesmo assim, eu sinto muito.

Eu não conseguia imaginar viver em uma casa sem amor. Meus pais nadavam no amor de um pelo outro como se seus corações fossem oceanos. Eles se apoiavam um no outro em tempos difíceis. Era esse tipo de coisa que tornava o mundo um lugar melhor para se viver. Eu não conseguia imaginar os dois não sendo loucos um pelo outro.

A história de amor deles era a maior que eu já tinha testemunhado, e era muito difícil imaginar os dois separados. Eu podia jurar que os corações deles batiam como um só.

Se havia uma coisa da qual eu tinha certeza, era não haver Kevin sem Paige.

— Eu só não quero ser assim nunca — confessou ele. — Quando eu me apaixonar, vai ser pra valer. Não vai ser um amor por conveniência, vai ser um amor pra sempre. Senão, qual o sentido?

— Concordo.

— Mas, de qualquer forma, eu sou grato aos meus pais. Eles, no mínimo, me ensinaram o que o amor *não* é. Com isso, eu vou saber o que é quando acontecer.

Ele estava retorcendo os dedos, como fazia quando ficava nervoso, e eu jurava que meus batimentos cardíacos estavam direcionados para ele.

— Foi mal. A gente pode falar sobre outra coisa — sugeriu ele. — Talvez sobre a gente.

Coração dando cambalhotas.

— Ah, sim? O que tem a gente?

— Andei pensando bastante nisso ultimamente, sabe? — A cabeça de Greyson se inclinou para mim, e nosso olhar se fixou um no outro. — Sobre como seria te beijar.

Eu podia jurar que ele controlava meus batimentos cardíacos com suas palavras. Não tínhamos conversado sobre esse tipo de coisa, sobre nós e se tínhamos algum outro sentimento mútuo além da amizade. O máximo que tínhamos feito foi nos abraçar e, nossa... um abraço dele já era o suficiente para incendiar meu mundo.

Durante um tempo, pensei que meus sentimentos por Greyson fossem unilaterais, então ouvir aquelas palavras saindo da boca dele parecia um sonho.

— Você também pensa nisso, Ellie? — perguntou ele.

Inspirei lentamente.

— Só o tempo todo.

Ele se aproximou um pouquinho de mim, e eu deixei rolar. Ele colocou meu cabelo atrás da orelha, e eu deixei rolar. O sorriso dele derreteu todos os pedacinhos do meu corpo, e eu deixei rolar.

— Eu penso muito nisso. Depois que a gente sai pra fazer qualquer coisa, eu fico me recriminando por não ter tomado uma atitude. Eu fico analisando demais tudo. Tipo, devia ter acontecido quando a gente foi tomar sorvete, ou quando você me trouxe aqui pela primeira vez. Ou na varanda da casa da Molly. — Ele torceu o nariz. — Acho que não seria legal na varanda da casa da Molly, mas, de qualquer forma, eu penso nisso.

— Eu também. O tempo todo. — Parei. — Quer dizer, não o tempo todo, mas, sim.. O tempo todo.

Ele colocou a mão dele sobre a minha e apertou de leve.

— Eu só quero que seja perfeito, sabe? Principalmente agora que sei que vai ser seu primeiro beijo. Isso é importante. Nos livros que eu li por sua causa, sempre acontece naturalmente — disse ele, com suavidade. — Eu faço anotações, quando estou lendo, sobre como o herói agiu, ou onde aconteceu, ou quanto os personagens pareciam bem à vontade ou pouco à vontade.

Senti as mãos dele tremendo de leve — ou será que eram as minhas que estavam trêmulas? Estava ficando cada vez mais difícil separar os sentimentos dele dos meus.

Mas não tinha problema.

Eu gostava dessa confusão.

— Eu sei — concordei. — Sempre tem uma hora...

— Em que o momento é...

— Perfeito — concluí, antecipando os pensamentos dele da mesma forma que ele antecipava os meus.

— Ellie?

— Sim, Grey?

— Seria muito clichê se eu perguntasse se posso te beijar?

— Seria. — Eu me aproximei ainda mais, tão perto que nossos lábios estavam a milímetros de distância; tão perto que a expiração dele se transformava na minha inspiração; tão perto que minha mente já tinha decidido que aquele seria o melhor primeiro beijo da minha vida. — Mas me beija mesmo assim.

E ele me beijou.

Capítulo 9

Eleanor

— Ele é tão pateta! — exclamei, enquanto eu e minha mãe fazíamos compras no mercado. Eu estava andando na frente, enquanto ela empurrava o carrinho. — Ficou tentando ganhar o bicho de pelúcia pra mim e acabou com um olho roxo. Mas, mesmo com o olho roxo, ele parecia orgulhoso.

— Isso foi muito fofo, querida.

— Foi fofo de um jeito bem estabanado. — Segui em direção às frutas, pisando em nuvens enquanto pensava em Greyson. Volta e meia, eu começava a cantarolar. — Nós vamos comer comida mexicana na semana que vem, e estou bem animada.

Passei a mão nas laranjas. Será que Greyson gostava de laranja?

Eu teria de perguntar a ele. Queria saber tudo sobre Greyson East. A parte boa, a parte ruim, a opinião dele sobre frutas.

— Ah, e esqueci de te contar...

Ploft.

Eu me virei rapidamente com o barulho que me arrancou do meu estado onírico.

— Mãe! — gritei, correndo até ela. Ela estava caída no chão, e seus olhos reviraram antes de se fecharem. Eu a sacudi, mas ela não respondia. — Mãe, mãe! Alguém ajuda! — berrei.

Ela havia apagado completamente, e meu coração se partiu em mil pedaços.

Uma ambulância foi chamada ao local, e eu chorei mais do que já tinha chorado na vida enquanto fazia de tudo para acordá-la.

Quando recobrou a consciência, estava muito zonza e confusa. Tentou falar, mas tremia demais. Fiquei só olhando para ela, com os olhos arregalados e aterrorizada. Observei minhas lágrimas caírem sobre as maçãs do rosto dela, tão proeminentes sob a pele. Eu não conseguia parar. Não conseguia parar de chorar aos soluços. Não conseguia parar de tremer. Não conseguia me livrar do desamparo que eu sentia.

Corremos para o hospital, e meu pai nos encontrou lá.

Ele me forçou a ficar na sala de espera enquanto ia atrás de respostas.

Fiquei sentada, esperando e chorando.

Continuei sentada, esperando e chorando ainda mais.

Minha mãe foi liberada algumas horas depois, e, durante todo o trajeto até a nossa casa, permaneceu totalmente imóvel.

Foi nesse dia que tudo se tornou real para mim. Aquela foi a primeira vez, desde que descobrimos sobre o câncer, que eu fiquei realmente com medo. Por um tempo, fui ingênua o bastante de pensar que ela estava melhorando, e não o contrário. Então, um alerta me despertou no corredor do hortifrúti.

Na manhã seguinte, minha mãe entrou no meu quarto e abriu um sorriso fraco. Ela estava com uma camisa de malha da Janet Jackson e um macacão, e seus cabelos estavam presos com uma bandana. No geral, ela parecia a mesma de sempre. Mal dava para perceber que havia algo de errado apenas olhando para ela. Por sua aparência, ela não parecia alguém que havia desmaiado no dia anterior. Para mim, aquela era a parte mais difícil de entender: como ela podia aparentar estar bem sem de fato estar?

— Oi, linda — cumprimentou ela.

— Oi, mãe.

— Então... Ontem foi um dia difícil.

— Você devia estar deitada — falei. — Precisa descansar. — Eu me ajeitei na minha cama. — Foi mal, eu...

Ela balançou a cabeça.

— Está tudo bem. Mesmo. Eu só queria ver se você estava bem. Perdão se te assustei.

— Você não deveria estar preocupada comigo.

— Sou mãe, meu amor. Vou me preocupar com a minha filha sempre.

Abaixei a cabeça.

— Estou com medo, mãe.

— Eu sei.

Ela entrou no quarto e se sentou na beirada da cama, ao meu lado. Então colocou um braço em torno de mim, e eu apoiei a cabeça em seu ombro.

— Só preciso que você fique bem, tá? Você consegue? — perguntei.

Ela alisou meus cabelos com os dedos, mas não respondeu.

Minha mãe nunca foi de fazer promessas que não podia cumprir.

— Seu pai saiu pra esfriar a cabeça e provavelmente vai demorar um pouquinho pra voltar. Quer ir até o Lago Laurie?

— Você está bem pra sair? — perguntei, receosa.

— Estou bem, Ellie. Juro.

— Ok.

Fomos até o lago e caminhamos até nosso refúgio. Estava quente naquele final de manhã. A temperatura máxima deveria estar em torno de 35 graus, mas já parecia que fazia quase 40°.

Nós nos acomodamos ao sol, suando e bebendo água de nossas garrafas. Ficamos em silêncio por um tempo. Eu me perguntei se estávamos quietas porque não tínhamos nada para dizer ou porque não sabíamos como dizer.

Minha mãe jogou a cabeça para trás e fechou os olhos, sentindo o sol queimar sua pele.

— Eu tinha 33 anos na primeira vez que descobri que tinha câncer. Você estava com 2 anos.

Eu me virei para ela, perplexa.

— Você já teve câncer antes?

— Já. Você era tão pequena, e me lembro de chorar com você nos meus braços, porque a ideia de deixar esse mundo era difícil de aceitar. Você era tão nova pra mim, e seu pai e eu lutamos tanto pra ter você em nossa vida. Você estava começando a virar uma pessoinha. Eu estava vendo você se transformar nessa linda menina com personalidade própria. Eu pensava em todas as coisas que iria perder, todas as coisas que você faria pela primeira vez. Seu primeiro dia na escola, sua primeira dança... Seu primeiro namorado, seu primeiro beijo. A primeira vez que teria o coração partido. Eu me lembro de ter ficado furiosa com o mundo, com meu próprio corpo, por trazer você pra mim só pra me levar embora. Parecia injusto. Eu sentia como se tivesse traído a mim mesma. Um dia, quando minhas preocupações estavam me assolando e meu coração estava se despedaçando, sabe o que o seu pai me disse?

— O quê?

— "Você ainda está aqui, Paige. Você ainda está aqui." Isso mudou tudo pra mim. Só preciso que você também saiba disso, está bem? — Ela pegou minha mão e me fez um carinho. — Ainda estou aqui, Ellie.

— Mas não consigo parar de pensar em como seria se você não estivesse. Pensei que ontem fosse... — Fechei os olhos e inspirei fundo. — Pensei que você tivesse partido...

— Eu sei, mas, mesmo quando você não conseguir mais me ver fisicamente, ainda estarei aqui. Sempre.
Respirei fundo.
Aquele era um conceito difícil de assimilar.
— Estou morrendo de medo, mãe — confessei.
— Tudo bem ter medo, desde que você não permita que ele te sufoque. — Ela olhou para as próprias mãos. — Você conhece a história das libélulas? Sabe o que elas representam?
— Não.
— Em quase todas as partes do mundo, a libélula representa a mudança e a transformação. Elas vivem quase a vida toda como ninfas. Você sabe o que isso significa?
— Tipo uma fada?
Ela sorriu.
— Bem, esse é um dos significados, mas, nesse caso, trata-se de um inseto que ainda não completou sua metamorfose. É o estágio antes de nascerem as asas. As libélulas só conseguem voar por um período bastante curto da vida.
— Eu não sabia disso.
— Louco, né? Quando a gente vê as libélulas, pensa que elas passaram a vida toda voando, mas a gente nem imagina quantos dias elas viveram sem asas. Mas a libélula nunca se recrimina por não ter asas. Não se preocupa com quando vão nascer. Vive apenas o presente. É isso que elas significam pra mim: viver o presente. Elas vivem cada dia, um momento de cada vez, sem pensar muito no futuro.
Eu sabia aonde ela queria chegar.
— Não sou uma libélula, mãe. Não consigo não me preocupar com tudo.
— Eu sei. Eu também tenho ficado muito preocupada, mas também quero desfrutar os bons momentos. Não quero que os próximos dias, sejam lá quantos forem, sejam repletos de momentos tristes, Ellie. Quero focar em coisas boas. Acho que podemos encontrar um motivo

para sorrir todos os dias, se procurarmos com atenção. Então, você pode fazer isso por mim? Por nós? Pode encontrar um motivo para sorrir todos os dias?

— Posso — prometi, embora não tivesse certeza de que conseguiria. Por ela, eu tentaria. Retorci os dedos enquanto as libélulas zuniam ao longe. — Teve uma primeira vez que você não perdeu — falei. — Greyson me beijou anteontem.

Os olhos da minha mãe brilharam e, pela primeira vez nas últimas 24 horas, ela sorriu, um sorriso de verdade, repleto de felicidade.

— Meu Deus! — Ela colocou as mãos sobre as minhas. — Me conta tudo.

Enquanto eu contava, ela não parou de sorrir de orelha a orelha, e eu percebi que também estava sorrindo — não porque Greyson havia me beijado, mas porque ela estava ali aquele dia. Vê-la brilhar era incrível. Vê-la sem chorar era o que fazia meus lábios se abrirem em um sorriso.

Ela era meu motivo para sorrir.

Capítulo 10

Eleanor

Depois do desmaio da minha mãe, as coisas ficaram mais difíceis.
Ela me fez parar de ir à quimioterapia, embora a gente tenha brigado muito por causa disso.
Em um primeiro momento, estávamos todos bem. Encontrávamos nossos motivos diários para sorrir.
Então, a doença progrediu.
Ela parou de pintar na garagem.
Seus cabelos ficaram ralos.
Seus movimentos estavam se tornando mais lentos.
Certa noite, após a quimioterapia, ela ficou muito enjoada. Acordei de madrugada e não consegui voltar a dormir de jeito nenhum. Enquanto meu pai a ajudava no banheiro do térreo, eu fiquei sentada no topo da escada, escutando. Ela estava chorando, dizendo para ele que estava cansada.
Não sei se estava falando em termos físicos ou mentais.
Talvez fosse um pouco dos dois.
Abracei o corrimão enquanto meu pai a ajudava a voltar para o quarto. Mais tarde, ele voltou e ficou parado no meio da sala. Ficou

olhando para a frente, com os olhos fixos na tela desligada da TV, e então cobriu a boca com a mão e começou a chorar descontroladamente. Ele tentava conter o choro com as mãos, se esforçando ao máximo para manter seu sofrimento sob controle para não preocupar minha mãe nem a mim.

Meu pai era mestre em parecer forte. Ele sempre cuidava da minha mãe e daí vinha checar se eu estava bem. Mesmo assim, se eu perguntasse como ele estava, meu pai sempre respondia "bem", mesmo eu sabendo que era mentira. Meu pai estava com o coração partido. Ele se recusava a admitir isso para qualquer pessoa, mas eu consegui perceber antes mesmo de ele começar a chorar.

No dia seguinte, não conseguimos encontrar um motivo para sorrir. No terceiro dia, foi ainda pior. Nossos motivos de alegria estavam minguando progressivamente. Nós três sabíamos mas tentávamos esconder uns dos outros o fato de que estávamos todos desmoronando mais a cada dia. Nossos motivos para sorrir eram pouquíssimos, mas estávamos cansados e éramos teimosos demais para admitir isso.

— Oi, Ellie.

Era sábado à tarde, e Greyson estava parado na varanda à frente da minha casa. Ele estava carregando uma tela de pintura e sorria, todo feliz. Fiquei confusa, não conseguia imaginar por que ele estava ali. A verdade era que, desde que minha mãe tinha piorado, eu andava um tanto antissocial. Não fazia a menor ideia do porquê ele ainda queria ser meu amigo, ou seja lá o que a gente fosse. Nós nem sequer tínhamos tido a oportunidade de conversar direito depois daquele beijo.

Ele nunca tocou no assunto, nem eu.

Quando saíamos, eu ficava quieta, mas meu interior berrava.

Não era uma amiga triste que ele procurava, mas, mesmo assim, ele continuou vindo.

As pessoas que estão lá para apoiar almas deprimidas merecem muito uma homenagem. Elas nunca recebem crédito suficiente por serem corajosas o bastante para ficar.

— Oi. O que você está fazendo aqui? — perguntei.

— Pensei em passar aqui pra conhecer a sua mãe oficialmente. Queria ver se ela gostaria de me ensinar algumas de suas habilidades artísticas.

— Isso é muito gentil da sua parte, mas ela não está se sentindo muito bem hoje.

— Ah. Bem, talvez...

— Estou me sentindo bem o suficiente — interrompeu minha mãe.

Então me virei e a vi parada no hall de entrada da casa, mais magra do que eu gostaria de ver.

— Tem certeza? — perguntei.

As olheiras dela eram fundas, seus cabelos estavam presos em uma bandana, e ela não parecia a mesma de sempre.

— É claro. Entra, Greyson.

Grey passou por mim e seguiu minha mãe até a sala. Ele colocou o material todo em cima da mesa e se sentou ao lado dela no sofá.

— Sinto muito que nós não tínhamos nos conhecido oficialmente ainda, Sra. Gable. Eu sou o Greyson. Só queria passar aqui pra ver se a senhora poderia me dar algumas dicas artísticas. Não sei pintar nada, mas a Ellie me disse que a senhora é a melhor pintora do mundo, e eu adoraria aprender um pouco sobre suas técnicas e coisas assim.

Então, pela primeira vez em dias, minha mãe sorriu.

Você devia fazer isso mais vezes.

Por um instante, Greyson fez com que minha mãe não pensasse na doença e a trouxe de volta ao mundo que ela amava mais que tudo. Ela falou sobre curvas e linhas, tons pastel e giz, pinturas em papel e em tela.

Ela o fez pintar e então criticou o trabalho dele, mas com a gentileza que minha mãe sempre tinha. Nunca criticava sem oferecer soluções. Seus olhos se iluminavam quando ela falava de arte.

Depois de um tempo, eles foram para o estúdio da minha mãe, na garagem. E ficaram lá por horas. Não me juntei a eles, porque não entendia praticamente nada do que eles falavam.

Minha mãe precisava daquilo — precisava se sentir inspirada.

Quando terminaram, os dois entraram em casa cobertos de tinta. Minha mãe estava usando um avental e tinha um pincel apoiado na orelha. Parecia um pouco mais com ela mesma.

— Obrigada, Grey — falei, quando ele estava se preparando para ir embora.

— Pelo quê?

— Por ser você.

Eu não sabia por que ele tinha entrado na minha vida todas aquelas semanas antes. Não sabia por que escolhera ficar. Eu não merecia um amigo como ele. Para ser sincera, não tinha certeza se alguém merecia Greyson East em sua vida, mas eu era muito grata por ele estar na minha.

Minha mãe andou até mim depois que Greyson foi embora e apoiou o braço nos meus ombros.

— Sabe do que eu gosto nesse menino? — disse ela.

— Do quê?

— De tudo.

Capítulo 11

Eleanor

Quando chegou o dia da sexta sessão de quimioterapia da minha mãe, as aulas já tinham recomeçado. Eu nunca pensei que diria isso, mas voltar à escola era o tipo de atividade de que eu precisava naquele momento. Eu me distraía da preocupação, e precisava de um tempo daquela preocupação.

Shay e Greyson também garantiam que eu mantivesse a cabeça ocupada. Eles iam até a minha casa, liam livros comigo e me faziam companhia durante o almoço. Falavam sobre tudo e sobre qualquer coisa para me fazer rir. Greyson se mostrou o mestre das piadas ruins que não faziam sentido nenhum, mas que eram, de certa forma, engraçadas mesmo assim.

Até nos dias em que eu não estava muito animada, conseguia dar uma risadinha com eles.

Quando a Shay não verificava como eu estava, Greyson entrava em ação, pedindo atualizações.

Eu precisava disso. Precisava da atenção deles para lembrar que eu não estava sozinha.

Em um sábado à tarde, eu estava sentada na frente do computador fazendo pesquisas sobre câncer. Meus pais haviam me dito que não pesquisasse mais nada na internet, mas eu não conseguia evitar. Era como um vício estranho do qual eu não conseguia me livrar. Embora me deixasse ainda mais triste, eu continuava apertando o *enter* na barra de buscas.

A campainha tocou, e eu me endireitei um pouco quando minha mãe gritou meu nome. Corri até a sala de estar e dei um passo atrás quando vi Greyson parado ali de terno e gravata, com um *corsage* na mão.

— Oi, Ellie — falou ele com aquele sorriso torto característico.

Ergui uma das sobrancelhas.

— Oi...? — Abaixei a sobrancelha. — O que está acontecendo?

— Ah, eu só estava passando pelo bairro e queria ver se você quer ser meu par no baile de boas-vindas.

— Hum... o baile é hoje — ponderei, confusa.

— É. Comprei os convites há algumas semanas, mas não quis te contar porque tinha certeza de que você encontraria uma forma de se safar. Então agora é tarde demais pra recusar e, como já estou de terno, você vai ter que ir comigo.

Minha mãe deu um risinho enquanto eu me mexia sobre o piso acarpetado.

— Não posso ir ao baile com você.

— Por que não?

— Sei lá, só não posso. Pra falar a verdade, estou ocupada pesquisando umas coisas.

— Pesquisando o quê? — quis saber minha mãe.

— Nada — respondi prontamente, sabendo que ela teria me matado se descobrisse o que era. — Além disso, eu nem tenho um vestido de baile.

— Você pode usar um dos meus — sugeriu minha mãe, sorrindo para mim. — Eu te ajudo a se arrumar.

— Mas e se você precisar de alguma coisa? E se você e o papai precisarem da minha ajuda?

Esse era meu maior medo: que acontecesse alguma coisa quando eu não estivesse por perto.

— Eu estou bem, Ellie. Ainda estou aqui — respondeu minha mãe, andando até mim. — Agora acho que você precisa dar uma resposta a esse bom rapaz. Você vai ao baile com ele?

Mordi o lábio inferior sentindo meu estômago dar um nó de euforia e preocupação ao mesmo tempo. Olhei para minha mãe; depois, para Greyson. Então voltei a olhar para minha mãe.

— Tem certeza de que está bem?

— Cem por cento.

— E se você precisar de alguma coisa, vai me ligar?

— Claro.

Suspirei e fui deixando a preocupação levemente de lado à medida que a euforia tomava conta de mim. Eu me virei para Greyson e sorri.

— Preciso de uns minutos pra me arrumar.

— À vontade. — Ele caminhou até o sofá e se sentou. — Eu espero.

Minha mãe me levou até o quarto dela e começou a vasculhar o guarda-roupa em busca de algo que eu pudesse usar.

Eu nunca tinha ido a um baile antes.

Não tinha ideia se sabia dançar, para ser sincera.

Se havia algo que eu sabia sobre mim mesma, era o fato de que eu não era a melhor pessoa em eventos sociais. Se você me pedir que eu leia um capítulo de um livro em voz alta na sala de aula, vou arrasar. Mas não me peça que seja sociável que eu derreto em uma poça de ansiedade.

Mas era com Greyson.

Como eu poderia dizer "não" àqueles olhos e àquele sorriso?

— Que tal esse aqui? — sugeriu minha mãe, me mostrando um vestido preto com decote nas costas. — Você pode até usar seu All-Star com ele, porque você é você, e ficaria incrível.

— É lindo — respondi. — Acho que é perfeito.

— Ótimo. Agora, vai se trocar. Tem um menino muito fofo esperando por você lá na sala.

Corri para o meu quarto e coloquei o vestido. O caimento ficou bom, mas minha mãe era a mestre dos alfinetes e ainda ajustou onde achou que podia ajustar, além de fazer a barra para que eu não ficasse tropeçando no vestido a noite toda. Depois, ela me ajudou a arrumar o cabelo e fez minha maquiagem. Chegou até a borrifar seu perfume preferido em mim.

— Você está divina — disse ela, com os olhos cheios de lágrimas.

— Parece uma deusa, Ellie.

— Obrigada, mãe.

Ela me deu um abraço apertado e então me acompanhou até a sala, onde meu pai e Greyson estavam esperando sentados. Ambos se levantaram imediatamente quando eu apareci e os dois ficaram boquiabertos.

— Caramba — disseram em uníssono.

— Ellie, você está... — começou meu pai.

— Linda — concluiu Greyson.

Senti minhas bochechas esquentarem e desviei o olhar, me sentindo acanhada. Então Greyson veio até mim com o *corsage* e pediu meu pulso.

— Esperem! Pausa! Preciso pegar a câmera — gritou minha mãe, agitando as mãos no ar. Era divertido ver que ela estava animada com aquilo tudo. Ultimamente, toda vez que ela sorria parecia ser uma pequena bênção.

Ela voltou correndo, com a câmera nas mãos, e começou a tirar fotos minhas e de Greyson.

— Cuidado com essa mão aí, Greyson — alertou meu pai.

— Sim, senhor — respondeu ele, erguendo a mão levemente, mal tocando nas minhas costas.

Acho que meu pai o deixava nervoso, o que era engraçado, já que ele não passava de um ursão de pelúcia.

— Se vocês quiserem, podemos levá-los até a escola e depois ir buscá-los — ofereceu meu pai, e nós aceitamos.

No caminho, minha mãe ficou olhando para trás e sorrindo para nós dois o tempo todo.

— Vocês estão tão lindos — ela ficava repetindo, balançando cabeça em admiração. — Simplesmente lindos.

— Obrigado, Sra. Gable — falou Greyson, e eu podia jurar que o rosto dele chegou a corar um pouquinho de vergonha. Pelo menos eu não era a única.

Chegamos à escola, e eles nos deixaram lá.

— Muito bem, divirtam-se bastante, vocês dois! — exclamou minha mãe.

— Mas não demais — acrescentou meu pai, apontando para Greyson.

Greyson engoliu em seco e saltou do carro.

Quando saí e comecei a andar, minha mãe me chamou, baixando a janela do carro.

— E, Ellie?

— Sim?

Minha mãe estendeu os braços para mim e eu fui até ela, segurando suas mãos. Quando me aproximei, ela apertou as minhas de leve.

— Viva esse momento, minha libélula. Viva esse momento plenamente.

— Eu te amo, mãe.

Ela me puxou e me deu um beijo no rosto.

— Eu também te amo. Agora vai. Divirta-se pra valer.

Então fui até Greyson, que estava lindo de morrer de terno. Havia um bocado de gente parada na entrada da escola, com roupas sociais e rindo.

— Nervosa? — perguntou ele.

— Apavorada — respondi.

Era a primeira vez que saíamos em público. Nossa revelação, de certa forma. Tudo bem que almoçávamos juntos, mas a Shay sempre estava com a gente. Nunca demos a entender que estava rolando alguma coisa entre a gente. Mas o fato de nós dois entrarmos naquele prédio juntos certamente passaria essa mensagem.

Eu nem sequer sabia direito o que nós dois éramos, mas também não precisava me preocupar com isso.

Era bastante simples, na verdade.

Ele era ele, eu era eu, e nós éramos nós. Aquela era a nossa história.

— Não se preocupa, Ellie. Estou aqui com você. Além do mais — ele pegou minha mão, conectando-nos como um só —, você está linda.

Arrepios.

Arrepios por todo o corpo.

— Pronta? — perguntou ele.

— Pronta — respondi.

Quando entramos no ginásio, algumas pessoas começaram a cochichar sobre o fato de estarmos juntos, mas Greyson não pareceu dar muita bola. Eu também não, porque, se ele não dava bola, então não importava.

Volta e meia ele olhava para mim como se eu fosse a única menina do salão, e isso significava tudo para mim. Em um lugar repleto de Stacey Whites, os olhos dele estavam em Eleanor Gable.

— Quer dançar? — convidou ele quando começou uma música agitada.

Meu coração começou a palpitar no peito. Mexi os pés.

— Ah, não. Eu não sei dançar.

— Você não precisa saber dançar pra dançar. — Ele parou na minha frente e começou a agitar as pernas e os braços como um maluco. — Você só dança.

Eu ri.

— Você parece um doido!

— E daí? — disse ele, ainda se remexendo e pulando. Então, estendeu a mão para mim. — Vem parecer doida comigo? — ele me convidou com o sorriso mais bobo que eu já tinha visto, e juro que só conseguia pensar em beijá-lo naquele momento.

Peguei a mão dele e fui.

Está bem, Greyson.
Vamos enlouquecer.

∽

A noite foi perfeita de todas as formas, jeitos e maneiras. Quando chegou a hora da última música lenta, fomos até a pista de dança, e Greyson colocou as mãos na minha cintura. Balançamos de um lado para o outro como todos os outros casais ao nosso redor, sem realmente fazer coisa nenhuma, mas sentindo que estávamos fazendo tudo.

— Por que você quis que eu viesse ao baile com você? — perguntei.

— Porque não havia mais ninguém com quem eu quisesse vir. Além disso, bem, eu meio que tive a ideia enquanto conversava com a sua mãe.

— Com a minha mãe?

Ele confirmou com a cabeça.

— Quando a gente estava pintando, eu perguntei pra ela quais eram as expectativas dela com relação a você. Você sabe, tipo o seu casamento ou a sua formatura na faculdade, coisas assim. E ela falou dos bailes do colégio. Então eu quis que ela tivesse essa experiência.

Meus olhos se encheram de lágrimas, e eu parei de dançar.

— Você fez isso pela minha mãe?

— Fiz. Quer dizer, parecia importante pra ela. — Ele parou e se encolheu de leve. — Mas, tipo, só pra deixar claro, também fiz por mim. Eu realmente queria dançar com você, Ellie.

Minha boca se abriu e meu suspiro escapou pelos lábios entreabertos enquanto eu voltava a dançar com ele. Encostei a cabeça em seu ombro e inalei o cheiro dele.

— Grey?

— O quê?

— Posso guardar você pra sempre?

∽

Quando meus pais foram nos buscar, deixamos Greyson em casa primeiro e, assim que ele saiu do carro, minha mãe se virou para mim e abriu o maior sorriso do mundo.

— E então, como foi? — quis saber ela.

Suspirei e tive certeza de que ela podia ver as estrelas brilhando nos meus olhos e o sorriso patético nos meus lábios.

O sorriso dela ficou ainda maior, como se aquele fosse o momento mais feliz da vida dela.

— É? — perguntou ela.

Suspirei de novo, sorrindo com aquele tipo de delírio que só pode ser descrito como "felicidade".

É.

Capítulo 12

Eleanor

Um dia, na primeira semana de novembro, voltei da escola a pé e, quando entrei em casa, fiquei surpresa ao ver meus pais sentados na cozinha.

— Oi, achei que você tinha consulta com o médico.

Minha mãe esfregou os olhos cansados.

— Decidimos não ir.

— Não ir? Você não pode faltar ao tratamento assim, pode?

Meu pai franziu o cenho.

— Na verdade, nós decidimos interromper o tratamento, Eleanor. Depois de pegarmos alguns resultados de exames, concluímos que isso era o melhor a fazer.

— Então o que tentamos agora? O que fazemos?

— Minha querida, eu estou cansada — confessou minha mãe. — Estou cansada demais, e nada do que estamos tentando tem funcionado. Só estou piorando e não quero passar meus dias me sentindo assim. Só quero estar com você e com o seu pai.

— Você está desistindo?

— Não, estou me rendendo. Nós já exaurimos todas as nossas opções.

Fiquei em silêncio. Eu não sabia o que eles queriam que eu falasse. Não sabia sequer o que pensar.

Meu pai girou os ombros para trás e pigarreou.

— Perguntei pra Paige o que ela queria fazer, e ela disse que gostaria de ir para perto da água. Encontramos um lugar na praia, na Flórida. É lindo, Ellie.

— Vocês querem ir pra Flórida? Por quanto tempo? — perguntei.

Minha mãe sorriu.

— Pelo tempo que conseguirmos ficar lá. Sei que isso muda tudo pra você. Você teria que mudar de escola no último ano do ensino médio, e as coisas com Greyson...

— O que você quiser — interrompi. Os olhos da minha mãe transpareciam seu medo de me magoar, e eu não podia permitir que essa fosse a sua preocupação. Minha maior preocupação era ela. — O que você quiser, mãe.

Onde ela quisesse estar, eu também queria estar.

— Férias do câncer? — indagou Greyson quando estávamos sentados nos degraus da varanda dele.

— É, foi assim que meu pai chamou. Seria uma viagem de família para a Flórida por alguns meses, porque o tratamento da minha mãe terminou.

Os olhos dele se arregalaram de esperança.

— Terminou porque funcionou?

Franzi o cenho.

Ele abaixou a cabeça.

— Sinto muito, Ellie.

— É, eu também. O sonho dela sempre foi ficar perto do mar e, bem, parece que esse é o único momento em que isso será possível.

Ele ficou em silêncio por um tempo, então falou:

— Que bom pra ela. Ela merece.

— É.

Foi minha vez de ficar em silêncio.

— Eu provavelmente vou ter que terminar o ensino médio lá.

— Ah, é. — Ele fez uma careta e esfregou as mãos nas pernas. — É egoísmo da minha parte perguntar sobre nós dois?

Não, não era. Eu também vinha me perguntando a mesma coisa. A verdade era que, depois de tudo que aconteceu com minha mãe, Greyson era sempre a segunda coisa que me passava pela cabeça.

— Nós não conversamos sobre nós desde que minha mãe piorou.

— É, porque meio que parecia que a gente era... Sei lá, só a gente, sabe?

Eu entendia exatamente o que ele queria dizer. Era como se não precisássemos de rótulos para descrever o que quer que fosse que estava rolando entre a gente.

Apenas éramos nós.

Simples assim.

— Estive pensando em te pedir em namoro, sabia? — contou ele. — E, quer dizer, só porque você vai morar na Flórida um tempo não quer dizer que a gente não possa namorar até você voltar.

Eu queria ser egoísta. Queria pedir a ele que esperasse por mim, queria ter o relacionamento a distância por um tempo, mas eu também sabia que era errado. Greyson tinha acabado de começar o último ano do ensino médio. Jogaria sua última temporada de basquete no colégio, ia querer ir aos bailes da escola e participar de várias atividades e ir ao último baile de formatura, e eu não poderia fazer parte de nada disso com ele.

Eu não queria atrapalhar nada disso. Não queria impedi-lo de aproveitar ao máximo seu último ano no ensino médio por achar que não podia, por minha causa.

— Eu gosto muito de você, Grey.

Ele continuou com a cabeça baixa.

— Mas?

— Eu... — Engoli em seco, um tanto chocada por estar prestes a dizer as palavras que tanto temia. — Eu só não acho que seja uma boa ideia tentar ter um relacionamento agora. Você tem um ano importante pela frente, e eu não quero te impedir de aproveitá-lo ao máximo. Você merece ser feliz.

— Você me faz feliz.

Eu queria chorar.

Queria me jogar nos braços dele e apenas chorar.

Queria ser infantil com relação a tudo. Queria ficar em Illinois com ele para podermos ser nós, independentemente do que isso queria dizer. Queria risadas insanas, filmes de kung fu, referências a *Harry Potter* e queria Greyson.

Eu queria Greyson demais.

Mas, às vezes, os jovens são forçados a amadurecer mais rápido do que gostariam.

— Não vou ficar bem, Greyson. Os próximos meses da minha vida serão péssimos, e eu vou chorar e não serei a menina esquisita que lê livros em festas. Serei só triste.

— Você não deveria precisar ser triste sozinha.

Desejei que ele não fosse um cara legal. Parecia muito mais difícil se afastar de um cara legal.

— Você merece mais que isso — ponderei.

— Então você está terminando comigo antes mesmo de nos dar uma chance — sussurrou ele, com a voz embargada. — Se for, só fala de uma vez e acaba logo com isso.

Fiquei olhando para ele. Greyson estava apertando as mãos uma na outra e batia o pé repetidamente no degrau. Quanto mais eu esperasse, pior seria para nós dois. Então, abri a boca e falei bem baixinho, torcendo para que ele conseguisse me ouvir.

— Não posso ser sua namorada, Grey.

Ele se levantou abruptamente e assentiu.

— Tudo bem.

— Greyson. — Eu me levantei de imediato, sentindo o coração palpitar dentro do peito. — Espera...

— Não, tá tudo bem. De verdade, Ellie. Fui idiota em pensar em qualquer outra coisa. Espero que façam uma boa mudança.

E, com isso, ele entrou em casa.

Nenhuma despedida de verdade.

Nenhum desfecho de verdade.

Apenas uma porta batida.

Eu queria morrer.

Durante todo o caminho para casa, caminhei arrependida, mas eu sabia que havia tomado a decisão certa. Se tivesse sido a decisão errada, não doeria tanto.

Entrei em casa e minha mãe estava deitada no sofá. Ela se levantou ligeiramente e eu odiei ver quanto tempo ela demorou para ficar confortável. Não queria que ela levantasse por minha causa, mas ela sempre levantava.

— Oi, Ellie. Como foi a conversa com o Greyson?

Sorri. Era um sorriso forçado e falso, e ela sabia disso.

— Foi boa. Vou só me deitar um pouco.

Ela estreitou os olhos e pareceu preocupada, mas eu dei as costas e corri para o quarto. Fechei a porta e desabei na cama. Abracei o travesseiro e afundei o rosto nele. Comecei a chorar baixinho, porque não queria que meus pais se sentissem mal por mim. Eles já estavam passando por muitos problemas; a última coisa de que precisavam era achar que eu estava desmoronando porque íamos nos mudar.

Embora eu estivesse.

Enquanto eu chorava, uma mão tocou em meu ombro. Olhei para a direita e vi minha mãe. Ela estava magérrima, cansada e doente, mas ainda estava ali.

Ela ainda está aqui.

Ela secou minhas lágrimas com o dedo e suspirou.

— Ah, filhinha...

— Desculpa, mãe. Estou bem. — Tentei fazer com que ela visse que eu estava bem, secando os olhos. — Vai descansar.

Mas ela não me deu ouvidos. Acabou se deitando na cama comigo e me abraçou. Aquilo me fez chorar ainda mais porque ela estava com dor e sofrendo, mas, mesmo assim, queria me reconfortar. Eu ficava abismada com o fato de uma mãe ainda conseguir ser a pessoa mais forte da família, mesmo em seu momento de maior fraqueza.

∽

Nós nos mudamos na terceira semana de novembro, depois que meus pais acertaram os detalhes da minha transferência de colégio. Meu pai comprou passagens de primeira classe para a Flórida, mesmo com minha mãe dizendo que não valia a pena. Era como se meu pai se sentisse impotente diante daquela situação, então ele fazia tudo o que podia para tornar a vida da minha mãe mais confortável.

Eu consegui me sentar ao lado dela no voo e, o tempo todo, fiquei segurando sua mão. Ela adormeceu rapidamente, e eu fiquei feliz com isso. Toda vez que ela acordava, procurava pela minha mão, que ainda segurava a dela.

— Ainda estou aqui, mãe — eu sussurrava, enquanto ela voltava a dormir.

Eu ainda estou aqui.

Capítulo 13

Greyson

DE: GreyHoops87@aol.com
PARA: EGHogwarts@aol.com
DATA: 23 de novembro, 16:54
ASSUNTO: Momento

Ellie,

Já faz uma semana que você se mudou e está tudo muito esquisito aqui sem você.

Sou um idiota e lidei muito mal com tudo. Me perdoa. Na minha cabeça, eu pensei que pelo menos a gente podia tentar fazer dar certo. Eu nunca me senti assim com ninguém antes e odeio o fato de você estar longe. Eu não sabia que poderia gostar de alguém tão rápido, e simplesmente não sei se consigo sufocar esse sentimento. Minha vida tem sido solitária há algum tempo. Pensei que ser solitário era o padrão, que era o normal. Até quando eu estava rodeado de pessoas, era como se ninguém me conhecesse de verdade. Até você chegar.

Não era minha intenção sair estourado e bater a porta daquele jeito. Às vezes, minha cabeça fica tão confusa que não sei bem como lidar com meus próprios pensamentos.

Eu vou sentir muita saudade de você e não estou acostumado a me sentir assim.

Sei que é egoísmo da minha parte, que você está passando por um momento muito pior, e sei que estou sendo estúpido em ficar triste desse jeito quando foi a sua vida que virou de cabeça pra baixo, mas dói.

Espero que você possa me perdoar e que a gente possa ser amigo.

Grey

∼

DE: EGHogwarts@aol.com
PARA: GreyHoops87@aol.com
DATA: 24 de novembro, 8:00
ASSUNTO: Re: Momento

Grey,

Você só poderia ser louco se pensasse que eu não iria mais querer ser sua amiga.

Ellie

∼

DE: GreyHoops87@aol.com
PARA: EGHogwarts@aol.com
DATA: 2 de dezembro, 20:54
ASSUNTO: Figuras paternas

Meu pai é um idiota.

Está enchendo o meu saco pra eu começar a estagiar na empresa dele, mas eu queria muito terminar meu último ano sem esse estresse.

Ele me chamou de veadinho por não ter iniciativa.

Eu não quero ser como ele. Não quero ser frio assim nunca.

Eu odeio ele... Pelo menos é isso o que digo a mim mesmo, porque torna tudo mais fácil. A verdade é que eu meio que ainda quero a aprovação dele. Mas isso não faz sentido, né? Ele nunca está por perto e, quando aparece, é um babaca. Ele mal me conhece, e o pouco que conhece, não aprova. Mesmo assim, tenho essa necessidade profunda de fazer com que ele sinta orgulho de mim.

O ser humano é estranho.

Eu preferia ser um alienígena.

Como estão as coisas na Flórida?

Grey

~

DE: EGHogwarts@aol.com
PARA: GreyHoops87@aol.com
DATA: 2 de dezembro, 21:30
ASSUNTO: Re: Figuras paternas

Sinto muito pelo seu pai. É puxado, mas você precisa fazer o que te faz feliz nesse momento — é isso que o seu avô diria, né?

As coisas por aqui estão bem. Tem sido tranquilo, mas ainda é pesado. Minha mãe está bem, mas meu pai está sofrendo. É como se ele estivesse gritando em silêncio, e seus ecos estivessem ricocheteando nas paredes. Eu detesto isso. Tem um limite do que eu consigo suportar, o que me levou à minha próxima decisão de vida: vou procurar uns *hobbies* novos, só pra sair de casa.

Odeio ficar em casa agora, o que é estranho, já que costumava ser meu lugar preferido no mundo. É triste demais.

Estou pensando em fazer aulas de tricô no centro da cidade com a minha mãe, se ela estiver se sentindo forte o suficiente pra isso. Pensei que seria legal fazer algo que ela curte.

Você sabia que ela aprendeu a fazer cardigãs com a minha avó? Foi daí que vieram todos os meus cardigãs. O das libélulas foi o último que ela me deu. É o meu favorito.

Também estou pensando em fazer caratê, porque acabei de assistir a *Operação dragão* e agora tenho certeza de que preciso aprender a quebrar um pedaço de madeira com o pé.

Você acha que alienígenas adolescentes ficam irritados com seus pais alienígenas?

Eu realmente quero imaginar alienígenas adolescentes com raiva revirando o único olho pros pais superprotetores.

Consegue imaginar as brigas?

"Vai limpar seu quarto. Vai pentear seu cabelo. Para de pegar a espaçonave à noite pra ir fazer farra em Marte."

Enfim. Assista a *Operação dragão*. Você não vai se arrepender.

Ellie

~

DE: GreyHoops87@aol.com
PARA: EGHogwarts@aol.com
DATA: 3 de dezembro, 7:13
ASSUNTO: Operação Libélulas

Ellie,

Estou um pouco ofendido por você pensar que eu não vi *Operação dragão*.

Eu! De todas as pessoas! Ellie, eu vi esse filme umas cinquenta vezes e nunca me canso dele. É um clássico. Se você gostou, então veja A *câmara 36 de Shaolin*. É bom *demais*!

Também fico feliz que você esteja procurando novos *hobbies*. Vou me sentir bem perdido quando a temporada de basquete terminar. O que vou fazer com todo o tempo livre? Talvez eu também procure um *hobby*. Ou talvez eu só aceite a droga do estágio. Quem sabe?

Aliás, a ideia de você sair dando umas porradas por aí enquanto tricota uns suéteres é do cacete.

Meu tipo de mulher.

Grey

P.S. Vi uma libélula ontem à noite. Lembrei de você.

Capítulo 14

Eleanor

Eu gostaria de poder dizer que rolou uma reviravolta mágica assim que nos mudamos para perto da praia, mas não é verdade. A saúde da minha mãe só piorava a cada dia. Durante meses, parecia que estávamos travando uma batalha atrás da outra e perdendo todas elas. Depois de um tempo, ela precisou de cadeira de rodas. Em alguns dias, não conseguia sequer se levantar da cama e, em outros, precisávamos correr com ela para o hospital porque minha mãe não conseguia respirar.

Depois da última ida dela ao pronto-socorro, no fim de abril, nós sabíamos que o tempo estava se esgotando. Não falávamos sobre isso, porque verbalizar aquilo fazia tudo parecer mais real do que qualquer um de nós estava preparado para encarar.

Plim, plim.

Finalmente me conectei à internet em uma noite de abril. Eu vinha evitando fazer isso há um tempo porque, toda vez que eu entrava, Greyson estava lá, esperando para saber novidades, e eu odiava o fato de que as últimas notícias estavam ficando cada vez mais tristes.

Naquela noite, eu precisava dele. Só precisava falar com ele e, como Greyson era um cara muito legal, quando entrei, às dez da noite, ele estava lá.

GreyHoops87: Oi, Ellie! Só passando pra saber como você está. Você não tem ficado muito on-line, então, só pra avisar, sua caixa de entrada vai estar cheia de e-mails com pensamentos aleatórios meus.
EGHogwarts: Oi, foi mal. As coisas têm estado meio loucas aqui.
GreyHoops87: Tudo bem. Eu entendo. Alguma novidade?
EGHogwarts: Só notícias tristes.
GreyHoops87: Posso ouvir as notícias tristes também.

Suspirei, passando a mão pelo rosto.

EGHogwarts: Vou colocar um *timer* de cinco minutos e esse vai ser todo o tempo que vou dedicar às coisas tristes, tá? Senão vou acabar sufocada. Então, vou vomitar tudo de uma vez. Você não precisa nem responder. Eu só... Se eu te contar tudo, vai ser como se não estivesse tudo dentro de mim esperando pra explodir.
GreyHoops87: Cinco minutos no relógio. Vai!
EGHogwarts: Acho que só hoje me toquei que minha mãe está realmente morrendo. Antes, havia uma crença surreal de que ela ia melhorar, uma crença de que chegaria um dia em que ela não precisaria mais da cadeira de rodas ou que se levantaria e conseguiria dançar de novo, ou pintar. Mas, hoje, quando estávamos sentadas na praia, eu senti. Senti o fim se aproximando. Senti que a hora do adeus está mais próxima. Nunca tive tanto medo na vida e tenho uns pensamentos horríveis, que fazem com que eu me sinta a pior filha do mundo. Se ela nos deixasse, não sofreria mais. Se ela morresse, ficaria livre da dor. Que tipo de monstro sou eu? Como esses pensamentos podem sequer passar pela minha cabeça? Enfim, acho que é nesse estágio que estou agora, e eu vou entender perfeitamente se você quiser parar de falar comigo por um tempo. Porque, agora, essa sou

eu: triste. Estou sofrendo. Estou tão triste que, às vezes, só quero ficar na cama. Tão triste que, de vez em quando, tenho pensamentos muito, muito sombrios e não sei mesmo como controlá-los, e isso pode ser pesado demais. Eu posso ser pesada demais. Minha tristeza está pesada demais neste momento. E eu não sei como lidar com ela, então também não espero que você saiba.

Apertei "enviar" e esperei por uma resposta. E esperei. E esperei.

    GreyHoops87: O que mais?
    EGHogwarts: Como assim, "o que mais"?
    GreyHoops87: Você só usou dois minutos dos cinco. Tem mais três pra abrir seu coração nessa tela. Não vou a lugar algum, Ellie. Estou aqui.

As lágrimas escorriam pelo meu rosto, e eu respirei fundo. Eu tinha recebido permissão para me expressar livremente. Como isso era libertador.

    EGHogwarts: Acho que é isso. É tudo o que estou sentindo.
    GreyHoops87: Você quer saber o que eu acho?
    EGHogwarts: Não, agora não. Ainda não. Eu só precisava botar tudo pra fora, acho. Então, se a gente puder fazer qualquer coisa que não seja falar sobre coisas tristes, isso faria com que eu me sentisse bem melhor.
    GreyHoops87: OK.
    GreyHoops87: Então, o que o peixe disse pra peixa?
    EGHogwarts: O quê?
    GreyHoops87: Estou apeixonado.

Eu sorri.
Obrigada, Grey.

DE: GreyHoops87@aol.com
PARA: EGHogwarts@aol.com
DATA: 29 de abril, 22:54
ASSUNTO: Sei que você disse

Ellie,

Sei que você disse que não queria saber o que eu achava, mas, como sou um cara muito teimoso, eu quis te mandar um e-mail depois da nossa conversa de hoje. Eu só queria que você soubesse que não acho que está triste demais. Na verdade, você está triste na medida certa, porque está passando por uma situação de merda. Sinceramente, eu ficaria um pouco assustado se você estivesse feliz.
Fique triste.
Você pode ficar feliz depois.
E não precisa me afastar de você. Não acho seus problemas pesados demais pra mim. Eu quero estar presente na sua vida, e você não vai me impedir de fazer isso. Ser minha amiga significa isso. Significa eu ser insistente de vez em quando, verificar como você está e querer saber sobre os dias ruins. Significa que, quando você está sufocando, eu sufoco também.
Estou aqui pra te dar apoio, mesmo que eu esteja a dois mil quilômetros de distância.
Mais uma coisa, e não tenho como deixar isso mais claro: o fato de você não querer que sua mãe sofra não significa que você seja cruel, de maneira nenhuma.
Na verdade, isso faz de você uma boa pessoa, por não querer que alguém que ama continue sofrendo.
Isso não é ser um monstro — é ser uma santa.
Não deixa que esses pensamentos te consumam à noite.
Você é uma boa pessoa, Eleanor Gable.
E se um dia você se esquecer disso, dá uma olhada nos meus e-mails.
Eu vou estar aqui pra te lembrar.

Grey

Capítulo 15

Eleanor

Em uma tarde tranquila, depois que voltei da escola, meus pais estavam sentados do lado de fora, perto do mar, observando as ondas quebrarem na praia.

Fui até eles e sorri. Meu pai olhou para mim, as lágrimas escorriam de seus olhos, e meu sorriso logo desapareceu.

— O que foi? — indaguei.

Meu pai não conseguia nem falar.

Apenas balançou a cabeça e cobriu a boca com a mão.

— Mãe? — fui até ela. Ela estava repousando a cabeça no encosto da cadeira de rodas e seus olhos estavam fechados. Peguei a mão dela. — Mãe.

Ela apertou minha mão bem de leve.

— Ainda estou aqui, Eleanor Rose — disse ela.

Expirei, aliviada.

— Fiquei preocupada.

— Tudo bem. — Ela abriu os olhos lentamente e colocou a mão no meu rosto. — Posso ficar sozinha com a Ellie por um minuto, Kevin?

Ele pigarreou e fungou.

— Claro.

Meu pai saiu, e eu me sentei ao lado da cadeira de rodas da minha mãe. A brisa suave soprava em nossas peles. Ela estava tão franzina, só pele e osso. Às vezes, eu temia que, se a tocasse, mesmo que de leve, ela se despedaçaria em mil pedacinhos.

— Quer mais um cobertor? — perguntei.

— Estou bem.

— Não está com sede? Posso pegar água pra você.

— Estou bem.

— Ou então...

— Ellie, está tudo bem. Estou bem.

Só que não está.

Ficamos sentadas ali olhando para o céu da tarde no mais absoluto silêncio. Horas se passaram, e o sol começou a se pôr. O céu foi pintado com cores vibrantes e era lindo observar como aquele colorido se misturava ao oceano.

— Seu pai vai precisar de você — disse ela por fim. — Mais do que ele percebe, ele vai precisar da sua luz, Ellie.

— Estarei sempre presente.

— Eu sei que sim. — Ela inspirou fundo e expirou lentamente. — Uma vez, li uma história sobre vida e morte relacionada às libélulas. Posso compartilhar com você?

— Pode.

Minha mãe fechou os olhos, e eu observei cada respiração dela.

— A libélula nasce larva, mas, quando está pronta, sai de seu casulo e se transforma em toda aquela beleza que vemos voando por aí. Isso pode ser interpretado como um processo tanto de vida quanto de morte. A libélula emergindo de seu casulo é como a alma deixando o corpo. Há dois estágios na vida da libélula. O primeiro é quando ela é um inseto que vive na água. Esse é o início da vida dela na Terra. O segundo é quando ela emerge e encontra suas asas. Ela passa a voar e conhece uma nova liberdade. É aí que sua alma é libertada das amarras do corpo. Não é lindo isso, Ellie? Não é um pensamento incrível? Mesmo depois da morte, nosso espírito continua vivo?

Lágrimas escorriam pelo meu rosto, mas continuei calada.

Eu não conseguia responder.

Doía demais.

— Não vou sentir dor mais — prometeu ela. — Não vou mais sofrer. Vou estar mais livre do que nunca. E quer saber? Eu ainda vou estar aqui. Sempre que você vir uma libélula, quero que saiba que sou eu.

— Mãe... — Eu fiquei segurando a mão dela, e as lágrimas não paravam de rolar. — Ainda é cedo.

— É sempre cedo demais, meu amor, mas só quero que você saiba... — Ela inclinou a cabeça para mim e abriu os olhos. — Você é meu coração. Você é minha obra-prima. De certa forma, sinto que enganei a morte, porque vou continuar vivendo em você, no seu sorriso, na sua risada, no seu coração. Estou presente em tudo isso, Eleanor. Sou eterna por sua causa. Então, por favor, faça tudo o que te der vontade. Assuma riscos. Viva aventuras. Continue vivendo por mim e saiba que ter sido sua mãe foi a maior honra do mundo. Tenho muita sorte de ter podido te amar.

— Eu te amo, mãe. Mais do que dá pra expressar em palavras, eu te amo.

— Eu te amo, filhinha. Agora, pode me fazer um favor?

— Qualquer coisa.

— Pode ir comigo até a água?

Hesitei por um instante e olhei para trás, na direção da casa, onde meu pai havia entrado. Eu estava certa de que ela não teria força suficiente para chegar à água. Ela estava tão fraca ultimamente, mas, mesmo assim, colocou a mão no meu antebraço.

— Está tudo bem. Sei que você vai me segurar.

Então, eu me abaixei, tirei os chinelos e as meias dela, e depois tirei meus tênis e meias também. Peguei a mão dela e, lentamente, mas com firmeza, fui com a minha mãe até a beira do mar. A tarde estava congelante. A água estava gelada demais, e nós duas demos um gritinho quando ela tocou nossos dedos e subiu até os tornozelos.

Também rimos.

Eu nunca me esqueceria daquilo, de ouvir a risada da minha mãe.

Em determinado momento, ela me pediu que eu a soltasse e ficou parada ali, onde seus pés encontravam o oceano. Seus olhos se fecharam, e ela ergueu as mãos, com os braços formando um V, e lágrimas escorriam por suas bochechas enquanto o sol beijava seu rosto.

— Sim, sim, sim — gritava ela, sentindo todas as partes do mundo ao seu redor, parecendo se sentir mais viva do que em muito tempo.

Então ela esticou o braço para mim e pegou minha mão. Ela se apoiou em mim, e eu percebi que eu tinha força suficiente para segurá-la sozinha. Ficamos olhando para a noite e encontramos uma nova espécie de conforto.

Ela estava bem naquele momento.

Estava feliz.

E eu podia jurar que, por um curto período de tempo, a água curou sua alma.

Dois dias depois, minha mãe deu seu último suspiro.

Meu pai segurava sua mão direita e eu, a esquerda.

O relógio no quarto tiquetaqueava, mas o tempo parou.

Pensei que haveria algum tipo de conforto em saber que ela não estava mais sofrendo. Pensei que, como nós sabíamos o que estava por vir, não doeria tanto. Pensei que, de alguma forma, eu ficaria bem.

Mas não fiquei.

Todas as partes de mim doíam.

Nada pode preparar uma pessoa para a morte.

Não se pode acelerar a dor para que ela acabe logo.

Você é simplesmente tomado pela desolação. O pesar mostra sua face e, sem misericórdia, afoga você e, por um tempo, você fica se perguntando se permanecer sob a água seria melhor que um dia voltar a respirar.

Quando minha mãe deu seu último suspiro, eu quis dar o meu último bem ali, ao lado dela, mas sabia que não era isso que ela queria. Minha mãe queria que eu emergisse da escuridão, que voltasse a nadar.

E eu voltaria.

Mas não naquela noite.

Naquela noite, o sofrimento vencia a batalha à medida que eu desmoronava sem parar.

Capítulo 16

Greyson

DE: GreyHoops87@aol.com
PARA: EGHogwarts@aol.com
DATA: 1 de maio, 16:33
ASSUNTO: Sinto muito

Encontrei a Shay na escola hoje, e ela me contou sobre a sua mãe. Disse que ela e a mãe estavam indo pra Flórida pra ajudar você e seu pai. Sinto muito, Ellie. Sinto muito mesmo e sei que isso não melhora nem muda nada, mas só queria que você soubesse. Não tem um dia que passe sem que eu pense em vocês, em você. Gostaria que tivesse algo que eu pudesse fazer.

Eu me lembro de quando meu avô morreu, eu só fiquei sentado, sem saber o que fazer. Nunca tinha perdido ninguém antes, e eu fiquei em frangalhos por um tempo. As pessoas me diziam pra eu me recompor e agir como homem. "A morte acontece, filho. É melhor se acostumar", disse meu tio Tommy. "Homens de verdade não choram", reforçava meu pai.

Mas eu acho que isso é a maior bobagem.

Fique em frangalhos por um tempo.

Não se pressione pra se sentir melhor até estar pronta pra isso.

Eu só queria que você soubesse que eu sinto muito.

Ela era a mãe que todo mundo sonha em ter. Eu mesmo sonhei mil vezes com isso.

Eu sinto muito mesmo, pra cacete.

Grey

~

DE: EGHogwarts@aol.com
PARA: GreyHoops87@aol.com
DATA: 2 de maio, 2:02
ASSUNTO: Re: Sinto muito

Grey,

São duas da manhã, e tudo dói. E quando digo "tudo" é tudo mesmo.

Minhas pernas doem. Minhas costas estão doloridas. Minha garganta está seca. Meus olhos ardem.

Não consigo respirar.

Toda vez que penso no que aconteceu, eu desabo, e minha cabeça não para. É um ciclo infindável de desolação que não para nunca.

Eu só quero a minha mãe de volta.

Vou ficar em frangalhos por um tempo... Talvez por um bom tempo.

Ellie

Capítulo 17

Eleanor

— Alô?

Minha voz falhou quando eu falei. Eram três da manhã quando atendi o celular, e, depois de um dia inteiro chorando, minhas cordas vocais estavam exaustas.

— Oi, Ellie. — A voz de Greyson era baixa e cansada. Por um minuto, pensei que estava sonhando. — Estava dormindo?

— Não. — Eu me sentei na cama. — Não consigo.

— É. Eu entendo.

— O que você está fazendo acordado a essa hora?

— Não conseguia dormir. Então fui ver meus e-mails e resolvi ligar pra você. Eu só queria me certificar de que você estava respirando.

As lágrimas começaram a escorrer pelo meu rosto enquanto eu apertava o celular contra a orelha.

— Não consigo falar, Grey. Dói demais falar.

— Tudo bem. A gente não precisa conversar. A gente pode só ficar com os celulares na orelha. Pode ser?

Concordei com a cabeça, como se ele pudesse me ver.

— Pode ser.

Voltei a me deitar e fiquei com o celular colado na orelha. A respiração dele era suave do outro lado, mas eu fiquei grata por poder ouvi-la. Em algum momento, peguei no sono e, quando acordei, ainda podia ouvir os roncos dele do outro lado da linha.

Estava tudo silencioso, ele estava roncando, e as lágrimas escorriam pelo meu rosto enquanto eu escutava.

Foi naquele exato momento que eu soube que o amava — quando eu estava com o coração partido, às quatro da manhã, e ele ainda estava presente.

Mesmo que Greyson não tivesse me dito, eu tinha certeza de que ele também me amava. As pessoas não precisavam falar sobre o amor para saber que ele existia. O amor não é real apenas porque alguém o verbaliza. Não, o amor só meio que ficava por ali, quietinho, nas sombras da noite, curando as rachaduras em nosso coração.

Capítulo 18

Eleanor

Meu pai não saía do quarto havia dias.

Eu tinha perdido a conta de quantas vezes tinha ido verificar se ele se lembrava de continuar respirando. Camila e Shay tinham vindo para ajudar com o velório, e fiquei grata por isso. Sem minha tia, nada teria sido feito.

Shay permaneceu do meu lado dia e noite. Ela me fazia comer, mesmo quando eu não queria, e dava uma olhada no meu pai quando ficava difícil demais para mim vê-lo naquele estado.

Havia uma garrafa de uísque na mesa de cabeceira dele, e, toda vez que eu olhava para ela, estava mais vazia. Ele estava se autodestruindo, e eu não sabia como trazê-lo de volta à vida.

A verdade era que a única pessoa que conseguia manter os pés do meu pai no chão tinha ido embora.

O amor da vida dele tinha partido, e ele não sabia como viver em um mundo onde minha mãe não existia mais.

Não havia Kevin sem Paige.

Uma quietude assustadora preenchia nossa casa, uma sensação inquietante pairava sobre tudo. Então, à noite, eu ia até o mar e ficava ouvindo as ondas quebrando na praia.

Era lá onde eu conseguia senti-la mais — perto da água. Era como se, de alguma forma, ela tivesse enganado a morte e estivesse presente nas ondas.

No dia do velório, vi Camila tentando forçar meu pai a sair da cama.

— Você vai passar vários dias deprimido, Kevin — garantiu ela. — Mas hoje não pode ser um deles. Hoje, você precisa se levantar.

De alguma forma, ela conseguiu convencê-lo a sair da cama e se vestir. Fiquei grata por isso.

Não foi um velório grande, apenas nós quatro. O velório aconteceu logo ali na praia, perto do mar.

Era o que minha mãe queria, uma celebração perto das ondas.

Parada ali na areia, senti um aperto no peito ao ver um certo garoto vindo na minha direção. Quanto mais Greyson se aproximava, mais confusa eu ficava.

— Oi, Ellie — disse ele, com os olhos mais tristes do mundo.

— O que você... — Olhei para trás, para Shay, e ela me deu um sorriso tranquilizador. Olhei de volta para Greyson. — O que você está fazendo aqui?

Ele abriu aquele sorrisinho do qual eu tanto sentia falta e ergueu um ombro.

— Você ficaria chocada em saber como é fácil comprar uma passagem de avião com o cartão de crédito dos seus pais. Foi mal pelo atraso. Meu taxista se perdeu.

Eu me joguei nos braços dele sem nem pensar. Sem hesitar. Sem dizer nada.

Por sorte, ele não precisava de palavras. E me deu um abraço bem forte.

— Eu sinto muito — sussurrou ele. — Ela era incrível.

É, era mesmo.

Caminhamos até o mar quando a cerimônia estava prestes a começar. Do meu lado esquerdo, eu segurava a mão da Shay, e, do direito, a de Greyson. Toda vez que meu corpo começava a tremer, eles me acalmavam. Fiquei olhando para o meu pai o tempo todo, mas ele não olhou para mim. Ele não olhava para mim havia dias. Tentei não pensar muito nisso.

Eu sabia que ele estava sofrendo e sabia que eu tinha os olhos da minha mãe. Mal conseguia me olhar no espelho sem cair no choro.

Depois do velório, recebemos as cinzas da minha mãe e levamos para dentro de casa, para colocar em cima da lareira. Era ali que ela ficaria até decidirmos onde espalharíamos as cinzas.

Escapuli para meu quarto para respirar um pouco, e não levou muito tempo para Greyson me encontrar.

— Você está bem? — perguntou ele, parando à porta.

— Não. Na verdade, não.

— Quer ficar sozinha?

— Não... na verdade, não.

Ele caminhou até mim e se sentou na cama ao meu lado, apertando a lateral do colchão com a mão.

— Eu sinto muito — disse ele. — Sei que não paro de repetir isso e sei que não ajuda em nada, mas é verdade. Eu sinto muito mesmo, Ellie.

Ele colocou a mão sobre a minha, e vários sentimentos se espalharam pelo meu corpo. Eu sabia, no meu coração, que ele sempre seria uma das pessoas mais importantes do mundo pra mim.

— Obrigada, Grey. Significa muito pra mim.

— Eu gostaria de poder fazer mais.

Quem dera ele soubesse o quanto significava o simples fato de ele estar ali. Isso já bastava.

Nós nos deitamos na cama e ficamos olhando um para o outro, e não falamos muito, porque não havia muito o que dizer. Ele estava ali, eu estava ali, e nós éramos nós.

— Ele não planeja voltar — sussurrei, a cabeça apoiada no travesseiro.

— O quê?

— Meu pai. Eu o ouvi conversando com a Camila. Ele está pensando em vender a nossa casa em Raine.

— Mas eu achei... Achei que vocês iam voltar. Achei que vocês iam pra lá agora.

— É... Eu também achei.

A parte de mim que acreditava em contos de fadas e pensava que eu voltaria para Illinois também pensava que Greyson e eu podíamos ficar juntos de novo. Concluí que eu faria faculdade lá, e, mesmo que não fôssemos para a mesma universidade, estaríamos perto o suficiente para ao menos estar um com o outro.

Mas contos de fadas não são reais, e a realidade era que eu não podia abandonar meu pai, não no estado lastimável em que ele se encontrava. Se ele ia ficar na Flórida, eu ficaria bem ali ao lado dele. Eu tinha feito uma promessa para a minha mãe e não tinha intenção nenhuma de quebrá-la.

— Eu pensei que a gente ia ter pelo menos o verão — disse ele baixinho, a mão na minha. — Mas parece que só temos o agora.

— Sinto muito — sussurrei.

— Não sinta. Agora é suficiente.

— Você volta pra casa amanhã? — perguntei a Greyson depois que ele bocejou, o que me fez bocejar também.

— Volto. Bem cedo. A Camila disse que vai me levar ao aeroporto.

— Grey?

— Sim, Ellie?

— Por quanto tempo eu vou ficar triste?

Ele deu de ombros antes de colocar meu cabelo atrás da orelha.

— Pelo tempo que precisar. Nada de apressar as coisas. A felicidade vai chegar no momento certo. — Eu bocejei de novo, e ele sorriu. — Durma um pouco, Ellie.

— Fica aqui comigo? — pedi.

Ele me puxou para ele e me abraçou.

— Não vou a lugar nenhum.

Dormi muito mal aquela noite. Eu não conseguia dormir direito desde a morte da minha mãe. Acordava do nada em pânico, suando, depois de me debater e me revirar sem parar.

Quando eu acordava, Greyson estava ali para me acalmar. Ele me abraçou forte enquanto eu chorava, as lágrimas caindo na camisa dele. Ele me disse que eu podia desabar, porque ele estava ali para catar cada pedacinho meu.

— Ainda estou aqui, Ellie — sussurrou ele, enquanto eu apoiava a cabeça em seu peito.

Ele ainda estava ali.

Quando amanheceu e chegou a hora de nos despedirmos, eu não estava pronta para a partida dele. A verdade era que eu nunca estaria pronta para me despedir dele.

Ele me abraçou, e eu o abracei mais forte ainda.

— Obrigada por ter vindo.

— Eu é que agradeço por tudo — falou ele, antes de sussurrar no meu ouvido. — Você tem o sorriso dela. Sabia? Você tem o sorriso da sua mãe.

Aquilo me fez abraçá-lo com mais força ainda.

— E agora? — indagou ele.

— Não sei.

Eu não fazia ideia do que iria acontecer em seguida.

— A gente vai manter contato, né? Por e-mail? Ou você pode me ligar. Ou qualquer coisa assim...

— É claro, mas também quero que você aproveite a faculdade.

— E eu quero que você aproveite a vida por aqui também.

— Vamos conversando — prometi. — Nos dias bons e nos ruins.

— Sempre. Principalmente nos ruins. Quando as coisas ficarem difíceis, a gente se apoia um no outro. Pode ser?

— Jura de dedinho?

Estendi o mindinho para ele.

Ele enganchou o dedo no meu.

— Juro de dedinho. — Ele enfiou as mãos nos bolsos e balançou de um lado para o outro. — Não sei como me despedir de você, Ellie. Não sei como te deixar.

— Não precisa me deixar. Eu estarei sempre aqui.

Ele se aproximou de mim e me abraçou. Eu me entreguei a ele do jeito que sempre fazia — sem esforço nenhum. Nossas testas se tocaram, e nós respiramos juntos. Naquela hora, o momento era perfeito. Ele estava ali, eu estava ali, e éramos um só.

— Eu te amo, Ellie — sussurrou ele, abaixando os lábios até ficarem bem próximos dos meus. — Eu sei que o momento é péssimo e sei que eu provavelmente não deveria dizer isso, mas eu te amo. Amo tudo em você, até as partes que você acha tristes demais para serem amadas. Acho essas partes as mais bonitas. Acho você perfeita e eu só queria que você soubesse que é a primeira pessoa que eu já amei, e que é fácil. É muito fácil amar você.

Lágrimas escorreram pelo meu rosto, e eu sorri porque sabia.

— Eu também te amo, Greyson. Cada parte sua.

Como poderia não amar? Ele era ele, eu era eu, e nós éramos nós.

— Ellie?

— Sim, Grey?

— Se eu te beijasse, isso deixaria a despedida mais difícil? — perguntou ele.

— Deixaria. — Eu me aproximei ainda mais dele, tão perto que nossos lábios estavam a milímetros de distância; tão perto que a expiração dele se transformava na minha inspiração. Tão perto que minha mente já tinha decidido que aquele seria o melhor beijo de despedida da minha vida. — Mas me beija mesmo assim.

E ele me beijou.

Capítulo 19

Greyson

DE: GreyHoops87@aol.com
PARA: EGHogwarts@aol.com
DATA: 24 de setembro, 20:54
ASSUNTO: Faculdade

Oi, Ellie.

Desculpa a demora. A faculdade está uma loucura, e todo dia tem alguma coisa rolando. As festas não acontecem só nos fins de semana. Acontecem também nas terças e quintas. E nas segundas e quartas também. Todo santo dia.

As aulas são mais difíceis que no ensino médio. Muitas vezes, não sei nem se estou conseguindo acompanhar tudo.

Como estão as coisas por aí? Você já começou a trabalhar como babá para aquela nova família? Já iniciou aquelas aulas que disse que ia fazer na faculdade à noite?

Ficou sabendo dessa nova rede social chamada "Facebook"? É só para universitários, mas até que é legal. É uma nova maneira de se conectar com as pessoas. Você devia entrar. Quero ser seu primeiro amigo lá.

Praticamente só uso o Facebook agora, em vez do Messenger do AOL, mas ainda acesso, quando tenho algum tempo livre, pra ver se você está por lá. Mas você nunca está. Frequentar aulas à noite também não ajuda. Me avisa se tiver um tempinho essa semana pra conversar por telefone, e aí talvez a gente consiga combinar.

Grey

~

DE: EGHogwarts@aol.com
PARA: GreyHoops87@aol.com
DATA: 26 de setembro, 7:21
ASSUNTO: Re: Faculdade

Grey,

Não precisa se desculpar. Mesmo. Sei que você anda ocupado. Toda vez que consigo ter notícias suas, já acho ótimo.

As coisas estão correndo bem por enquanto, mas admito que é meio difícil trabalhar em período integral e estudar durante meio período. Parece que, sempre que tenho uma folga, tudo o que quero fazer é ir pra cama e dormir até ano que vem.

O lado bom é que as crianças de quem estou tomando conta são bem divertidas! Elas me mantêm ativa e ocupada. Quando não estou ocupada, tenho que ficar com meu pai, e ele anda triste demais.

Me pergunto se um dia ele vai voltar ao normal. Quanto mais o tempo passa, mais improvável isso parece.

Tenho aula terça e quinta à noite, mas talvez na sexta? Você me liga?

Ellie

~

DE: GreyHoops87@aol.com
PARA: EGHogwarts@aol.com
DATA: 26 de setembro, 17:32
ASSUNTO: Re: Re: Faculdade

Merda. Combinei uma coisa com meu colega de quarto na sexta à noite. Sábado à tarde, por volta das duas?

Grey

~

PARA: EGHogwarts@aol.com
DE: GreyHoops87@aol.com
DATA: 27 de setembro, 7:11
ASSUNTO: Re: Re: Re: Faculdade

Tenho que levar as crianças pro caratê. Domingo à noite?

~

DE: GreyHoops87@aol.com
PARA: EGHogwarts@aol.com
DATA: 27 de setembro, 20:01
ASSUNTO: Re: Re: Re: Re: Faculdade

Tenho encontro do clube essa noite.
Droga.
Vamos dar um jeito.
Só estou com saudades, só isso.

Grey

~

DE: EGHogwarts@aol.com
PARA: GreyHoops87@aol.com
DATA: 28 de setembro, 7:22
ASSUNTO: Re: Re: Re: Re: Re: Faculdade

Grey,

Também estou com saudades.
Obviamente.
Pois é.
Vamos dar um jeito.

Ellie

Capítulo 20

Eleanor

Nós nos esforçamos ao máximo, mas foi difícil. À medida que as semanas e os meses se passavam, Greyson e eu continuávamos nos desencontrando e, embora nos esforçássemos muito para manter contato, a vida dificultou tudo. Nossos horários não batiam, não estávamos em sincronia e parecia que um sempre estava um segundo atrás do outro.

Nossos e-mails foram ficando mais curtos.

A vida foi ficando mais agitada.

Greyson e eu vivíamos nossas vidas em linhas cronológicas diferentes.

Honrei a promessa que fiz à minha mãe de continuar encontrando motivos para sorrir, embora viver com meu pai tornasse tudo um pouco mais difícil. Ele ainda estava muito triste, e eu podia jurar que, a cada dia, ele se afastava mais de mim. Estávamos evoluindo de maneiras diferentes, e o laço forte que costumava nos unir diminuía lentamente.

A cada dia que passava, eu continuava encontrando sorrisos. A cada dia que passava, eu sempre tinha conversas com minha mãe. Contava para ela os altos e baixos da minha vida.

Embora houvesse alguns dias difíceis, eu estava encontrando uma nova forma de felicidade.

Porque era só isso que eu queria ser: feliz.

Assim como as libélulas que zuniam pelo ar, volta e meia Greyson East passava pela minha cabeça e, sem parar para pensar muito nisso, eu sorria. Nunca refleti muito sobre o fato de ele permanecer nos meus pensamentos. Simplesmente deixava os pensamentos se demorarem pelo tempo que precisassem. Aprendi a apreciar a forma como ele, de algum jeito, voltava para mim. A melhor parte das lembranças é que elas podem ressurgir a partir das coisas mais aleatórias. Eu pensava nele quando via balas de alcaçuz, ou sempre que via um filme de kung fu na televisão, ou quando pensava nos momentos mais decisivos da minha vida. Ele sempre surgia nesses momentos de reflexão.

Eu sempre seria grata a Greyson pelas lembranças e por ele ter me ajudado durante os momentos mais sombrios da minha vida, quando só o que eu queria era afundar.

Também prometi a mim mesma que, se a vida um dia nos reaproximasse, se as estrelas se alinhassem e, de alguma forma, nossos caminhos se cruzassem novamente, assim como as ondas na praia, eu me derramaria sobre ele.

Parte Dois

"Amor não é um estado de zelo perfeito. É um substantivo ativo, como conflito. Amar alguém é se esforçar para aceitar aquela pessoa exatamente como ela é, aqui e agora."

Fred Rogers

Capítulo 21

Eleanor

Illinois, 2019

Riley Larson faria 5 anos dali a dois meses, e eu não conseguia parar de pensar nisso. Pensava no aniversário de 5 anos dela desde o dia em que a conheci. A maioria das pessoas ficava animava quando uma criança completava 5 anos. Isso significava que ela iria para a escola para aprender, crescer e amadurecer. Não para mim... Para mim era como se fosse o beijo da morte.

Porque, quando Riley completasse 5 anos, significava que ela iria para o jardim de infância. E qual era o sentido em se ter uma babá quando a criança passava o dia inteiro fora de casa?

Para depois do horário escolar? Para isso, os pais contratavam alguém temporariamente, não uma babá fixa. Logo eu seria substituída por uma menina de 13 anos que ficaria contente em receber vinte pratas para tomar conta da Riley de vez em quando.

Certo dia, a mãe dela, Susan, me convidou para um *brunch*, enquanto o marido levava a Riley para passear. Nada de bom surgia de um *brunch* com a sua patroa. Nada além das várias mimosas que eu estava tomando para acalmar os nervos.

— Eu sinto muito mesmo, Eleanor. Você tem sido um anjo na nossa família desde que te contratamos. Quer dizer, caramba, você está com a gente desde que a Riley tinha 4 meses, e nós não teríamos conseguido sobreviver sem você. Mas agora, com a Riley indo para o jardim de infância no ano que vem...

Ela parou de falar enquanto se reacomodava na cadeira.

Ela estava muito nervosa. Supus que fosse a primeira vez que ela dispensava alguém. Estava de fato com dificuldade para se expressar.

— Eu entendo, Susan, de verdade. Não precisa se sentir mal por isso.

Os olhos dela se encheram de lágrimas, e ela juntou as mãos.

— Mas eu me *sinto mal*. Você foi tão importante para a nossa família por tanto tempo, e dispensar você é difícil demais.

— Bem, você sempre pode engravidar de novo.

Eu estava brincando, mas, sério. *Engravide de novo, Susan.*

Ela deu uma risada que dizia "nunca mais faço isso na vida" antes de beber sua mimosa até o último gole.

— Mas, falando sério, pelo menos temos mais alguns meses antes de as aulas começarem — comentei.

Eu me apegaria a qualquer ponto positivo que conseguisse encontrar, e ter essa segurança me daria algum tempo para arrumar um novo emprego.

Então Susan arrancou a pepita de ouro das minhas mãos. Ela se encolheu.

— Na verdade, Eleanor, nós decidimos dispensá-la mais cedo. Eu consegui matricular a Riley em um programa educacional para menores de 5 anos esse semestre, e no verão faremos uma viagem em família para a Itália. Depois que voltarmos, acho que seria melhor simplesmente chamar alguém para tomar conta da Riley quando eu precisar.

Ah.

Golpe baixo, Susan.

Eu limpei o bumbum da filha dela por quantos anos? E ela não iria sequer me dar alguns meses para me organizar?

Eu me esforcei ao máximo para não deixar minhas emoções me dominarem, mas estava com o coração na mão. Quando eu me sentia chateada ou magoada, as pessoas conseguiam ver isso em cada parte do meu corpo. Eu não sabia fazer cara de paisagem. O que eu sentia era o que você via, e o que você via era o que eu sentia.

Eu tinha puxado essa característica da minha mãe.

— Ah, isso é... maravilhoso. Será ótimo pra vocês — falei.

Ela franziu a testa.

— É, acho que sim. Mas, aqui... — Ela remexeu a bolsa e tirou um envelope. — Eu queria te dar isso aqui, você sabe, para cobrir o aviso prévio da dispensa.

Ela me entregou o envelope e eu lhe agradeci.

— Isso realmente significa muito pra mim.

— Imagine, querida. É o mínimo que podemos fazer. Também tem uma cartinha de recomendação aí para uma grande amiga da minha família. Eles estão procurando uma babá em tempo integral. Eu já liguei pra ela e falei de você. Eles vão entrevistar candidatas para o cargo na semana que vem, e eu fiz as melhores recomendações possíveis. Talvez valha a pena tentar.

Uma brisa de alívio tomou conta de mim ao ouvir aquelas palavras.

Os pontos positivos voltaram a dar as caras.

— Obrigada, Susan. De verdade. É mais do que eu mereço.

— Que isso! — Ela se recostou na cadeira e sorriu. — Vou precisar das chaves da casa e do BMW agora.

— Ah? Pensei que o BMW fosse um presente de despedida — brinquei.

Dessa vez ela não riu, abriu apenas um sorriso contido e estendeu a mão.

Então tá.

Eu lhe entreguei as chaves, e ela se levantou após deixar o dinheiro para cobrir sua parte da conta na mesa.

— Bem, então é isso. Boa sorte com tudo, Eleanor! Desejo o melhor pra você! Não se esqueça de se agasalhar, e feliz Ano-Novo!

Ela saiu apressadamente, me deixando um pouco perplexa com a rapidez com que as coisas haviam se desenrolado.

Peguei o envelope, abri e encontrei duas notas de vinte dentro dele.

Quarenta dólares.

Ela me deu quarenta dólares depois de me demitir sem aviso prévio.

Era realmente o *mínimo* que podia fazer.

Peguei os quarenta dólares e coloquei o dinheiro em cima da mesa para cobrir minha metade da conta, me sentindo irritada por, além de tudo, ela nem sequer ter pagado minha parte.

Acenei para a garçonete e toquei minha taça.

— Vou precisar de mais uma rodada de mimosas.

Capítulo 22

Eleanor

Eu não era boa em entrevistas. Nunca tinha sido. Quando era adolescente e consegui meu primeiro trabalho, para cuidar da Molly, eu chorei o tempo todo — para falar a verdade, chorei *aos soluços* diante da Sra. Lane. Ela fez carinho nas minhas costas, me deu um lenço, disse que eu estava me preocupando à toa e depois falou que eu tinha me saído muito bem. Eu tinha certeza de que ela só havia me contratado porque sentiu pena de mim — culpa maternal, ou algo assim.

Meu processo de entrevista com Susan não havia sido muito diferente, mas ela tinha dado à luz havia apenas alguns meses e estava sensível também, então isso tinha me favorecido.

Talvez eu possa chorar nessa entrevista também, pensei comigo mesma enquanto puxava a barra da minha saia preta.

Eu estava sentada na sala da casa do empregador. Minhas coxas estavam suadas e grudando na cadeira. Eu não tinha percebido que a saia era curta demais até me sentar. Se fosse poucos centímetros mais curta, eu tinha certeza de que certas partes que não deveriam ficar à mostra em uma entrevista teriam ficado expostas.

Eu queria o emprego, mas não com esse desespero todo.

Fiquei pensando na estratégia de cair no choro, embora soubesse que seria ridículo. Uma adulta chorando para conseguir o que queria parecia um pouquinho dramático. Acho que eu teria mesmo é que engolir o nervosismo e encarar o desafio.

Havia outras candidatas no aguardo da entrevista para o mesmo emprego. Elas pareciam muito mais seguras que eu, o que era preocupante. Por que elas não estavam suando em bicas também? E por que eu tinha escolhido vestir uma blusa azul-claro?

As manchas de suor nas minhas axilas eram nojentas. Se eu levantasse o braço, todas na sala veriam exatamente o quanto eu estava despreparada para aquilo.

Ainda bem que existiam desodorantes de longa duração.

Peguei o celular e mandei uma mensagem para a Shay.

Eu: Estou suando como se tivesse roubado alguma coisa. Estou megadespreparada pra essa entrevista.

Shay: Finja que tá tudo bem até acabar! Você consegue!

Eu: Não existe grau de fingimento no mundo que possa me ajudar com isso aqui.

Shay: US$65 mil por ano pra um emprego de babá, Ellie. Você consegue. Garanto.

Suspiro. Ela tinha razão.

Quando me candidatei à vaga, recebi mais informações sobre o emprego, e não preciso nem dizer que seria o trabalho mais bem-remunerado da minha vida até então. Susan me pagava 30 mil dólares por ano; se conseguisse aquela vaga, eu ganharia mais que o dobro disso.

Eu inclusive sabia até como gastaria esse dinheiro: mandaria uma parte para ajudar meu pai, faria algumas viagens e pagaria as faturas do cartão de crédito.

Agora, eu só precisava conseguir sobreviver à próxima meia hora sem sair correndo porta afora.

Bloqueei o celular e voltei a tamborilar os dedos na minha coxa excessivamente à mostra. *Nossa, essa sala é abafada mesmo ou sou só eu que estou suando?* Não, a sala era abafada mesmo. Nenhuma das janelas estava aberta, o que não era de estranhar, pois estávamos em pleno inverno. Mesmo assim, eles podiam ter diminuído um pouquinho o aquecimento. Como alguém consegue respirar num espaço sem nenhum ar puro entrando? Estávamos inspirando e expirando o mesmo ar sem parar.

A espera era a pior parte. Era como se todas nós estivéssemos em uma espécie de limbo. Eu não via a hora de ser chamada até a sala de jantar para a primeira rodada de entrevistas.

Primeira rodada.

Francamente, quem é que fazia mais de uma rodada de entrevistas para um cargo de babá? A agência já havia verificado nosso histórico profissional. Por que eu tinha de participar de uma reunião com um integrante da família, e depois com outro?

Eu trabalhava como babá desde os 18 anos e tinha certeza de que isso, definitivamente, não era uma regra, nem em Chicago.

Quem, exatamente, era o empregador? Susan não havia me dado detalhes, e, quando mandei e-mail para o endereço que ela me passou, quem me respondeu foi uma secretária.

Será que era a Beyoncé atrás daquela porta? Será que eu levaria a Blue Ivy e os gêmeos para caminhadas no parque enquanto seus pais dominavam o mundo?

Tudo parecia meio esquisito para mim, mas tanto fazia. Por 65 mil dólares por ano, eles podiam ser tão esquisitos quanto quisessem.

— Eleanor Gable? — chamou uma voz, e eu levantei a cabeça ao ouvir meu nome.

Levantei o braço imediatamente.

— Presente! — gritei.

Cabeças viraram para mim, e olhos focaram na minha axila.

Nojento, Ellie. Abaixe esse braço.

Baixei o braço e me levantei. Então pigarreei.

— Sou a Eleanor? — falei.

Minha entonação fez com que a frase parecesse uma pergunta.

— Tem certeza? — perguntou a mulher, arqueando uma das sobrancelhas.

— Tenho. Tenho certeza. Sou a Eleanor.

A mulher sorriu para mim. Ela era mais velha, devia ter uns sessenta e muitos anos, e, embora eu estivesse agindo de maneira esquisita, ela parecia esperançosa.

— Oi, meu nome é Claire. Por favor, me acompanhe.

Segui a direção indicada por ela enquanto me dava uns tabefes mentais.
Eu realmente tinha levantado a mão e gritado "presente"?
Qual era o meu problema?
Eu não devia ter permissão para interagir com outros seres humanos. Eu me dava muito melhor com personagens fictícios.

A sala de jantar era exatamente como a de estar — gigantesca. Havia armários embutidos que abrigavam aparelhos de jantar, café e chá de porcelana fina deslumbrantes, e que a família provavelmente só usava em datas comemorativas. A mesa era para pelo menos dez pessoas, o que me fez achar que eles deviam receber convidados com frequência. Tinha um ar rústico, como se tivesse sido entalhada no quintal deles, e então colocada ali. E era linda.

Mesa de jantar rústica agora estava na minha lista de desejos.

— Então — começou Claire, sentando-se enquanto lia meu currículo —, parece que você tem bastante experiência como babá. Além disso, a Susan me falou muito bem de você.

Sentei-me ao lado dela e respirei fundo.

— Tenho, sim. Já trabalho cuidando de crianças há um bom tempo. Trabalhei como babá enquanto fazia faculdade à noite. Eu me formei em Educação na Primeira Infância e, depois que percebi que trabalhar em creches não era muito a minha praia, decidi continuar como babá.

Ela assentiu e fez uma anotação em seu caderno.

O que será que ela estava escrevendo?

Eu não tinha falado nada tão interessante que valesse ser anotado.

Eu me mexi na cadeira e jurava que minhas nádegas estavam grudando no assento.

Se eu conseguisse sair daquela entrevista com um pingo de dignidade, compraria uma saia nova.

— E você diria que é uma paixão sua? — quis saber ela. — Trabalhar como babá?

— Total. Eu sempre amei trabalhar com criança, até quando eu era bem mais nova. Meu primeiro emprego como babá foi quando eu tinha 16 anos e, desde então, sempre soube que queria ser uma das pessoas que moldam a vida das crianças. Além disso, minha mãe era babá, então acho que isso está no sangue da família.

Foi uma boa resposta.

Anote aí, Claire.

Meu pé não parava de bater no chão, e eu retorcia os dedos.

— E antes de trabalhar para a Susan, você era babá na Flórida? Você é de lá?

— Ah, bem, não. Meu pai e eu nos mudamos para lá quando eu era adolescente, pouco antes de a minha mãe falecer, mas eu voltei para Illinois faz alguns anos. Para mim, aqui sempre foi meu lar. Eu pertenço a esse lugar.

Pigarreei e tentei ignorar o suor.

Claire me deu um sorriso extremamente delicado.

— Você está nervosa.

— Muito nervosa. — Eu ri, esfregando as mãos. — Perdão. Sou péssima nessa parte, mas sou *boa* no que faço. Para falar a verdade, sou ótima. É só com a parte de conseguir o emprego que tenho dificuldades. Meu nervosismo às vezes fica à flor da pele.

— Está tudo bem. Eu também detesto entrevistas, mas não há motivo para ficar nervosa. Sou a parte fácil aqui. A segunda rodada é que é pesada. Mas, antes de nos preocuparmos com isso, eu queria te contar mais sobre a família. Trata-se de uma situação um pouquinho diferente de tudo o que você provavelmente vivenciou no passado. São duas meninas: Lorelai e Karla. A Lorelai tem 5 anos e a Karla, 14. Os horários são um tanto malucos, mas, basicamente, você precisa estar aqui cedo para levar as meninas para a escola, tem o horário do almoço livre, depois precisa ir buscar as crianças, preparar o jantar e colocar a Lorelai para dormir. Ainda estamos tentando nos organizar desde a partida da mãe delas, então, às vezes, as coisas podem ficar meio tensas.

— Ah, pensei que você fosse...

Balancei a cabeça, um tanto confusa.

— A mãe? Ah, não. Sou a avó. A mãe delas era minha filha.

A palavra *era* fez meus ouvidos doerem.

— Ah, minha nossa, eu sinto muito pela sua perda.

— Pois é. Ela era o meu mundo. Era o mundo de todos nós...

Claire parou de falar por um instante e desviou o olhar. Certamente o coração dela ainda estava partido pela morte da filha. Concluí que o coração fica partido para sempre quando um pai ou mãe perde um filho.

Claire pigarreou.

— Enfim, o pai delas tem uns horários de trabalho complicados, então tem sido meu trabalho, nos últimos dez meses, fazer a primeira rodada de entrevistas com as babás. Eu separo os grãos ruins primeiro.

— Babás? Houve mais de uma nos últimos dez meses?

— Seis, para ser exata — respondeu ela, o que me deixou um tanto perplexa. — Como eu disse, é meu trabalho contratar as babás, mas meu genro rapidinho encontra motivos para dispensá-las. Será necessário alguém com muito ânimo para durar nesse emprego.

— Ânimo é algo que não me falta.

— Ótimo, ótimo. Fico feliz em saber. A Susan também me disse isso. Ela me falou que você ficava um pouquinho constrangida em situações como essa, mas que valia a pena relevar.

— A boa e velha Susan.

Dei uma risada nervosa.

— Ela é um amor, com certeza. Agora, voltando às meninas. Muitas vezes, elas precisarão que você as ajude antes e depois da escola.

Você deverá arrumá-las para o colégio, para as aulas de caratê e para as sessões de terapia; fazer a comida delas, você sabe, o básico. Você pode morar na casa de hóspedes, se tiver interesse. Ajuda, visto que precisa chegar muito cedo e, às vezes, só sairá daqui lá pelas nove, dez horas. O horário pode se estender por causa da estrutura da agenda de trabalho do pai das meninas. Às vezes, ele viaja a negócios. Nessas ocasiões, você receberá as horas extras e outros benefícios. A Allison, secretária dele, vai te avisar com bastante antecedência sobre essas viagens. Se, por algum motivo, você não puder trabalhar nesses períodos, nós contratamos uma babá temporária. Além disso, quando o verão chegar, as horas serão revistas para que você não trabalhe dia e noite.

— Ah, tudo bem. Parece tudo ótimo.

Ela sorriu e assentiu. Então, inclinou-se de leve para a frente.

— Só quero deixar claro que esse emprego não é para fracos de cabeça. Como eu disse antes, num período de dez meses, nós tivemos seis babás diferentes, e é por isso que quero frisar a importância de você compreender que essa família é diferente da maioria. Todos mudaram muito depois do acidente. Você entende que pode haver alguns aspectos delicados neste emprego?

— Entendo, sim. Juro que dou conta, Claire. E sei que o fato de eu falar isso não importa, porque são apenas palavras, mas acredito mesmo que eu seja a pessoa certa para esse emprego.

— Importa, sim — ela me interrompeu. — Acho importante que você acredite que consegue dar conta.

Ela me fez mais algumas perguntas básicas, e eu relaxei um pouco. Meu nervosismo começou a diminuir, mas aumentou imediatamente quando ela me disse que estava na hora de eu avançar para a segunda rodada de entrevistas.

— Agora, isso vai ser um pouquinho difícil. Ultimamente, meu genro tem se mostrado um homem difícil, e não vai falar muito. Você se sentirá julgada, mas não deixe que ele a apavore. É preciso ter casca grossa para trabalhar para Greyson East. Caso contrário, você não sobreviverá.

Meus lábios se abriram, e eu fiquei parada ali, em choque.

Claire arqueou uma das sobrancelhas.

— O que foi, Eleanor?

— Desculpe, mas você disse "Greyson East"?

— Disse. Greyson East, o presidente da EastHouse Whisky. Pensei que tivesse comentado quando você entrou.

— Não, não comentou.

Meu Deus. A brisa que entrava pela janela parou, o tique-taque do relógio na parede pareceu pausar, e uma onda de náusea me assolou.

— Você está bem? — perguntou ela. — Você o conhece ou já ouviu falar dele?

Confirmei lentamente com a cabeça à medida que todas as lembranças que eu tinha de um menino chamado Greyson East retornaram como um turbilhão à minha mente.

— Bem, eu o conhecia, na verdade. Mas já tem muito tempo.

— Talvez isso seja bom! — ponderou Claire. — Com sorte, será uma vantagem. Agora, espere aqui enquanto vou conversar com o Greyson. Depois eu volto para buscar você para o próximo passo.

Ela saiu da sala, e as poças de suor debaixo do meu braço se transformaram em oceanos.

Greyson East.

Greyson East, cacete!

Ele tinha filhas — duas meninas, para ser exata. Uma família.

Ele era presidente de uma empresa!

Fiquei imaginando como estaria a aparência dele depois de todo aquele tempo. Fiquei pensando se aqueles olhos acinzentados ainda eram tão deslumbrantes quanto antigamente. Será que a risada dele continuava a mesma? E o sorriso?

Meu coração acelerou só de pensar em Greyson. Quando eu relembrava os momentos mais importantes da minha vida, ele estava quase no topo da lista. Ele entrou na minha vida quando eu mais precisava dele, e se despediu dela mais cedo do que eu gostaria. Agora, eu estava prestes a entrar em um escritório para ser entrevistada por ele, para ser babá das filhas dele.

Eu não conseguia acreditar nisso.

— Ele já pode recebê-la, Eleanor — anunciou Claire, cuja cabeça aparecera novamente na sala. Ela indicou que eu a seguisse, e eu me levantei, alisando minha saia justa. — E não se preocupe, eu não mencionei seu nome. Achei que poderia ser uma surpresa agradável para ele.

Eu esperava que sim.

Ela me acompanhou pelo corredor, e nós entramos em uma biblioteca. Havia uma biblioteca na casa, dessas com escada. Fiquei extasiada com a visão. Na minha casa dos sonhos, haveria um cômodo exatamente como aquele.

— Boa sorte — sussurrou Claire assim que entrei, e então ela saiu do cômodo, fechando a porta.

Greyson estava de costas para mim, olhando pela janela. Ele usava um terno com um caimento perfeito, que parecia ser caro. Seus braços eram enormes; os ombros, largos; ele estava muito mais musculoso do que antes. Estava parado ereto. Seus braços estavam cruzados, e ele ainda não tinha se movido um único centímetro.

Será que ele tinha me ouvido entrar? Será que sabia que eu estava ali?

Eu só queria ver aqueles olhos.

Pigarreei, sentindo meu corpo tremer.

— Que loucura, né? — falei com a voz sufocada.

— Fazer uma entrevista de emprego? — retrucou ele, com a voz monótona.

— Sim, digo... não. O que eu quero dizer é... Que loucura nossos caminhos se cruzarem de novo depois de todo esse tempo. — Dei um passo à frente, sentindo o nó no meu estômago retorcer. — É mesmo uma loucura.

— Nós nos conhecemos? — indagou ele, ainda olhando pela janela, ainda parecendo completamente alheio à minha existência.

Caramba, Greyson. Apenas se vire.

— Grey, sou eu... Ellie.

Ele reagiu às minhas palavras com um leve movimento dos ombros.

Virando-se bem devagar sobre os sapatos sociais, ele ficou de frente para mim. Quando nossos olhares se encontraram, dei dois passos atrás, um tanto chocada. Os olhos dele ainda eram do mesmo tom de cinza, mas, ao contrário de antes, tinham uma aparência fria, como gelo. Aqueles olhos que eu venerava estavam cheios de uma rigidez implacável que eu não sabia ser possível existir ali.

Aqueles olhos lindos.

A rigidez que os olhos dele projetaram naquele momento me fez querer sair daquele lugar o quanto antes, mas também, por mais estranho que fosse, aquele mesmo olhar meio que me fez querer abraçá-lo e dizer que tudo ficaria bem. Esse novo Greyson tinha toda uma aura do Ió, do Ursinho Pooh. Era quase como se uma nuvem de chuva pairasse sobre sua cabeça.

Sua personalidade não era descontraída como antes, isso era certo. Porém, quanto mais eu olhava para ele, mais eu percebia o que estava vendo

Não era frieza de raiva. Não era rigidez inclemente de irritação.

O olhar dele era triste.

A tristeza não se mostra com palavras; ela atravessa o corpo da pessoa. Flutua em seus olhos. Ela se reflete nas rugas da testa. Empurra os ombros para baixo e se acomoda meio sem jeito nos cantos dos lábios.

Nenhum ser humano precisa falar de sua tristeza para que ela seja vista. É preciso apenas um tempo para se observar a pessoa e enxergar a tristeza nela.

Tudo o que era realmente preciso fazer era desacelerar e prestar atenção.

A tristeza de Greyson era clara como a luz do dia, e aquilo era de partir o coração.

Ele continuou me encarando, sem dizer nada.

Eu me mexi e abri um sorriso contido.

— Tipo, Ellie Gable, do ensino médio. Nós éramos...

Amigos.

Nós éramos amigos, Grey.
Nós éramos muito mais que amigos.

Como ele podia não se lembrar? Foi ele que me ajudou a superar o período mais difícil da minha vida.

Não completei a frase porque, quanto mais ele me encarava, mais constrangedor tudo se tornava. Ele não se lembrava mesmo de mim? Será que isso era possível? Será que aquele homem era realmente o mesmo Greyson que eu conhecia?

É claro que era. Os olhos nunca mentem.

— Desculpe, isso é estranho. — Ri de um jeito constrangedor porque era isso que eu fazia quando ficava nervosa. — Só pensei que...

Parei de falar, dando a ele uma oportunidade de ingressar na conversa.

Nada além de silêncio.

Diga alguma coisa, Greyson.

— É só que... Faz tantos anos, Grey. Você está ótimo! De verdade. Você deu uma encorpada pra sua altura. — *Como é que é, Eleanor?* Isso não fazia o menor sentido. A palma das minhas mãos começou a suar, e eu não conseguia pensar direito. — A Claire comentou que você tem duas filhas, né? Que loucura. Quer dizer, não é tão louco assim, já que você é adulto e é isso que adultos fazem, eles têm famílias. Digo, menos eu. Continuo solteira como uma margarida — tagarelei, exibindo meu anelar como uma completa idiota.

O que isso queria dizer? Solteira como uma margarida?

Recomponha-se, Ellie.

Pigarreei.

— A vida é engraçada, né?

Nenhuma. Palavra. Ainda.

— Bem, quer dizer, você gostaria de me perguntar alguma coisa? Bem, eu vim fazer uma entrevista de emprego. Sei que isso deve parecer estranho, mas eu realmente adoraria ficar com essa vaga. Adoraria. De verdade. Minha vida tem estado uma loucura, e esse emprego seria ótimo pra mim. Não quero chatear você com minhas lamúrias, nem nada, mas...

— Obrigado, isso é tudo — disse ele.

Sua voz saiu grave e permeada por uma rouquidão inédita para mim. Ele definitivamente não era mais um menino, isso era certo.

Arqueei as sobrancelhas.

— Desculpa, como é?

— Já tenho tudo de que preciso.

Ele foi tão seco em suas palavras que eu realmente desejei que ele tivesse continuado de boca fechada. Ele falava de um jeito tão monótono que era como se nem estivesse ali.

Abri um sorriso forçado, e ele reagiu com uma carranca.

Ele deu as costas para mim de novo e voltou a olhar pela janela.

Nossa, aquilo era constrangedor.

Havia um milhão de perguntas pairando na minha mente, um milhão de coisas que eu queria perguntar para ele. Como ele tinha se tornado presidente da empresa do pai? Quanto tempo havia ficado casado? Como estava lidando com a perda da esposa? *Meu Deus, ele tinha perdido a esposa...*

Ah, Greyson. Eu sinto muito. Sinto tanto.

Fiquei parada ali por um instante, sem saber ao certo o que fazer. Parecia que ele não tinha mais nada para falar... e a forma como ele olhou para mim, como se eu nunca tivesse significado nada para ele... machucou um pouco. Então, pigarreei.

— Tá bem. Vou indo. Foi muito bom ver você de novo, Grey. Espero que tudo... Dê certo... — Prolonguei aquelas últimas palavras e esperei por uma resposta, mas não ouvi nada, então assenti. — Tá bem. Então tchau.

Eu me virei para a porta, girei a maçaneta e senti todo o meu corpo relaxar. Eu não tinha percebido o quanto estava tensa quando entrei na biblioteca. Eu tinha certeza de que havia me esquecido completamente de respirar por alguns segundos.

Como aquilo era possível?

Eu reencontrei Greyson East depois de 16 anos, e ele olhou para mim como se nunca tivesse existido um período em nossas vidas em que fomos tão importantes um para o outro. Como? Como ele podia não ter sentido o que eu senti naquele momento tão intenso?

E como alguém podia permanecer tão ereto quando carregava tanto peso nas costas?

Claire olhou para mim, surpresa.

— Foi rápido. Como foi?

— Foi... uma experiência e tanto. — Abri um sorriso triste para ela. — Obrigada pela oportunidade, mas acho que não sou o que ele está procurando.

— Ah... Bem, fico triste em ouvir isso. Eu tinha esperanças.

— É, eu também.

Eu agradeci a ela mais uma vez e fui embora, levando meu nervosismo e minha decepção. Estava pegando o celular para avisar a Shay sobre a entrevista malsucedida quando ouvi o barulho de saltos altos batendo no chão.

— Eleanor! Eleanor! Espere!

Eu me virei e vi a Claire correndo até mim.

— O que houve?

Ela estava ofegante.

— É seu.

— O que é meu?

— O emprego — respondeu ela, endireitando-se de leve. — Acabei de falar com o Greyson, e ele me pediu que cancelasse as outras entrevistas do dia porque a vaga era sua. A secretária dele, Allison, vai entrar em contato com você por e-mail e vai te mostrar a casa no fim de semana. E...

— Eu tô... Peraí, como é que é? — Eu estava pasma com as palavras dela, porque não tinha acontecido absolutamente nada na minha interação com o Greyson que indicasse que o emprego seria meu. — Eu tô contratada?

— Sim, querida. — Ela sorriu. — Você está contratada.

Capítulo 23

Greyson

Fiquei olhando pela janela da biblioteca enquanto Eleanor ia embora. Claire ainda estava conversando com ela, atualizando-a quanto à contratação para a vaga e, quando elas se abraçaram, eu dei as costas por um instante. Quando me virei de novo, Eleanor estava entrando em um carro velho e caindo aos pedaços. Quando ela o ligou, o motor rugiu como se tivesse sido um fumante compulsivo em uma vida passada, e ela foi embora naquela armadilha mortal.

Eleanor Gable.

Eu não pensava nela havia anos, só de vez em quando. Agora, porém... Agora ela inundava minha mente. Lembranças dos adolescentes que éramos quando nos conhecemos dominaram meus pensamentos.

Ela havia se portado na biblioteca como se ainda me conhecesse.

Aquilo era uma loucura para mim. Não sabia se ela ainda era como a menina que costumava ser, mas eu estava longe de ser o menino que ela um dia havia conhecido.

A vida tinha maneiras de nos modificar, em alguns casos para melhor, a maioria para pior.

Eu fazia parte da maioria dos casos

Claire voltou à biblioteca, meio ofegante, mas sorrindo. Ela vivia sorrindo, mesmo nos dias difíceis. Desviei o olhar dela e me virei de novo para a janela. A coisa mais difícil do mundo era o sorriso da Claire, porque era parecido demais com o da filha dela.

— Tenho um bom pressentimento com relação a isso, Greyson. Acho que a Eleanor será ótima para as meninas — comentou ela. — Você sabia que ela também perdeu a mãe quando era adolescente? Isso pode ajudar as nossas meninas.

Não respondi. Não havia muito o que dizer, e eu não era do tipo que me engajava em conversas que não importavam. Eleanor seria a babá. O negócio estava fechado. Não havia necessidade de ficar voltando ao assunto o tempo todo.

— Ela parece maravilhosa — continuou Claire, porque ela nunca percebia quando eu queria ficar sozinho. Ou talvez percebesse. Na verdade, ela se preocupa demais com o que se passa comigo quando estou sozinho. — Ela mencionou que vocês já se conheciam? Quando eram mais jovens?

Meu corpo ficou tenso, e eu mexi nas abotoaduras do terno.

— Faz muito tempo isso.

— Sim, mas é sempre bom rever alguém do passado.

Eu também não tinha comentários a fazer quanto a isso. Não sabia o que significava o fato de Eleanor Gable ter entrado na minha biblioteca naquela tarde. Eu sequer tinha me permitido refletir sobre o significado de ela ressurgir na minha vida. Tudo o que eu sabia era que ela tinha o melhor currículo entre todas as candidatas que eu tinha visto naquele dia e que havia muito trabalho importante me esperando no escritório.

Pigarreei.

— Preciso voltar ao escritório. Provavelmente voltarei tarde pra casa. Depois que buscar as meninas, você pode chamar aquela moça pra tomar conta delas?

Claire franziu o cenho, e eu odiei ver aquilo.

Ela franzia a testa exatamente como a filha.

Eu não sabia que era possível sentir saudades de quando uma pessoa franzia a testa até nunca mais vê-la fazendo isso.

— Grey... — *disse a voz sussurrada dela para mim.*

Eu me virei para a direita e vi a testa da Nicole encostada no airbag *inflado.*

Fechei os olhos quando a imagem da Nicole veio à minha mente. Toda vez que isso acontecia, eu tinha a sensação de que estava me afogando.

O luto era estranho. Aparecia do nada. Surgia mesmo quando você se esforçava ao máximo para evitá-lo. Eu me mantinha ocupado porque não queria chorar. Não queria encarar um mundo onde ela não existia mais, mas o luto era silencioso, chegava em momentos aleatórios, embora eu fizesse de tudo para afastá-lo. Ele me atingia com força, juntamente com a percepção do que tinha acontecido. Meu peito ficava apertado à medida que a dor inundava cada parte da minha alma.

— Greyson — chamou Claire, sua voz era gentil e repleta de preocupação quando ela colocou a mão no meu antebraço, me arrancando da escuridão.

— Hum?

— Você está bem, filho? — perguntou ela, sabendo perfeitamente que eu não estava.

Mas eu menti.

Eu sempre mentia.

— Estou bem. Falo com você mais tarde. Vou me certificar de que a Allison mande todos os detalhes sobre o emprego para a Eleanor por e-mail. Obrigado, Claire. Obrigado por vir até aqui hoje.

— É claro, querido. Eu virei sempre — prometeu ela.

Ela não estava mentindo.

Ela nunca mentia.

Inspirei fundo e afastei as emoções que estavam tentando escapar de dentro de mim.

Eu não deixaria as lágrimas escaparem.

Não queria sofrer.

Não queria sentir.

Não queria encarar o fato de que ela se fora.

Então, fiz a única coisa que eu sabia fazer. Fui trabalhar e afoguei a turbulência que havia em minha mente e que tentava me engolir por inteiro a cada segundo de cada dia.

Capítulo 24

Eleanor

— Você conseguiu o emprego? — exclamou Shay naquela tarde, quando parei no vão da porta do nosso apartamento, remexendo os dedos. — Minha nossa, precisamos comemorar!

— Hum, sim. Consegui.

Eu ainda não tinha assimilado aquilo, para ser sincera. Fui caminhar, zonza e confusa, quando saí da casa do Greyson, me perguntando se o que havia acontecido tinha realmente ocorrido ou se eu estava tendo algum tipo de surto psicótico.

— Desculpa. Você não está feliz com isso? — questionou ela, arqueando uma das sobrancelhas. — Antes da entrevista, você estava dando pulos de alegria só de pensar na possibilidade de conseguir a vaga! O que aconteceu?

— Ah, muita coisa — murmurei enquanto entrava em nosso apartamento e fechava a porta.

Nós morávamos juntas fazia dois anos, e eu não conseguia imaginar viver com qualquer outra pessoa que não fosse ela. A Shay era o yin do meu yang.

Fui direto à geladeira e peguei um bolo. Minha prima sempre abastecia a casa com os melhores doces.

Afinal de contas, ela trabalhava em uma padaria e confeitaria. Embora não fosse seu emprego dos sonhos, ela adorava. Durante o dia, ficava na padaria e, à noite, diante do *laptop* escrevendo roteiros. A Shay era muito talentosa com a escrita. Ela conseguia manipular as palavras de um jeito que fazia você querer rir alto e chorar ao mesmo tempo. Estava só esperando sua grande chance. Ela realmente merecia, mais do que qualquer pessoa. Shay tinha um talento incomparável. Eu tinha certeza de que, um dia, ela faria muito sucesso na indústria do cinema. Um dia, o nome dela estaria nos créditos de algum filme campeão de bilheterias.

Desabei no sofá com uma fatia de bolo e dois garfos. Shay se sentou ao meu lado e aceitou o talher sem hesitar.

— Muita coisa do tipo...? — indagou ela.

— Bem, descobri quem é meu empregador — contei.

— Meu Deus, é a Beyoncé? — exclamou ela. — Eu estava justamente falando pra minha mãe que devia ser alguém famoso. Com o salário que eles estavam oferecendo...

— Não é a Beyoncé.

Eu ri, pensando em como era engraçado que eu e minha prima tivéssemos tido o mesmo pensamento. Às vezes era como se fôssemos gêmeas. Nossas mentes estavam sempre na mesma sintonia.

— Mas é alguém que a gente conhece... — continuei. — Ou melhor, que a gente conhecia.

— Mentira. Sério? Agora estou surtando! Quem é que a gente conhece que tem tanto dinheiro assim?

— O Greyson.

— Que Greyson?

— O *Greyson*, Greyson. Greyson East.

Ela reagiu com perplexidade, o queixo caído.

— *Não brinca!*

— Exatamente! Essa também foi a minha reação. Acho que ele é presidente da fábrica de uísque do pai agora.

— Isso é muito louco. Isso é *muito mais* que louco — comentou Shay. — Caraca. E então, como foi? O que ele disse quando te viu?

— Hum... nada, na verdade. Ele quase não falou. Foi estranho, Shay. Ele estava tão... diferente, o oposto do menino que a gente conheceu.

O Greyson que eu conhecia era totalmente aberto e gostava de se expressar de todas as formas possíveis. Ele falava com tanta esperança na voz e sonhava com um futuro brilhante.

O Greyson que eu tinha visto na biblioteca de uma mansão era diferente.

Era uma pessoa totalmente nova, e eu não fazia ideia de como me sentia em relação a isso.

— Isso é tão doido. Vocês foram tão próximos por um tempo, até você se mudar pra Flórida com seu pai.

— É. Sinceramente, ele fez uma diferença enorme na minha vida, mas hoje agiu como se nem soubesse quem eu era.

— Mas ele te contratou. Isso deve contar alguma coisa, né?

— Talvez... Eu só queria que você tivesse visto a cara dele. Ele foi tão... frio.

— Frio do tipo te tratou mal? Ou foi grosseiro?

— Não, não exatamente...

O Greyson não tinha me tratado mal nem sido grosseiro comigo. Ele só tinha... sido ele. Era difícil explicar o comportamento dele. Chamá-lo de "grosseiro" parecia desrespeitoso, mas dizer que ele foi educado parecia absurdo. Ele agiu como se estivesse se preservando, de um jeito misterioso, como se um milhão de pensamentos passassem em sua mente, mas ele não permitisse que outra pessoa os visse.

— Ele não é mais a pessoa que eu conhecia, simples assim. Vou ter que me acostumar com isso, acho. De qualquer forma, vai ser esquisito trabalhar pra ele.

— Ah, nossa, trabalhar pro seu primeiro amor... Não consigo nem imaginar uma coisa dessas.

— Eu mesma ainda estou tentando lidar com isso.

Shay e eu ficamos no sofá e nos acomodamos para assistir a algum *reality show* ruim. Uma vez por semana, nós cancelávamos todos os planos para assistir a programas péssimos que tínhamos deixado gravados. Nossos preferidos eram as competições de relacionamentos amorosos, pois eram absurdamente ridículas e forçadas. Bastava nos presentear com maratonas de *The Bachelor* ou de *The Bachelorette* que ficaríamos felizes por semanas. No entanto, aquela tarde tinha sido um pouco pesada. Minha mente não conseguia parar de pensar no novo Greyson East. Eu não conseguia imaginar como seria trabalhar para um homem que tinha sido tão fundamental durante um período tão importante da minha vida.

Já fazia mais de 15 anos desde nossa última despedida, uma década e meia de crescimento e mudança, altos e baixos e superações. Mesmo assim, eu não conseguia parar de pensar no menino que aquele homem frio foi no passado. Não conseguia evitar pensar nos nossos primeiros "ois" e nos últimos "tchaus".

Eu me perguntei se ele também estaria pensando nisso.

Depois que a Shay e eu cansamos da nossa farra televisiva, fui para o meu quarto ligar para o meu pai. Eu me sentei na beirada da cama com o celular na mão esquerda e uma taça de vinho na direita.

— Alô? — atendeu a voz grave antes de tossir e pigarrear.

— Oi, pai, é a Ellie — falei, fechando os olhos. — Só estou ligando pra ver como você está.

— Ah, sim, Ellie. Eu ia te ligar, mas imaginei que você estivesse ocupada. Como andam as coisas?

Peguei um travesseiro e o abracei com força enquanto mordia o lábio inferior.

— Ah, bem. Quer dizer, está tudo bem. Como você está se sentindo? Já melhorou da infecção estomacal?

— Ah, já passou. Foi esquisito, mas estou me sentindo um pouco melhor. Passei a noite e o dia todo vomitando, mas agora estou bem.

— Fico feliz em ouvir isso. Você tem tomado a sua insulina todos os dias? Sei que às vezes você esquece.

Ele tinha diabetes tipo dois há algum tempo, e era muito relapso com o tratamento. Eu costumava brigar muito com o meu pai para tentar fazer com que ele se alimentasse melhor. A situação ficou tão ruim que eu passei a encontrar latas de refrigerante escondidas debaixo da pia do banheiro. Tentei de tudo para convencê-lo a comer melhor, perder peso, mas meu esforço foi em vão.

Era impossível forçar um homem a melhorar de vida se ele próprio não queria mudar, e, toda vez que eu o pressionava, nossa relação se desgastava. Foi por isso que, há muitos anos, eu fui embora. Ele já estava de saco cheio das minhas tentativas de ajudar e se afastou de mim.

Eu só precisava aprender a amá-lo a distância, mesmo que isso significasse que eu me preocuparia todos os dias com o bem-estar dele.

— Sim, tenho tomado todos os dias, como deve ser — respondeu ele.

Mentira.

Eu sabia que era mentira, pois conhecia meu pai.

Nós dois ficamos em silêncio, o que era bastante normal.

Ele nunca falava muito, então eu também não falava. Eu frequentemente me perguntava se nosso silêncio se dava pelo fato de que não tínhamos nada a dizer ou se era porque tínhamos esperado muito tempo para começar a falar. Talvez nossas mentes estivessem repletas de conversas profundas e significativas que gostaríamos de ter tido um com o outro, mas que não fazíamos ideia de como começá-las.

Mas tudo bem. Pelo menos ainda nos telefonávamos de vez em quando.

Ainda assim, às vezes, eu sentia falta das palavras.

Ele pigarreou.

— Certo, bem, preciso dar uma arrumada nas coisas por aqui. Obrigado por ligar, Ellie. Nos falamos depois.

— Ah, tudo bem.

— E, Ellie? Obrigado pelo dinheiro que você mandou. Mas você não precisava ter feito isso. Eu gostaria que você parasse de fazer isso, mas... é... obrigado.

— De nada, pai.

— Nos falamos depois, está bem?

Ele sempre fazia isso, terminava as ligações rápido demais, mas provavelmente era melhor assim. Caso contrário, eu simplesmente ficaria com o celular na orelha, ouvindo a respiração errática dele e desejando que não fôssemos as pessoas que éramos.

— Tá bem, pai. Eu te amo.

— É, também. Tchau.

Ele desligou sem dizer todas as palavras que eu precisava ouvir, aquelas que talvez acalentassem um pouco meu coração.

Eu também te amo.

Era difícil acreditar que houve um tempo em que meu pai e eu éramos muito íntimos. O tempo tinha a habilidade de mudar relacionamentos de maneiras que nunca pensamos ser possíveis. A morte fazia isso com as pessoas — transformava suas almas em algo novo. Às vezes, era para melhor, mas, em outras vezes, para pior. Com o tempo, a vida forçava as pessoas e seus relacionamentos a mudarem.

Alguns dias, eu desejava poder mudar meu pai para que ele voltasse a ser, só um pouquinho, o homem que era.

Eu sentia saudades daquele homem todos os dias da minha vida, e rezava para minha mãe, pedindo a ela que o ajudasse a encontrar o caminho de volta para mim.

Eu acreditava plenamente no amor da minha mãe. Achava que o amor dela era tão forte que podia, de alguma forma, superar a morte. Sentia o amor dela ao meu redor o tempo todo.

Eu realmente esperava que meu pai também sentisse a presença dela.

Ainda estou aqui, Ellie.

Aquelas palavras estavam tatuadas no meu coração e o mantinham batendo.

Capítulo 25

Greyson

Fiquei no escritório da EastHouse o máximo de tempo que pude. A maioria dos meus empregados tinha ido embora às sete e, quando olhei para o relógio, eram nove e meia.

Meu celular começou a vibrar, e o nome do Landon apareceu na tela. Eu ignorei a chamada, mas isso não impediu meu melhor amigo de me mandar uma mensagem na mesma hora.

Landon: Vai pra casa, Grey.

Eu teria dito que o fato de eu estar ignorando as ligações dele não era nada pessoal, mas estaria mentindo. Desde o acidente, Landon ligava para ver como eu estava todo santo dia, e eu basicamente o ignorava todo santo dia. Eu estava cansado de mentir para ele, de dizer que estava bem, quando não estava. Estava cansado de ouvir a preocupação na voz dele. Estava cansado da preocupação dele.

Então, mergulhei no trabalho e assim continuei todos os dias até que o último funcionário fosse embora do escritório.

Quando voltei para casa, a menina que chamamos para tomar conta das meninas estava dormindo no sofá. Era uma jovem de 17 anos que Claire contratava nos dias em que não tínhamos babá. Fui até ela e a acordei.

Eu me senti um bosta por ser tão tarde, considerando que ela tinha aula pela manhã.

— Ei, acorde — falei, dando um tapinha em seu ombro.

Eu não me lembrava do nome dela, porque eu era desses babacas que esquecem o nome das pessoas, não importa quantas vezes eu as encontre.

Ela se ergueu um pouco e bocejou.

— Ah, oi, Sr. East.

— Olá. Pode ir para casa agora — avisei.

Ela bocejou novamente.

— Está bem. As meninas se comportaram bem essa noite. Mas a Lorelai não quis tirar as asinhas de borboleta de jeito nenhum, então está dormindo com elas. E a Karla está... Bem, o senhor sabe... Karla.

Por mais estranho que fosse, eu entendia exatamente o que ela queria dizer.

Peguei a carteira e tirei uma nota. Ela balançou a cabeça.

— Ah, não. A Claire já me pagou.

— Aceite um pouco mais, por termos chamado você em cima da hora.

Os olhos dela se arregalaram.

— Mas o senhor está me dando cem dólares.

— É, estou ciente disso. Obrigado pelo seu tempo, hã...

— Madison. — Ela sorriu, dizendo seu nome como sempre precisava fazer. — Igual à capital do Wisconsin.

— Certo. Madison. Boa noite.

Ela foi embora e eu expirei pesadamente. Era sempre bom quando não havia mais ninguém por perto.

Depois de me servir de um copo de uísque com gelo, fiz minhas duas paradas da noite. Primeiro, Lorelai.

O quartinho dela era coberto com seus desenhos. Ela puxara os talentos artísticos da mãe, isso era certo. Sua respiração era silenciosa enquanto ela dormia profundamente com o corpo todo encolhido como uma bola. Fui até ela, como fazia todas as noites, e tirei as asas de borboleta. Ela grunhiu e se debateu um pouco antes de voltar a dormir.

Durante o dia, ela era agitada. Não parava de falar um minuto sequer, e tinha muita energia. À noite, porém, ela era a personificação da tranquilidade. Sua respiração era sempre suave e silenciosa.

Eu me ajoelhei ao lado dela e coloquei seu cabelo atrás da orelha. Dei um beijo em sua testa antes de seguir para o quarto da Karla.

Ela também estava dormindo, mas com o iPhone ao lado e os fones Beats by Dre cobrindo as orelhas. Sempre que eu ia dar uma olhada na Karla, a primeira coisa que fazia era checar sua pulsação. Sua respiração era muito mais pesada que a da irmã mais nova e, às vezes, eu podia jurar que as pausas pareciam longas demais.

Ou talvez fosse apenas minha cabeça preocupada.

Karla Lynn East nasceu prematura, três semanas antes do previsto. Ela ficou na UTI durante cinco semanas, sofrendo com problemas respiratórios. Houve um momento em que não sabíamos se ela sobreviveria, mas, desde o primeiro dia, minha menina foi uma guerreira. Quando Nicole e eu a trouxemos para casa, eu fiquei sentado ao lado do berço dela por semanas, tomando conta de suas respirações. Cada inspiração e cada expiração estavam marcadas na minha mente. E eu dormia no chão ao lado do berço todas as noites, para garantir que os pulmões dela ainda estavam se enchendo e se esvaziando em um ritmo normal.

No acidente, dez meses atrás, um pulmão dela havia sido perfurado, o que fez com que ela passasse a ter dificuldades respiratórias. Embora o pulmão tivesse se recuperado, eu não conseguia deixar de sentir medo. Por isso, todas as noites, eu verificava a respiração dela. Eu também me condenava toda vez que ela perdia uma inspiração. Se não tivesse sido pelo meu erro, ela não estaria sofrendo tanto.

Se meus olhos estivessem focados na estrada...

Pare, disse a mim mesmo.

Meu cérebro divagava para o pior dia da minha vida. Eu não tinha controle sobre meus próprios pensamentos.

Removi os fones da Karla, então me sentei no pé da cama e os coloquei na minha própria cabeça. Ela ouvia a mesma coisa toda noite, o que significava que eu também o fazia.

Fechei os olhos enquanto a gravação tocava.

"Eu te amo, Karla, minha linda", dizia o áudio na voz da Nicole, repetidamente.

Eu te amo, Karla, minha linda. Eu te amo, Karla, minha linda. Eu te amo, Karla, minha linda...

A voz da minha esposa ecoava no mais lindo *loop*. Retorci os dedos e baixei a cabeça enquanto ouvia as palavras dela.

Quando ficou pesado demais, eu coloquei os fones de volta nas orelhas de Karla, dei um beijo em sua testa e fui para o meu quarto.

Eu me sentei em meu quarto escuro, sem nenhum som além do tique-taque do relógio na parede. O tempo estava passando, e minha mente trabalhava contra mim.

As palavras ainda pairavam em minha mente quando fechei bem os olhos e me deitei para tentar dormir. Mas o sono nunca vinha fácil.

Eu odiava fechar os olhos, porque, sempre que o fazia, via o rosto da Nicole.

Pesadelos não eram nada em comparação com a cruel realidade. Meus dias agora eram difíceis, mas minhas lembranças eram o que mais me fazia sofrer.

— Grey... — *disse a voz dela sussurrada para mim.*

Eu me virei para a direita e vi a testa da Nicole encostada no airbag inflado. Seus olhos estavam repletos de medo e pânico.

Balancei a cabeça, abrindo os olhos. Esfreguei as mãos no rosto, tentando afastar aquele pesadelo da vida real da minha mente. Não havia um único dia em que eu não me culpasse por não ter entendido melhor qual era o estado da minha esposa naquele carro. Não se passava um único dia em que eu não me lembrasse de cada erro que tinha cometido aquela noite.

Então, fui para o escritório que tinha montado em casa. Sabia que o sono não iria chegar tão cedo, então continuei trabalhando sem parar para tentar aliviar o peso que era minha própria alma.

Por volta da uma da manhã, meu celular apitou.

Landon: Vai dormir, cara.

Tentei ao máximo atender ao pedido dele aquela noite, mas, mesmo assim, como em todas as noites, eu falhei.

Capítulo 26

Eleanor

— Oi, Eleanor, bem-vinda de volta à residência East — falou Allison enquanto eu subia os degraus da escada da varanda da frente da casa do Greyson, indo em direção a ela.

Ela havia sido encarregada de me mostrar a casa e repassar os detalhes do trabalho comigo. Nós nos encontramos em um sábado à tarde porque ela achou que seria mais fácil me mostrar tudo enquanto as meninas estivessem na casa dos avós. Conhecer a casa e as meninas no mesmo dia seria muito a assimilar.

Senti que aquilo era a bonança que precedia a tempestade.

Allison era tudo que qualquer mulher sonharia em ser — bem, ela era o que eu sonhava em me tornar, pelo menos. Era naturalmente linda e parecia a CEO de uma empresa, e não a secretária do presidente. Parecia que tinha nascido para liderar. Andava por todos os lugares como se fosse dona de tudo e nunca abaixava a cabeça, movimentando-se como se usasse uma coroa invisível.

Sua confiança era mais que impressionante. Além disso, ela era educada.

Eu não a julgaria se ela não fosse simpática — ela era perfeita. De repente me lembrei da Shay: as duas eram fortes.

— Então, você vai ter uma chave para entrar na casa sempre que precisar. No hall de entrada, encontrará as chaves do carro que você vai usar para levar as meninas à escola. Obrigada por me trazer toda a papelada que eu pedi. Estamos no processo de inserir você no plano de saúde — contou Allison enquanto entrávamos na casa. — A Lorelai é alérgica a frutos do mar e a Karla prefere morrer a encostar num legume ou numa verdura. Às segundas-feiras, o jantar é sempre espaguete, independentemente de qualquer coisa. Isso é importante. Não é penne, não é lasanha, apenas espaguete. Acredite em mim, é importante. Fora isso, pode deixar a criatividade fluir como quiser para planejar as refeições.

Ela fez uma pausa, mas logo continuou:

— Temos uma política de zero açúcar na casa durante a semana, mas, quando elas vão para a casa dos avós, no fim de semana, tudo é liberado. Você pode chegar na segunda de manhã quando for hora de acordar as meninas, e pode culpar a Claire se elas estiverem em coma de tanto açúcar. Esse é o quarto da Lorelai e, do outro lado, fica o da Karla. No fim do corredor, à esquerda, está o quarto extra onde você poderá dormir, se o Greyson ficar trabalhando até tarde ou se estiver viajando. E aqui...

Os saltos altos de Allison faziam clique-claque enquanto ela desfilava pela casa e eu me esforçava ao máximo para acompanhá-la. Ela me mostrou a cozinha, o segundo banheiro, a sala de jantar, a sala de televisão, a sala de estar — que não deveria ser confundida com a sala de televisão — e um milhão de outros cômodos enquanto me dava mais detalhes.

Quanto mais ela falava, mais sobrecarregada de informações eu ficava. Remexendo a bolsa, peguei meu celular depressa, abri o aplicativo de notas e comecei a digitar freneticamente, tentando anotar todas as observações que Allison estava fazendo. Ela olhou para trás e sorriu.

— Acho que eu devia ter te avisado que tenho um fichário com todas essas instruções. Não se preocupe, estou só repassando o básico. Esse é o tipo de trabalho em que as coisas meio que vão se ajeitando à medida que você vai fazendo.

— Claro. É que é muita coisa.

— Os East são pessoas difíceis, e têm sido assim principalmente nos últimos meses. Quero que você saiba que esse é um trabalho e tanto. Ser babá já é difícil, mas ser babá dessa família é ainda mais pesado. Há desafios particulares. Quero ter certeza de que você está pronta para encarar os dias longos e as noites, às vezes, ainda mais longas.

Eu não sabia exatamente se estava pronta, para ser sincera. Tudo aquilo parecia um pouco demais para mim.

— Preciso admitir, fiquei um pouco surpresa por ter sido selecionada.

— Não tenho dúvida de que você se sairá muito bem. Trabalho para o Sr. East há muito tempo e tenho certeza de que ele sabia o que estava fazendo quando contratou você. Por outro lado, você é a sétima pessoa com quem faço essa visita nos últimos dez meses, então posso estar errada também.

Ela continuou me mostrando o restante da casa, e então paramos diante de uma porta. Allison apontou para ela, baixando o tom de voz.

— Esse é o escritório do Sr. East. Ele provavelmente está aí dentro agora. Na maior parte do tempo, quando está em casa, fica no escritório, trabalhando. Se a porta estiver fechada, você está proibida de entrar.

— E se estiver aberta? — perguntei.

Ela me lançou um olhar desconcertado.

— Ah, não... Nunca está. — Continuamos o tour pela casa e, quando terminamos, ela me levou para a cozinha e me entregou um fichário enorme, de três argolas, cheio de papéis. — Isso deve ajudar você um pouco. Montei um guia completo de como tomar conta da residência East.

Folheei o fichário, impressionada com os detalhes.

— Caramba, isso é incrível. Estou surpresa por não ser você nesse cargo.

— Acredite em mim — ela me deu um sorriso torto —, o Sr. East não conseguiria me bancar se me quisesse como babá das filhas dele.

Ela fez parecer que os 65 mil dólares anuais eram uma ninharia.

Engraçado, pois eu me sentia como se tivesse ganhado na loteria com aquela grana. Allison, por outro lado, falava como se aquele valor fosse um chiclete grudado na sola de seu sapato.

Tudo uma questão de perspectiva, na verdade.

— Antes de ir, eu queria conversar com você sobre um assunto delicado — comentou Allison. — É sobre as meninas, especialmente a Karla.

— Ah?

— Quando o acidente aconteceu, alguns meses atrás, toda a família estava no carro. Todos sofreram ferimentos, mas a Karla foi arremessada do banco de trás pela janela, pois não estava de cinto de segurança.

Reagi com perplexidade, cobrindo a boca com a mão.

— Minha nossa.

— Ela, bem... anda com uma certa dificuldade. Ela precisou operar o quadril esquerdo, o que resultou numa diferença acentuada no comprimento das pernas. Então ela manca. É bastante perceptível, mas nós nos esforçamos ao máximo para não chamar atenção para esse detalhe. Mas ela mesma chama. Vai fazer de tudo para te deixar constrangida. Também tem as cicatrizes.

— Cicatrizes?

Ela confirmou com a cabeça.

— O rosto dela ficou muito machucado. Quando foi arremessada do carro, ela bateu de cara numa árvore e caiu no chão. Não tem como não notar. Você vai perceber as marcas, mas, por favor, tente não demonstrar nenhuma reação. A Karla se aproveita disso. As coisas vão ficar difíceis para você.

— Não vou demonstrar nada.

Ela sorriu.

— Se serve de consolo, a Lorelai é um amorzinho.

— No fundo estou torcendo para que o nome dela tenha sido inspirado por *Gilmore Girls* — brinquei.

— É cem por cento por causa da Lorelai Gilmore. A Nicole fez questão.

Isso era legal. Pelo menos Greyson tinha se casado com uma mulher esperta.

Allison se endireitou.

— Bem, acho que isso é tudo. Vou embora agora, mas fique à vontade. Aproveite para se familiarizar com a casa. O Sr. East sabe que você está aqui hoje, então não precisa ficar com receio. Se precisar de alguma coisa, meu celular está na lista de contatos do fichário. Você também pode me mandar um e-mail, se preferir. Se não precisar de nada de mim, espero que você tenha um bom primeiro dia. A Claire estará aqui na segunda-feira para garantir que a transição seja tranquila.

Eu devia estar com uma cara esquisita, porque, depois que a Allison pegou o casaco e a bolsa para ir embora, apertou meu ombro de leve.

— Vai dar tudo certo, Eleanor. Você está no controle. Vai conseguir. Ainda conversamos essa semana para você me contar como estão indo as coisas.

— Está ótimo. Obrigada, Allison.

Depois que ela foi embora, respirei fundo e folheei algumas páginas do fichário. Então, dei uma volta pela casa, me familiarizando com os quartos de cada um deles. Havia algo muito perturbador na quietude da casa do Greyson. Era tão sombria, tinha um ar lúgubre, quase mal-assombrado. E quando digo "sombria", não me refiro a ser mal-iluminada. Tinha uma energia estranha. A atmosfera era muito pesada.

O local parecia só uma casa, não um lar.

Se eu não soubesse que uma família morava ali, não teria acreditado nisso.

Parecia uma casa abandonada, quase como uma memória congelada no tempo.

Talvez fosse apenas impressão minha, por saber da tragédia que havia acometido a família que morava ali. Com a quantidade de livros que eu já tinha lido, não era exagero dizer que minha mente tendia a ser um tanto dramática.

Talvez aquilo só me lembrasse da casa do meu pai depois da morte da minha mãe. Era como se tanto ele quanto eu tivéssemos congelado no tempo. Esse foi, no fim das contas, o motivo pelo qual fui morar sozinha — as paredes me sufocavam.

Voltei para a cozinha, folheando o fichário, pasma com o cronograma de atividades das meninas. Escola, aulas de natação, caratê, piano, fisioterapia e terapia do luto... eu não tinha ideia de onde elas tiravam tempo para viver um pouquinho.

— Eleanor.

Dei um pulo ao ouvir meu nome. Eu me virei e vi Greyson parado atrás de mim, com um copo vazio na mão. Ele estava de terno e gravata, o que me pareceu muito estranho.

Quem usa terno e gravata em casa?

Eu não botava nem calça quando ficava sozinha em casa.

— Ah, Greyson. Oi. Desculpa ainda estar aqui. A Allison acabou de me mostrar a casa e me deu permissão pra dar mais uma olhadinha.

— Ela me falou.

Uau. Ele tinha respondido imediatamente, ao contrário do que aconteceu durante a minha entrevista. Eu chamaria isso de progresso.

Sorri para ele, mas ele não sorriu também, o que pareceu a coisa mais estranha do mundo. O velho Greyson era cheio de sorrisos.

— Sua casa é linda — comentei, sem saber ao certo o que dizer. — É enorme. Juro que é, tipo, dez vezes maior que o apartamento onde moro com a Shay. — Ele ficou me olhando com uma expressão indiferente enquanto eu me mexia sem sair do lugar. — Adorei a decoração — falei, e me odiei no segundo em que as palavras saíram da minha boca. *Só vá embora, Eleanor. Não seja esquisita.* — Aquelas almofadas na sua sala de estar são lindas de morrer. Onde você comprou?

— A designer de interiores escolheu tudo — respondeu ele secamente.

— Ah, sim, é claro. Minha designer de interiores costuma ser a sessão em liquidação da T.J. Maxx — brinquei. — Em ocasiões especiais, a Target.

Ele não riu, provavelmente porque não era engraçado.

Eu me perguntei quando teria sido a última vez que ele riu.

Será que ainda conseguia achar alguma coisa engraçada?

Ficamos olhando um para o outro em meio a um silêncio constrangedor, mas eu não parecia ser capaz de sair daquela situação. Acho que devo ter ficado olhando para ele por tempo demais, mas como podia não olhar? Eu tinha passado mais de 15 anos sem olhar para ele. Era compreensível que eu não conseguisse desviar o olhar.

Meu constrangimento finalmente acabou quando Greyson pigarreou.

— Eleanor?

— Sim?

— Vim pegar água.

— Ah?

Fiquei olhando para ele feito uma idiota, os olhos arregalados como um cervo diante dos faróis de um carro, esperando pelas próximas palavras dele. Permaneci imóvel, como se ele fosse discorrer sobre seu interesse por água. Será que ele estava me oferecendo algo para beber? Será que iríamos beber água juntos enquanto colocávamos o papo em dia? Será que eu finalmente poderia perguntar a ele como havia se tornado presidente da empresa do pai ainda tão jovem? O que tinha acontecido com o pai dele?

Os olhos dele se estreitaram, e seus lábios se curvaram para baixo, insatisfeitos. Ele acenou uma vez com a cabeça.

— Hum? — perguntei.

Ele acenou com mais agressividade dessa vez, apontando para além de mim.

Olhei para trás e percebi que eu estava parada bem na frente da geladeira, bloqueando o *dispenser* de água. Dei um passo para o lado, me recriminando mentalmente.

Idiota.

— Ah, sim, é claro. Bem, acho que terminei por aqui, então vou indo — afirmei, correndo para pegar o fichário. — Tenha uma boa tarde.

Ele não respondeu, mas isso não me surpreendeu. Eu estava aprendendo rápido que esse novo Greyson não tinha tanto a dizer como o antigo.

Capítulo 27

Greyson

Eleanor ficou parada na minha frente, me encarando, por tempo demais, a ponto de se tornar constrangedor. Isso devia ser constrangedor para ela também, mas, ainda assim, Eleanor continuou me encarando como se não se importasse com todo aquele constrangimento.

Também odiei a maneira como ela me olhava. Ela olhava para mim como se eu fosse o homem mais triste do mundo. Eu gostaria que ela parasse de olhar para mim de forma tão dramática. Era irritante. Sempre que ela me encarava daquele jeito, olhava para mim como se eu fosse um filhotinho triste de um maldito comercial da Sociedade Protetora dos Animais.

Eu não era um filhotinho triste.

Só era um homem não muito feliz.

Os fins de semana eram difíceis para mim, pois não tinha muito trabalho para manter minha mente ocupada. Além disso, as meninas sempre iam para a casa da Claire e do Jack. Na maior parte do tempo, eu tentava viajar, porque estar em diferentes lugares fazia com que fosse mais difícil ficar remoendo as coisas, mas, às vezes, viajar não era uma opção, e eu ficava sozinho em casa.

Minha casa era sinistramente silenciosa. Era sempre esquisito quando ficava tão quieta assim, porque houve um tempo em que tudo que eu ouvia eram risadas altas. Às vezes, eu jurava que os ecos das risadas ainda ricocheteavam nas pareces, embora, para ser sincero, eu talvez estivesse torcendo para que os ecos ainda estivessem ali.

Havia um milhão de coisas de que eu sentia falta em relação à Nicole, mas sua risada provavelmente estava no topo da lista. Quando ela caía na risada, lágrimas escorriam por seu rosto, sempre. Nicole achava tudo ridiculamente engraçado e conseguia fazer até a pessoa mais rabugenta abrir um sorriso torto.

Esse era seu superpoder: fazer as pessoas felizes.

Não era de se admirar que, quando ela se foi, tudo ficou um pouco mais sombrio. Ela tinha levado a luz embora com ela.

Meu celular apitou, e eu tinha 99 por cento de certeza de que era Landon, para perguntar como eu estava. Mesmo depois de eu ter falado para ele parar, Landon continuava.

Eu me sentia grato por isso, de certa forma.

Embora eu estivesse sendo um péssimo amigo há vários meses, era bom saber que Landon não levava isso para o lado pessoal.

Landon: Quer tomar uma cerveja?
Eu: E você por acaso está na cidade?
Landon: Posso fretar um voo e ir pra Chicago, sem problemas.
Eu: Ahá. Não desperdice seu dinheiro.

Quando a casa ficou vazia e não havia mais e-mails ou contratos para revisar ou re-revisar, eu soube que estava no fundo do poço. Fui dar uma corrida na esteira para tentar esvaziar a cabeça. De qualquer forma, era muito difícil, para mim, desacelerar os pensamentos, porque, assim que eu parava de correr, tudo voltava em um turbilhão.

Ela também gostava de correr.

Ela gostava de correr, de fazer bolos e de sorrir.

Ela gostava de rir, de dançar e de amar em voz alta.

Ela era tudo pra mim.

E agora não estava mais ali. Por minha causa.

Nas noites em que tudo ficava pesado demais, como naquele dia, eu me permitia desabar. Desmoronava quando ninguém estava olhando, porque era mais fácil estar destruído quando não havia ninguém por perto para ficar com pena de você.

Eu não queria que ninguém tivesse pena de mim.

Não queria suas condolências sinceras.

Não queria suas palavras de encorajamento.

Só queria minha mulher de volta.

Então, naquela noite de sábado, fui até o quarto da Karla, ignorei o aviso de "Não entre" na porta fechada do closet e a abri, adentrando em um mundo onde tudo era Nicole.

Dezenas de fotografias da Nicole com as meninas e comigo cobriam as paredes. Havia um milhão de momentos congelados no tempo, imagens que capturavam seus sorrisos, suas risadas, nossa felicidade.

Karla tinha colocado uma poltrona em seu closet e pendurado luzinhas por todo o espaço. No chão, havia peças de roupa da Nicole, e dava para perceber que minha filha tinha estado ali fazia pouco tempo, porque as peças tinham o cheiro do perfume preferido da mãe dela, que ela borrifava de vez em quando.

Apaguei a luz principal do quarto para que apenas as luzinhas brilhassem sobre minha cabeça. Então, eu me sentei na poltrona e peguei um moletom preto. Nicole o usava para dormir quando estava com muito frio, o que parecia ser sempre o caso. Eu me lembrava de empurrar os pés gelados dela quase toda noite antes de ceder e deixar que ela me congelasse.

Coloquei o moletom diante do rosto e inspirei fundo ao fechar os olhos.

— *Grey...* — *disse a voz sussurrada dela para mim.*

Fechei as mãos, como se estivesse, de alguma forma, segurando-a.

— *Está tudo bem, está tudo bem.*

Eu não sabia por que aquelas palavras tinham saído da minha boca, mas foi só o que me veio à mente.

Eu abracei a roupa como se, de alguma forma, ela ainda estivesse ali comigo.

Ela balançou a cabeça.

— *Não. As meninas.*

Minhas mãos estavam ficando vermelhas por causa da força com que eu apertava aquele moletom, mas eu não conseguia largar.

Eu me agarrava a um fantasma, a uma lembrança, a uma história do passado.

Então desmoronei.

Quando tudo ficou pesado demais, quando meus pensamentos me dominaram, saí do quarto da Karla e fui pegar um copo de uísque.

Fiquei parado diante da lareira, observando as chamas enquanto bebericava o líquido destilado amarronzado.

Tentei afastar Nicole do pensamento, mas, quando o fiz, pensei nas meninas, o que só me deixou mais triste. Era um lembrete do que o meu erro tinha feito com a vida delas. Pensar nelas me lembrava de como eu havia mudado o mundo das duas para sempre.

Então pensei em Eleanor Gable.

A mulher que me encarava por tempo demais e gostava de situações constrangedoras.

Esse pensamento não foi tão pesado.

Então, permiti que ficasse.

Capítulo 28

Eleanor

Se alguém tivesse me dito, cinco anos atrás, que meu próximo empregador seria Greyson East, eu teria chamado essa pessoa de mentirosa. Caramba, se tivessem me dito isso há uma semana, eu teria rido tanto que lágrimas teriam escorrido pelas minhas bochechas. Mas lá estava eu, parada na sala de jantar de Greyson East, vendo suas filhas pela primeira vez.

A Claire foi uma santa para mim naquela manhã de segunda-feira. Ela chegou cedo e radiante, pronta para me ensinar as particularidades de suas netas.

— Não consigo agradecer a você o suficiente por ter me ajudado — falei, enquanto ela arrumava a mesa para o café da manhã. — Significa muito pra mim.

— Ah, querida, não foi nada de mais. E depois de todas as babás que passaram por aqui, encaro isso como se fosse um ritual. Só espero que você dure um pouquinho mais que as outras. Sabe o que dizem, a sétima é a derradeira!

Eu ri.

— Acho que as pessoas não costumam falar isso.

— Mas deveriam. Sete é um número de sorte. Agora é hora de conhecer as meninas! — Claire então se virou e berrou em direção aos quartos. — MENINAS! CAFÉ DA MANHÃ!

Bem, pelo menos Claire parecia agir com uma certa naturalidade em uma casa gigantesca com quartos demais e pessoas de menos.

— Garanto que essas meninas vão tentar fazer *bullying* com você pra que consigam dormir até mais tarde. Não tenha medo de arrancá-las da cama — disse Claire quando ninguém apareceu. — Espere aqui, já volto.

Respirei fundo quando ela correu para os quartos.

Caramba, eu estava nervosa. Nunca tinha ficado nervosa ao conhecer os filhos de qualquer empregador, mas esse caso parecia diferente. Eu me sentia estranhamente despreparada.

— Vó, eu só não entendo por que tenho que ir pra escola toda semana — resmungou uma voz, cuja dona logo marchou para dentro da sala de jantar. Assim que ela entrou, olhou para mim. — Quem é você? — quis saber ela antes de se sentar diante da tigela de cereal.

Lorelai usava duas peças de pijama diferentes. Uma era listrada com cores vibrantes e a outra tinha bolinhas, e seus cabelos estavam presos com elásticos tipo *scrunchie* coloridos. Nas costas, ela tinha enormes asas de borboleta. Parecia saída de um comercial antigo do desenho *Rainbow Brite*.

— Essa é a sua nova babá — explicou Claire. — Diga "oi", Lorelai.

— Oi, Lorelai — caçoou a pequena, me fazendo sorrir.

— Oi, é um prazer conhecer você. Sou a Eleanor, mas pode me chamar de Ellie, se quiser.

— Tá.

Lorelai deu de ombros e começou a comer imediatamente.

— Depois que você terminar de comer, tem que tomar um banho rápido. Está bem, Lorelai? Porque você não pode chegar atrasada na escola de novo — alertou-a Claire, sentando-se na cadeira ao lado da neta. — Além disso, ao contrário do que aconteceu na semana passada, você não vai brigar por causa das suas roupas.

— Eu só quero me vestir que nem um arco-íris, vó. Me deixa viver — grunhiu Lorelai, enfiando a colher na boca.

Ela realmente disse as palavras "me deixa viver". Quase morri de rir.

— Onde foi que você ouviu isso? — indagou Claire. — "Me deixa viver"?

— A Karla falou isso pro papai outro dia.

— Faz sentido — ponderou Claire. — Mas, quanto às suas roupas, nós vamos escolher algo mais discreto pra você usar hoje.

— Não sei o que é "discreto", vó, então qualquer coisa que eu escolher vai estar bom — afirmou Lorelai de maneira prática.

Claire se aproximou de mim.

— Você vai ver que a Lorelai tem a personalidade mais cativante dessa casa. Ela é atrevida, engraçada e fácil de amar, mas, nossa... tem dias que ela tira a gente do sério. — Ela se virou para a neta. — Lorelai, o que você acha de a Eleanor ser sua nova babá por um tempo?

Ela arqueou uma das sobrancelhas, segurando a colher no ar.

— Ela vai me deixar usar o que eu quiser?

— Não, provavelmente não — respondeu Claire.

— Ela vai me deixar comer chocolate de café da manhã?

— Não, provavelmente não — repetiu Claire.

— Ela vai pintar comigo?

— Vou — interrompi. — Isso eu posso fazer.

Lorelai deu de ombros e voltou a comer.

— Tudo bem, então.

Pintar — isso era bem fácil.

Então, perto da entrada da sala, ouvi um grunhido.

Claire suspirou.

— Aí vem a pequena Miss Sunshine. — Ela se virou depressa para mim e tocou na cadeira ao seu lado. — Aqui, Ellie, venha se sentar do meu lado e lembre-se de não levar nada pro lado pessoal com a Karla.

Ela só fala da boca pra fora, mesmo que fale algumas coisas pesadas. — Ela pausou. — Especialmente se falar coisas pesadas.

— Vó, de verdade, eu queria que você parasse de entrar no meu quarto daquele jeito. É muito irritante. Eu consigo acordar sozinha pra ir pra escola. Não sou mais criança.

Karla grunhiu enquanto entrava na sala de jantar. Ela mancava visivelmente, mas me esforcei ao máximo para não demonstrar nenhuma reação. Ela estava de preto dos pés à cabeça, e seus cabelos ainda pingavam do banho, encharcados e cobrindo seu rosto. Ela mantinha a cabeça abaixada e, quando foi até a mesa, não olhou para ninguém, nem emitiu qualquer som.

— Bom dia, Karla — disse Claire, indo até a neta com seu prato e dando um beijo em sua testa.

— Tanto faz — resmungou Karla.

Ela devorou a comida rapidamente enquanto ficamos todas sentadas ali em silêncio.

— Karla, essa é a Ellie, a nova babá.

Ela ergueu a cabeça devagar, e eu me senti uma completa idiota porque tive uma reação silenciosa de perplexidade quando ela afastou os cabelos que cobriam parcialmente seu rosto.

As cicatrizes...

Allison havia me alertado, mas, mesmo assim, eu não estava preparada para o que vi.

Eram muito piores do que eu havia imaginado. Estavam espalhadas por toda a pele dela, em todas as direções, porém a mais evidente parecia começar na testa e atravessar a pálpebra esquerda, que aparentava estar inchada. O olho esquerdo dela tinha uma mancha vermelha perto da pupila, que se infiltrava no olhar azul intenso.

Eu nunca tinha visto nada igual.

Meu Deus, os olhos dela eram tão frios quanto os do pai.

— Grrr — rugiu Karla, trincando os dentes enquanto se inclinava para mim.

Meu estômago se revirou, e eu não sabia exatamente como reagir, então apenas continuei olhando para ela. *Ah, nossa.* Olhar provavelmente foi a pior coisa que eu poderia ter feito, pois Karla continuou rugindo.

— *Grrr! Grrr!*

— Karla Marie, pare agora com isso — ralhou Claire, mas Karla não recuou.

— *Grrr! Ssssss! Grrr!* — berrou ela, os olhos fixos em mim.

— Karla, já chega — ralhou uma voz severa, fazendo meu olhar migrar da Karla para o pai dela. Greyson estava parado à porta, de terno e gravata, com um copo de café na mão e os olhos na filha. — Para com isso.

— Eu paro quando ela parar de olhar pra mim como se eu fosse uma porra de uma aberração da natureza — esbravejou ela.

— Não, eu não estava... Você não é... — tentei falar, com a voz mais trêmula do mundo, mas Greyson me interrompeu.

— Olha essa boca — ele a reprimiu, e a menina revirou os olhos para o pai da maneira mais dramática que eu já tinha visto em muito tempo. Falando sério, eu não sabia que olhos podiam revirar daquele jeito.

— Perdão, pai — debochou ela, levantando-se. Ela pegou a tigela de cereal. — Já que falei palavrão, eu devia ficar de castigo no meu quarto até chegar a hora de ser levada pra prisão pela minha criada.

Com isso, ela saiu.

Greyson não olhou para mim nem uma única vez, e não sei por que eu esperava que ele olhasse. Ele atravessou a sala de jantar e foi até a cozinha. Da minha cadeira, eu o observei colocar mais café no copo térmico antes de se virar e cruzar a cozinha de novo. Ele não disse nada enquanto voltava à sala de jantar.

— Tchau, papai! Te amo! — disse Lorelai.

— Também — respondeu Greyson.

Então ele saiu para trabalhar.

— Desculpe pela Karla. Não vou mentir, ela vai ser a mais difícil — comentou Claire. — Mas não posso culpá-la por agir assim. A menina passou por maus bocados, embora, de forma geral, esteja lidando bem com as mudanças físicas. Ela já se movimenta com agilidade e é bem independente. Já no aspecto emocional, é aí que mora a dificuldade. Mas não deixe que o jeito dela abale você. Ela pode agir como se fosse forte, mas nossa Karla tem o coração frágil. Ela se magoa facilmente. Não leve os surtos dela pro lado pessoal. Ela está lutando várias batalhas.

Sorri.

— E não estamos todos?

Do nada, Lorelai ergueu os olhos do cereal e se virou para mim.

— Ei, Ellie?

— Sim?

— Tem certeza de que não posso ir de pijama pra escola hoje? É muito confortável e acho que vou aprender melhor com ele.

Eu ri.

— Acho que não, mas posso te ajudar a escolher uma roupa, se você quiser. E aí, quando estivermos no seu quarto, talvez você possa me mostrar seus desenhos mais legais.

Os olhos de Lorelai se iluminaram, e ela abriu o maior sorriso do mundo.

Era aquele sorriso que faltava no Greyson?

Aquele que eu costumava conhecer?

Ele vivia nos lábios de sua filha.

— Tá bom! Vem! — disse Lorelai, saltando da cadeira.

Ela pegou meu braço e me arrastou para seu quarto para escolher uma roupa.

Bem, pelo menos nem todas as filhas do Greyson estavam descontentes com a minha existência. Uma em duas até que era uma proporção boa, na minha opinião.

Quando chegou a hora de as meninas irem para a escola, me senti grata por Lorelai ser tão tagarela, senão o trajeto, que fizemos de carro, teria sido extremamente silencioso e constrangedor. A fiel Lorelai falou, falou, falou e falou sobre tudo e sobre nada, enquanto Karla permanecia concentrada no celular. Seus cabelos não estavam mais molhados, mas ela os tinha alisado, de modo que escorriam sobre os olhos, encobrindo o rosto. Ela estava com fones de ouvido Beats by Dre absurdamente enormes sobre as orelhas, e meu lado enxerido ficou se perguntando o que ela estava ouvindo. Meu lado lógico concluiu que eu não deveria perguntar, pois sabia que ela jamais me contaria.

Infelizmente, minha primeira parada foi para deixar a Lorelai, o que me fez ficar sozinha no carro com Karla e suas carrancas.

Quando estávamos a umas três quadras da escola dela, Karla berrou:

— Não! Para aqui!

Olhei para trás e arqueei uma das sobrancelhas.

— Como assim? Por quê?

— Nenhuma babá me levou até o colégio nos últimos dez meses.

Eu ri.

— O quê? Isso não pode ser verdade.

— Mas *é* verdade. A última coisa de que preciso é ser constrangida por ser levada pro colégio por um adulto num carro de luxo, como se eu fosse uma diva horrorosa, pra todo mundo ficar me olhando mancar até entrar no prédio. É ensino médio. Todo mundo é babaca, até com a aleijada. Então será que dá pra você só parar o carro? — ordenou ela de um jeito insolente e petulante.

Aproximei o carro do meio-fio e parei.

Eu me sentia mal por Karla, muito embora ela fosse odiar o fato de eu ter pena dela, mas ela era tão jovem e tão... raivosa. Eu não sabia muito sobre Karla, porque ela parecia guardar tudo para si, e ficava mandando mensagem sem parar para quem quer que fosse no celular. Nem quando limpei o quarto dela encontrei muitas coisas que me dissessem algo sobre a menina que vivia naquele cômodo. Ela não tinha nenhum pôster, nenhum livro nas prateleiras, nenhuma personalidade. O quarto era frio e distante como a menina que ali dormia.

Mas eu não era de desistir fácil. Eu quebraria as barreiras da Karla de algum jeito, de alguma forma, mesmo que isso levasse uma eternidade.

Quando ela foi sair do carro, eu me virei para encará-la.

— Olha, eu sei que as pessoas no ensino médio podem ser babacas, e, se alguém estiver te incomodando, você pode conversar comigo. Posso ser seu porto seguro — ofereci. — Ou posso conversar com o diretor. Estou aqui pro que você precisar, Karla.

Ela revirou os olhos de forma tão dramática de novo, que eu não tinha certeza se ela voltaria a enxergar normalmente.

— Você pode não fazer isso?

— Fazer o quê?

— Agir como a babá "legal". Olha, não é porque você trabalha pro meu pai que pode agir como se me conhecesse. Nós nos conhecemos há, tipo, duas horas. Você não é nada pra mim, e tenho certeza de que não vai levar muito tempo pro meu pai achar um motivo pra te mandar embora também. Então não coloca as asinhas de fora. Você é só mais uma babá temporária.

Sem sequer dar um último suspiro, ela saiu do carro e começou a caminhar em direção ao colégio, me deixando completamente estarrecida.

Talvez o trabalho de babá tendo Karla East como uma das crianças pudesse acabar se mostrando mais difícil do que eu imaginava. Era da natureza dela ser brutal, e era da minha natureza ser sensível demais.

Seria um desafio e tanto, isso era certo.

Capítulo 29

Eleanor

— Como assim ela rugiu?

Shay riu do outro lado da linha enquanto eu preparava o jantar. Eu tinha sido rápida em ligar para minha prima, que foi delicada o bastante para sair mais cedo para o almoço e ouvir as histórias da minha vida doida.

— Exatamente isso. Ela ficou rugindo pra mim sem parar.

— Não, não, não. Peraí... tipo, literalmente um rugido?

— Shay, ela fez "Grrr! Grrr!". — Tentei recriar os belos ruídos da Karla. — Grrr! Igual a um leão!

Shay não parava de rir, totalmente arrebatada pela comédia de erros que havia sido a minha manhã. Pelo menos alguém estava se divertindo.

— Não vou mentir, acho que realmente gosto dessa menina — comentou ela.

— É, bem, espera até ela rugir pra você.

— Ah, pelo menos você voltou a trabalhar, né? O fato de você ser babá das filhas do Greyson é uma loucura. Quer dizer... cacete! O Greyson East tem filhas. Duas filhas!

— Eu sei. Isso não é muito louco? Elas se parecem muito com ele, também.

— Então... ainda rola?

— Ainda rola o quê?

— Aquela química entre vocês... de alguns anos.

Ri entre os dentes.

— Você quer dizer aquela química de adolescente? De hormônios e luto? Hum... não. Tenho certeza absoluta de que isso só faz parte do passado, assim como a maioria dos meus cardigãs.

— Eu ainda acho que você deveria continuar usando cardigãs. Eles eram sua marca registrada! Ninguém usava cardigã com tanto estilo quanto você.

— Pois é, mas você sabe que, depois que eles foram pro brejo no meu último relacionamento, eu meio que deixei de lado a ideia dos cardigãs.

Meu histórico não era muito bom quando se tratava de relacionamentos. Na verdade, eu talvez tivesse o pior histórico do mundo. Por algum motivo, sempre acabava direcionada para os tipos mais tóxicos de homens. Mas o pior deles foi o Alex, o terapeuta. Quando fomos morar juntos, ele tentou me ajudar com as minhas questões emocionais. Embora odiasse quando ele aplicava suas técnicas de terapia em mim, eu ainda o ouvia. Então, depois de passar uma noite em claro chorando de saudade da minha mãe, ele pensou que estaria me ajudando a superar minhas questões jogando fora todos os cardigãs que ela tinha feito para mim. Disse que abrir mão deles era parte do processo de cura do luto.

Eu realmente considerei se valia a pena ser presa por matá-lo.

Aquele foi um dos cinco dias mais tristes da minha vida.

— Então você tem cem por cento de certeza de que não existe mais nada entre você e o Greyson? Seu coração acelera quando vocês estão no mesmo cômodo? Quando vocês se encontram do nada e ele esbarra no seu braço? Você tropeça e ele aparece pra te segurar bem a tempo, como num passe de mágica? Você olha para o bíceps dele como quem não quer nada?

— Ai, meu Deus, Shay. Para.

— Então é a resposta é "sim".

— Não, isso sou eu dizendo que você tem assistido a *Bachelor in Paradise* demais e tem uma visão completamente equivocada da realidade. O Greyson é viúvo, e eu não estou, de forma alguma, procurando um relacionamento. Definitivamente, não há química nenhuma entre nós. Pra falar a verdade, tenho certeza de que ele até se esforça pra me evitar.

— Ah, tá. Com base no meu conhecimento, vocês dois estão no caminho certo para uma série de televisão de sucesso. Temporada um, primeiro episódio: "A história dos amantes distantes".

Eu jurava que podia vê-la sorrindo de orelha a orelha, satisfeita com sua sagacidade.

— Vou desligar agora.

— Tá bem, mas, por favor, me mantenha informada. Preciso saber quando o episódio nove vai acontecer!

— E o que aconteceria no episódio nove?

— O título seria "Quando lábios se tocam e línguas se entrelaçam".

Ri entre os dentes.

— Tchau, Shay.

— Tá! Tchau! Ah, espera! Te pago cinco pratas se você rugir pra menina quando for buscá-la na escola.

Ri mais ainda.

— Tchau, Shay.

— Tchau!

Quando desliguei o telefone, ainda estava sorrindo. A Shay era mestre em transformar uma situação desconfortável em uma comédia.

Meu pai vinha ignorando minhas ligações.

Eu tinha certeza disso porque ele não sabia mexer direito no celular e sempre direcionava minhas chamadas direto para a caixa postal depois de dois ou três toques. De qualquer forma, eu continuava ligando. Estava sempre tentando saber notícias dele, embora ele nunca fizesse o mesmo comigo.

Era muito estranho pensar em como nosso relacionamento havia se transformado com o passar dos anos, virando algo totalmente unilateral. Era difícil acreditar que houve um tempo em que éramos realmente íntimos. Às vezes, isso parecia até ficção da minha cabeça, como se eu tivesse inventado o tempo em que significávamos tudo um para o outro.

Desliguei depois de mais uma tentativa frustrada de entrar em contato com ele e então me sentei à mesa para almoçar, esperando que a Allison chegasse para nossa reunião. Era uma quinta-feira.

— Desculpa, desculpa. O trânsito está uma loucura desse lado da cidade — disse Allison, entrando apressada no restaurante. Estava impecável, como sempre.

— Sem problemas. Cheguei tem uns dez minutos só.

Ela se sentou e tirou o paletó.

— Bem, fico feliz que você não tenha esperado muito, mas, mesmo assim, me desculpa. Então, como foram as coisas até agora? — quis saber ela.

— Acho que ela me odeia — respondi.

— Quem te odeia?

— A Karla. Ela me odeia.

Allison riu, balançando a cabeça.

— Ela não te odeia.

— Bem, ela não gosta muito de mim. Isso é certo.

— Ela é difícil de dobrar, só isso. Puxou isso do pai — comentou Allison.

— O Greyson não é nem um pouco como eu me lembrava dele. É perturbador, pra falar a verdade, ficar perto dele. Quer dizer, eu entendo, mas, mesmo assim... Quando nós éramos mais novos, ele era uma pessoa totalmente diferente.

— Se você o tivesse reencontrado dez meses atrás, era certo que ele faria você se lembrar do menino que conheceu. Num primeiro momento, eu pensei que a frieza dele fosse por causa do luto, por lidar com uma situação tão trágica, mas agora eu me pergunto se isso não é, na verdade, o novo "normal" e se ele não vai ser sempre assim.

— Como você lida com isso? Com a frieza dele?

— Não levo pro lado pessoal, porque a questão não é comigo. Sou boa em desconectar meu trabalho da minha vida pessoal. Sempre que o Greyson está de mau humor, lembro a mim mesma de que não tem nada a ver comigo, porque sou boa no que faço. Sou a melhor secretária que ele poderia ter. Os estados emocionais dele são só dele, então não deixe que isso te afete. Você devia fazer o mesmo com a Karla.

Abri um sorriso torto.

— Falando assim, parece incrível... Quem me dera aprender a não levar as coisas pro lado pessoal.

— Nada na vida é pessoal, não de fato. Algumas pessoas nos amam por sermos quem somos, outras nos odeiam pelo mesmo motivo, e as opiniões de nenhuma delas importam de qualquer forma, nem as ruins, nem as boas. Só você pode definir quem você é. Ninguém mais tem esse direito.

— Como você chegou a esse ponto... de não se importar com o que os outros pensam?

— Com os três Ms: maturidade, meditação e maconha. — Ela piscou de modo brincalhão, mas eu não achava que ela estava brincando. — Agora, falando sério, quer um conselho? Se você sobreviver nesse emprego, precisa mesmo não levar a Karla pro lado pessoal. Ela passou por muita coisa nesses últimos meses, coisas que a deixaram mais fria. Ela vai fazer de tudo pra te deixar arrasada, ao ponto de você querer pedir demissão. Mas não deixe que ela te intimide. Defenda seu território. Além disso, você tem que entender que algumas coisas são diferentes na residência East. Pense na casa como um prédio com três moradores, e não como um lar. Aquela sensação acolhedora de lar foi embora no dia em que a Nicole faleceu.

— Era ela quem mantinha a família unida. Ela era a base deles — sussurrei, sentindo um nó no estômago. Eu sabia como era essa sensação, de perder a espinha dorsal da família. Quando minha mãe faleceu, minha casa desmoronou, e meu pai estava exausto demais para sequer pensar em reconstruí-la.

— A Nicole era a preferida de todos... — Allison inspirou fundo, então soltou o ar devagar. Era óbvio que a Nicole não significava muito apenas para a família, mas para a secretária também. — Enfim, apenas saiba disso. Tenha em mente que essa família não se encaixa na definição normal de "família". Se você entender isso, vai conseguir administrar suas expectativas. Sei que você provavelmente sente necessidade de tentar consertar as coisas, mas você não consegue consertar um lar que não é aceito como fragmentado pelas pessoas que moram nele.

— Isso é de partir o coração.

— É, sim, mas é a realidade deles no momento. A tristeza deles ainda está fresca demais na memória. O melhor conselho que eu posso te dar é: não se meta e aprenda a ficar de bico fechado. Atenha-se à lista de afazeres e você se sairá bem.

— Acho que você tem razão. A vida é deles, e eu sou apenas uma funcionária.

— Exatamente. Sei que parece duro, mas é melhor assim. Então o que mais está no cronograma dessa tarde?

— Bem, vou buscar as meninas na escola, depois vou deixar a Lorelai no caratê. Então vou pra sessão de fisioterapia com a Karla. Por fim, vou servir o jantar que já deixei preparado.

— Só tem mais um dia de trabalho essa semana, depois é fim de semana! — Allison sorriu. — Algo divertido programado?

— Ah, você sabe, um fim de semana animado de Netflix e livros.

— Adoro ver as mulheres vivendo a vida plenamente — brincou ela, olhando para o relógio. — Bom, preciso voltar pro trabalho. Curta cada segundo do seu fim de semana. Pode me ligar, se precisar de alguma coisa!

Allison pagou a conta e foi embora correndo.

Mais tarde, fui buscar as meninas no colégio. Lorelai falou sem parar sobre seu dia e me contou que achava que a professora era legal e que seus amigos eram legais também. Ela não parava de falar e, quando eu a deixei no caratê, ela continuou tagarelando, mesmo quando eu já estava voltando para o carro para levar Karla à fisioterapia.

Era muito melhor quando Lorelai estava por perto, porque eu temia o silêncio que se instaurava quando eu ficava sozinha com Karla.

— Então... Como foi a escola hoje? — perguntei a Karla, olhando para ela pelo retrovisor.

Ela ergueu os olhos por uma fração de segundo antes de voltar a encarar o celular.

Ela havia me ignorado solenemente, embora isso não fosse nenhuma surpresa.

— Parece que foi ótima — murmurei para mim mesma.

Chegamos à clínica de fisioterapia e entramos. A recepcionista registrou a nossa chegada, abrindo um largo sorriso para nós duas, e então nos direcionou para uma sala que ficava nos fundos, onde aconteceria a sessão da Karla.

Aparentemente, a fisioterapia dela tinha como objetivo preservar sua força. Eles fizeram vários exercícios de musculação com Karla, e ela se saiu muito bem em quase todos.

Esperei perto da porta, onde havia cadeiras para os acompanhantes.

Quando a porta da sala se abriu, fiquei um pouco chocada quando levantei os olhos e vi Greyson entrar. Ele estampava no rosto a mesma expressão rígida de sempre e estava, é claro, com mais um terno feito sob medida. Ele caminhou até a cadeira vazia ao meu lado.

— Greyson, oi — falei, sem fôlego, me endireitando de leve. — Não esperava ver você aqui.

— Na sessão de fisioterapia da minha filha? É claro que eu estaria aqui — respondeu ele secamente.

Certo. É claro.

Silêncio desconfortável. Fiquei pensando se aquilo também era desconfortável para ele ou se eu estava apenas exagerando na minha análise.

Eu tinha a tendência de exagerar as coisas de vez em quando.

— Ela está se saindo muito bem — comentei, indicando Karla com a cabeça. — As duas estão. A Lorelai teve uma semana fantástica e tem falado que está animada pra ir pra casa dos avós nesse fim de semana. Acho legal que as meninas consigam passar tanto tempo assim com os avós.

Ele não disse uma palavra sequer.

Então, continuei tagarelando, porque, quanto menos ele falava, mais nervosa eu ficava.

— Parece que a Lorelai gosta muito de arte. Pesquisei alguns programas de arte da região. Se quiser, posso encaminhar as informações pra você.

Eu estava falando em voz alta? As palavras estavam mesmo saindo da minha boca? Porque o Greyson estava reagindo como se eu fosse um fantasma, e ele não conseguisse ouvir uma palavra do que eu dizia.

— Ela é muito talentosa e... — continuei e percebi o corpo dele se contrair.

— A gente não precisa fazer isso, Eleanor — ele me interrompeu, ainda sem olhar para mim.

— Fazer o quê?

— Conversar.

Ele passou a mão pelo maxilar antes de baixá-la e entrelaçar os dedos.

— Ah, ok. Foi mal. Eu só imaginei que você fosse querer saber como tinha sido a minha primeira semana.

— A Allison já me passa essas informações.

— Certo, é claro, mas, só pra você saber, não vejo problema nenhum em te dar notícias todo dia, já que estamos sempre nos esbarrando. Posso passar no seu escritório antes de ir pra casa. Ter a Allison como intermediária é bom e tudo mais, mas às vezes acho que ela só repassa informações, sem te passar os pormenores. Acho que seria interessante nos comunicarmos. Além disso, se você pensar...

— Não — ele me interrompeu.

— O quê?

— Eu disse não. Não vai acontecer. Você vai se reportar à Allison. Fim de papo.

— Mas, Greyson...

— *Por favor*, Eleanor — suplicou ele.

Ele havia implorado que eu parasse de falar. Como se a ideia de eu me reportar a ele fosse um absurdo, como se interagir comigo fosse um fardo enorme.

Respirei fundo, sentindo minha pele formigar. Ele definitivamente não era o menino que eu conhecia.

— Desculpa, Greyson. Só estou dizendo que acho que você devia participar de tudo.

— Eu participo.

Ah, claro.

Só porque ele comparecia uma vez por semana a uma sessão de fisioterapia e dava "tchau" para a Lorelai pela manhã antes de ir trabalhar isso não significava que era um pai presente.

Mas fiquei de bico calado.

Não se meta, Eleanor. Não se meta.

Eu só achava difícil demais fazer isso quando o menino que eu um dia amei nunca teria sido tão frio.

Capítulo 30

Eleanor

DE: GreysonEast@gmail.com
PARA: EleanorGable@gmail.com
DATA: 18 de janeiro, 21:54
ASSUNTO: Padrões profissionais

Eleanor,

Depois de nossa interação hoje à tarde, sinto que é importante revermos algumas diretrizes sobre como trabalhar para mim. Em primeiro lugar, acredito que seja melhor você se dirigir a mim como Sr. East de agora em diante. Acredito que isso tornará as coisas menos pessoais. Como você é minha funcionária, esse é o comportamento adequado. Foi assim que todas as minhas funcionárias anteriores foram instruídas a me chamar. Não é nada pessoal, só o padrão profissional esperado. Ficarei grato se você seguir esse padrão daqui em diante.

Por favor, lembre-se de que você deve tratar de toda e qualquer informação diretamente com a Allison, e não comigo. Isso é de extrema importância, visto que sou um homem muito ocupado e não tenho tempo nem paciência para ser incomodado quando você bem entender. Eu administro uma empresa enorme, e a última coisa de que preciso é que a babá ocupe meu precioso tempo falando sobre aulas de piano.

Quanto a isso, Lorelai continuará com as aulas, assunto encerrado.

Acredito que a Allison já tenha falado com você sobre o processo de três bolas fora. Por favor, respeite essas regras e as tenha em mente daqui para a frente.

Cordialmente,
Sr. East

∼

DE: EleanorGable@gmail.com
PARA: GreysonEast@gmail.com
DATA: 18 de janeiro, 22:16
ASSUNTO: Re: Padrões profissionais

Sim, senhor, capitão.
Opa, perdão, quero dizer, Sr. East.

Sempre às ordens,
Eleanor

∼

DE: GreysonEast@gmail.com
PARA: EleanorGable@gmail.com
DATA: 18 de janeiro, 22:34
ASSUNTO: Re: Re: Padrões profissionais

Eleanor.

Seu sarcasmo não é visto com bons olhos.
Por favor, tente agir de acordo com a sua idade.
Primeira bola fora.

Cordialmente,
Sr. East

Capítulo 31

Greyson

Sempre às ordens.

Eu não sabia se Eleanor estava tentando ser engraçada ou atrevida, mas ela tinha errado a mão nos dois sentidos. Eu achei simplesmente infantil e grosseiro. Não havia nada que eu tivesse dito que destoasse das normas de um típico ambiente de trabalho e, com o que ela estava recebendo, deveria pelo menos ser respeitosa o suficiente para não ser cínica.

Eu não tinha mais trabalho a fazer em casa aquela noite, e ainda eram onze horas. Talvez fosse por isso que tivesse sentido necessidade de mandar aquele e-mail para Eleanor.

Eu precisava me manter ocupado. Caso contrário, começava a pensar, e nada de bom vinha dos meus pensamentos.

Plim.

Olhei para o celular.

Landon: Rosas são vermelhas, violetas são roxas, quer parar de ser babaca e ligar pra mim, poxa?!

A mensagem diária de monitoramento de Landon chegou um pouco mais tarde que o normal aquela noite. Ele deve ter tido um longo dia de filmagens.

Depois que saímos do ensino médio, a vida do Landon mudou da água para o vinho. Ele foi para a Califórnia durante o recesso de primavera para encher a cara e curtir e, no fim das contas, acabou sendo descoberto por um olheiro de Hollywood e virou um ator muito famoso.

As pessoas o chamavam de "o próximo Brad Pitt", mas eu ainda o chamava só de "Landon". A última coisa de que ele precisava era pensar que era um deus famoso. Ele vivia rodeado de pessoas que o elogiavam o tempo todo como se o conhecessem há muito tempo. Com a gente era diferente. Eu tinha orgulho dele, sim, mas não o tratava como celebridade. Eu o tratava como o meu melhor amigo de infância. Ele precisava de gente para manter seus pés no chão.

Não respondi à mensagem dele. Ele não esperava que eu respondesse.

— Papai — chamou uma vozinha fina, me fazendo erguer os olhos quando a porta do escritório se abriu.

Era Lorelai, esfregando os olhos e bocejando, enquanto entrava no escritório. Mais uma vez, ela estava usando as asas de borboleta, embora eu as tivesse tirado dela umas duas horas antes, quando fiz minhas rondas para dar uma olhada nas meninas.

— O que você está fazendo fora da cama? — perguntei, me levantando.

— Tive um sonho ruim — choramingou ela, ainda esfregando os olhos.

Fui até ela e a peguei no colo.

— Vamos voltar pra cama. Você tem aula amanhã cedo.

— Posso dormir com você e a mamãe? — perguntou ela, e aquelas palavras me atingiram bem no peito.

Respirei fundo algumas vezes e tentei abafar a dor que as palavras dela causaram na minha alma.

— Hoje não, Lorelai.

— Mas, papai... — disse ela, chorando.

— Hoje não — repeti enquanto a levava para o quarto dela.

Eu a deitei na cama, e ela continuou chorando. Pequenas lágrimas escorriam de seus olhinhos fechados.

— Deita aqui comigo, papai? — pediu ela, fungando.

Eu me deitei ao lado dela, e ela me abraçou. Lorelai não costumava demonstrar tristeza, exceto quando tinha pesadelos. Fiquei pensando se seriam parecidos com os meus. Eu não desejaria meus pesadelos nem para meus piores inimigos.

Eu a abracei também e senti a tristeza dela começando a se esvair. Em minutos, ela estava de volta a um sono pesado. Eu, por outro lado, fiquei deitado ali, bem acordado, olhando para a escuridão enquanto as palavras dela dançavam na minha mente.

Posso dormir com você e a mamãe?

Parte de mim achava que ela tinha dito aquilo porque estava sonolenta e confusa. Outra parte sabia que não era bem isso, pois eu já a tinha pegado fingindo conversar com a Nicole. Eu já tinha visto Lorelai ter conversas inteiras com uma mãe que não estava ali. Eu testemunhara minha filha arrumando um lugar à mesa para a mãe nas segundas de espaguete.

Lorelai sabia que Nicole tinha falecido, mas conseguira, de alguma forma, apegar-se a ela, continuar seguindo em frente como se a mãe ainda estivesse viva, apenas invisível.

Eu me preocupava com isso, me perguntava se era saudável para a cabecinha dela.

Por outro lado, eu também invejava a habilidade dela de ter alguma forma de conexão com a Nicole, sua habilidade de acreditar em algo maior do que o que existia bem diante dela.

Se eu pudesse viver em um mundo em que eu acreditasse em anjos, também conversaria com minha mulher diariamente.

Depois que Lorelai pegou no sono, eu fiquei ali no quarto dela por mais um tempo, abraçado a ela.

Ela precisava de mim aquela noite, e acho que eu também precisava dela.

~

Acordei ainda na cama da Lorelai, um pouco confuso com relação a onde eu estava. Sentei-me de forma meio desajeitada enquanto meu corpo se queixava e grunhia por ter ficado todo contorcido em uma cama tão pequena.

Que horas eram?
Quanto tempo eu tinha dormido?
Eu não fazia ideia, embora parecesse que aquela havia sido a melhor noite de sono que eu tivera em dez meses, apesar de o meu corpo parecer todo estropiado.

Entrei na cozinha e encontrei Eleanor fazendo café na cafeteira.
Ela se virou e se sobressaltou ao me ver ali.
— Ah, Grey... Hã... Sr. East. Bom dia.
Estreitei os olhos.
Já é de manhã?
— Que horas são? — grunhi.
— Sete. Eu já ia acordar as meninas pra tomar banho — explicou ela. — Mas então o vi dormindo com a Lorelai e pensei em deixá-los dormindo mais um pouquinho.
— Sete?! Merda.
Gemi, passando os dedos pelos cabelos desgrenhados. Não conseguia acreditar que tivesse dormido tanto. Eu nunca perdia a hora. Estava atrasado e não teria tempo para fazer minha corrida matinal.
— Você devia ter me acordado — ralhei, embora não fosse trabalho dela garantir que eu estivesse acordado. Mesmo assim.
Merda!
— Perdão, achei que você já estivesse pronto para sair para o trabalho e tivesse ido ficar com ela um pouquinho.

— Por que você acharia que eu estava pronto para trabalhar? — rosnei, irritado com ela, mas nem eu mesmo sabia por que estava irritado. Às vezes, minhas emoções escapavam de mim sem que eu conseguisse controlá-las.

— Bem, você sabe...

Ela apontou para mim e eu olhei para meu traje.

Para o terno de quinhentos dólares amassado que eu havia usado para dormir. Eu tinha dormido com um terno de quinhentos dólares como quem simplesmente não se importa.

— Ah. Desculpe — grunhi, porque eu me sentia um idiota.

Eu me virei para sair da cozinha, e ela me chamou.

— Sr. East, só uma coisa rápida — disse ela, sua voz baixa e um pouco tímida.

— O quê?

— Eu só queria me desculpar pela minha resposta ao seu e-mail de ontem à noite. Não foi nada profissional.

Estreitei os olhos, um tanto surpreso com o pedido de desculpas. Eu não esperava que ela se desculpasse.

— Ah, bem, sim. Não foi nada profissional, mas também não é nada de mais.

— É, sim. Eu sinceramente não sabia se você estava falando sério com relação a eu chamá-lo de "Sr. East" até ler a sua resposta. Portanto, minha resposta era pra ser cômica, mas, obviamente, não foi o que pareceu. Eu passei dos limites e peço desculpas por isso. Sinto que você está me dando uma oportunidade enorme com esse emprego, e isso significa muito pra mim. Não quero estragar tudo e sinto muito se fui mal-educada ou impertinente. Eu levo esse trabalho muito a sério e espero que você saiba disso.

Assenti, porque eu realmente não tinha mais nada a dizer.

— E, Sr. East? — continuou ela, enquanto penteava os cabelos com uma das mãos.

— Sim?

— Eu sinto muito.

— Sim, Eleanor. Você já disse isso.

— Não, quero dizer... pela sua perda. Acho que eu ainda não tinha falado isso e só queria que você soubesse. Pelo que ouvi sobre a Nicole, ela era uma mulher maravilhosa, uma mãe incrível, e eu lamento muitíssimo pela sua perda. Sei que isso não muda nada, mas eu lamento mesmo. De verdade.

Parei um momento para olhar para ela, para realmente vê-la. Eu não havia feito isso desde que Eleanor aparecera para a entrevista de emprego. Seu cabelo era castanho-claro e ligeiramente ondulado. Era muito mais claro do que eu me lembrava. Não que importasse, eu só reparei nisso. E os olhos dela... Os olhos dela ainda eram aqueles túneis castanho-escuros que eu conhecia de quando éramos adolescentes. Ainda tinham o formato dos olhos de uma corça. Ainda eram lindos. E agora eles me fitavam como se eu fosse o homem mais triste do mundo. Ela me deixava extremamente desconfortável com seu olhar de compaixão.

Bem no fundo daqueles olhos havia uma camada de preocupação e cuidado que eu não achava que merecia. Eu era grosso com ela, e frio, por motivos que sequer conseguia entender, mas, mesmo assim, Eleanor olhava para mim como se tivesse me perdoado por uma rigidez pela qual eu não tinha coragem de me desculpar.

Depois de todo aquele tempo, Eleanor ainda se importava comigo, e seu pedido de desculpas foi a coisa mais sincera que eu ouvi nos últimos tempos.

— Obrigado, Eleanor.

— Imagina.

Eu me virei e então parei quando uma tristeza violenta começou a me dominar. Eu odiava o fato de aquele sentimento surgir quando bem entendesse. Odiava a forma como me engolia por inteiro e então me cuspia.

Tudo na vida era mais difícil sem a Nicole.

Cada vez que eu respirava, doía.

Eu não sabia como explicar isso a Eleanor.

Não sabia nem se ela se importava.

Esfreguei a nuca com uma das mãos e pigarreei.

— Nós éramos jovens — contei a ela, fazendo aqueles olhos castanhos me fitarem de novo. — Quando tivemos a Karla, éramos jovens, e eu não me adaptei ao papel de pai com tanta facilidade, mas a Nicole... — Parei de falar, sentindo o nome dela nos meus lábios. Mesmo depois de todo aquele tempo, era difícil dizer o nome dela sem sentir como se o céu estivesse desabando. Inspirei fundo. — Ela fazia tudo com tanta naturalidade. Era como se tivesse nascido para ser mãe. Então, tudo o que você ouviu das outras pessoas é verdade. Ela era uma mulher maravilhosa, e a mãe mais incrível do mundo.

Os olhos de Eleanor se encheram de lágrimas, e ela fez que sim com a cabeça, compreendendo como tinha sido difícil, para mim, verbalizar aquelas palavras.

Eu me perguntei se ela conseguia enxergar os escombros da minha alma.

— Se você um dia precisar de alguém pra conversar... — disse ela.

Mas balancei a cabeça com veemência, impedindo-a de continuar.

Passou do ponto.

— Não preciso.

Eu já havia passado dos limites compartilhando informações sobre a Nicole, mas simplesmente não tinha conseguido evitar.

Ela precisava saber.

O mundo todo merecia saber que mulher excepcional a minha tinha sido, e o mundo todo precisava saber que tínhamos perdido algo especial demais no dia que ela se foi.

Capítulo 32

Eleanor

Eu tinha cometido um erro ao achar que o Greyson era o mesmo menino brincalhão de antigamente. Desde nossa troca de e-mails, eu fiz o melhor que pude para manter as conversas com ele nos termos mais profissionais — não que estivéssemos conversando muito.

Durante as semanas seguintes, aprendi muito sobre os East individualmente.

As paredes do quarto da Lorelai eram cobertas pelos desenhos que ela fazia. Não havia um único dia em que ela não se deitasse de barriga para baixo, balançando as perninhas no ar, desenhando sua próxima obra-prima — com as asas de borboleta nas costas, claro. A imaginação dela era maior que o mundo Com a nossa mente, nós podíamos ir à África do Sul e correr com leões, e então, no segundo seguinte, estar no Havaí, comendo abacaxis frescos.

Lorelai também não tinha medo de ter conversas inteiras com a mãe. Elas aconteciam diariamente. Às vezes, eu a pegava conversando com a mãe como se ela estivesse ali, ao lado dela. Ela também colocava um lugar à mesa de jantar para a Nicole às segundas-feiras, no dia de espaguete. Espaguete era o prato preferido da Nicole.

Eu adorava isso nela, a maneira como Lorelai mantinha a mãe por perto.

Tínhamos isso em comum — nossas conversas diárias com nossas mães.

E aí tinha a Karla, minha nova melhor amiga do tipo "Vai embora, Eleanor". Era praticamente impossível entender a personalidade dela com base em seu quarto, porque não havia nada lá além do computador. As paredes estavam vazias, e não havia nada nas prateleiras. A única centelha de personalidade era a fita de "Não entre" colada na porta do closet, com placas com um alerta firme: MANTENHA DISTÂNCIA.

De certa forma, isso a resumia perfeitamente.

Por fim, havia o Greyson, embora eu mal o visse.

Ele nunca ficava em casa por tempo o suficiente para que eu pudesse analisá-lo. Eu só tinha minhas lembranças de quem ele costumava ser e, para falar a verdade, quase nunca via aquelas características se manifestarem. E, mesmo quando as via, eram sutis e espaçadas. Era como se ele se esforçasse ao máximo para não demonstrar nenhuma emoção e, quando alguma escapava, ele se apressava em guardá-la de volta.

Ele não apenas mantinha distância de mim, como também das meninas. Mesmo quando ele estava em casa, era como se não estivesse. Parecia tão alheio à realidade que eu ficava surpresa por ele conseguir cumprir as tarefas profissionais diárias. Por outro lado, o trabalho parecia ser a única coisa em que ele se sobressaía. O Greyson era um *workaholic* e levava esse papel a sério.

Quando estava ao telefone era sempre assunto de negócios.

Ele e a Karla eram muito parecidos em vários sentidos, tão frios e distantes, mas a diferença era que Karla era cruel, e o Greyson, não. Ele só estava completamente perdido.

Sempre que a Lorelai e eu comíamos na sala de jantar, eu podia jurar que Greyson e Karla faziam de tudo para não ficar perto da gente. Eles simplesmente pegavam a comida e voltavam para suas bolhas.

Tal pai, tal filha.

Eu não ficava pensando muito nisso. Eles queriam espaço, então dei espaço a eles. Boa parte do meu foco estava voltado para Lorelai.

Ela era uma bênção no fim dos dias difíceis. Não havia nada que conseguisse impedir aquela menininha de rir. Em uma casa repleta de escuridão, ela era a luz que inundava cada cômodo.

Toda noite, após o jantar, Lorelai e eu fingíamos ser dragões que voavam para um mundo novo, onde nosso único objetivo era fazer as pessoas perceberem que éramos criaturas amigáveis. Era uma atividade que envolvia muitos pulos e rugidos, é claro. Algo que nós duas adorávamos.

Certa noite, enquanto brincávamos no quarto dela, fizemos mais barulho que de costume, rindo sem parar do novo rugido que vinha do fundo da garganta dela. Lágrimas escorriam de seus olhos de tanto rir, e, toda vez que ela tentava recobrar o fôlego, ria ainda mais.

Aqueles eram os meus momentos preferidos com as crianças — os de bagunça.

Estávamos entretidas quando fomos interrompidas por uma batida forte à porta do quarto. Ambas erguemos os olhos e vimos Greyson parado à porta com uma expressão severa no rosto. O riso se esvaiu quando percebemos a seriedade no olhar dele.

— Oi, papai — disse Lorelai, sua voz mais baixa que antes.

— Que barulheira é essa? — ralhou ele, franzindo o cenho.

Pigarreei e alisei a roupa.

— Ah, desculpa. Não sabíamos que você estava em casa. Estávamos no meio de uma grande rodada de...

— Uma palavrinha, Eleanor — sibilou ele, me interrompendo. — No meu escritório.

Eu me endireitei. Calafrios percorreram meu corpo.

— Como?

— Gostaria de trocar uma palavrinha com você no meu escritório — repetiu ele, sem esperar pela minha resposta antes de virar as costas e sair.

Respirei fundo antes de me virar para Lorelai. Os olhos dela estavam arregalados, e ela parecia abalada com a chegada agressiva do pai.

— Ele tá bravo porque a gente tava fazendo barulho? — perguntou ela, com a voz vacilante.

Seus ombrinhos se arquearam, e eu podia ver a preocupação nos olhos dela. Era como se tivesse decepcionado o pai, de alguma forma.

O mais vergonhoso daquilo tudo era que, se havia alguém decepcionante, era o pai dela, que não participava da vida das filhas.

— Não, meu amor. Seu pai e eu tínhamos uma reunião marcada. Eu só tinha me esquecido disso. — Puxei-a para meus braços, e ela me abraçou forte. Saboreei aquele momento delicioso. — Agora, vai se preparar pra dormir, está bem? Eu já volto.

Ela assentiu e saiu correndo para pegar o pijama. Então fui até o escritório do Greyson, cuja porta estava escancarada.

— Sem querer ofender, mas você precisava entrar falando daquele jeito? Você deixou a Lorelai apavorada — repreendi-o enquanto entrava.

Ele andava de um lado para o outro, com os dedos entrelaçados, enquanto seu peito inflava e desinflava pesadamente.

— Aonde você a leva? — ralhou ele, ignorando meu comentário.

— O quê?

— Aonde você a leva? — rosnou ele de novo, a voz mais alta, mais assustadora.

Dei um passo atrás, sem saber ao certo o que ele queria dizer com aquilo.

— Não sei do que você está falando, Grey...

— *Sr. East!* — berrou ele, me fazendo recuar ainda mais.

Ele estava furioso, e eu não fazia ideia do motivo. Eu nunca o tinha visto tão chateado. Na maior parte do tempo, ele simplesmente vestia uma máscara de desapego. Mas naquele momento ele estava zangado — colérico, até.

— O que aconteceu? — perguntei, me esforçando para não levar a reação dele para o lado pessoal.

— Recebi um e-mail essa tarde pedindo notícias da Karla. Faz semanas que ela não vai à escola, mais precisamente desde que você começou a levá-la. Então, me conte, aonde você a tem levado?

— Eu... — Minha voz vacilou enquanto minha mente tentava assimilar o que ele estava dizendo. Como era possível? Como isso tinha acontecido? — Eu a levo pra escola todos os dias, depois que deixo a Lorelai. Não entendo como ela pode não estar indo.

— Você a vê entrar todos os dias?

— Bem, não. Porque eu a deixo a algumas quadras da escola, como as outras ba...

Minhas palavras morreram, e a realidade me atingiu em cheio.

Meu Deus, como eu sou burra.

A Karla mentiu sobre as outras babás a deixarem a algumas quadras da escola, e eu fui burra por ter acreditado na historinha dela.

Mas o Greyson ainda não havia chegado à mesma conclusão que eu. Continuou olhando para mim com olhos firmes, no aguardo de respostas. Engoli em seco e expliquei a situação, desviando o olhar dele.

— Você está brincando, né? — disse ele, apertando o ponto entre as sobrancelhas.

— Eu... Eu pensei... — gaguejei, me sentindo enrolada por uma menina de 14 anos. Meu rosto ficou quente e eu não conseguia olhar para Greyson. Eu me sentia humilhada por meu erro idiota. Ela tinha me enganado. Eu havia sido enganada por uma adolescente. — Me desculpa.

— Pedir desculpas não compensa o fato de ela ter perdido semanas de aula.

— Mas como isso é possível? A escola não notifica os pais quando o aluno não aparece por mais de um ou dois dias?

Ele grunhiu.

— É isso que estou investigando agora. Enquanto isso, vá buscar a Karla no quarto dela e traga-a aqui para nós três termos uma conversa.

— Sim, é claro.

Saí depressa do escritório, com uma dor aguda no estômago da raiva que estava sentindo da Karla. Eu estava me esforçando ao máximo para tratá-la com educação, para deixá-la à vontade, e isso era o que eu recebia em troca. Quanto mais eu me aproximava do quarto, mais chateada ficava. Greyson tinha explodido comigo por causa das mentiras dela.

Então, minhas emoções coléricas se transformaram em preocupação.

Se ela não estava indo para a escola, por onde andava?

O que estava fazendo?

Será que estava metida com drogas? Álcool?

Ah, que ótimo, agora eu estava zangada e preocupada. Fiquei pensando se ter um filho se resumia àquilo: sentir todas as emoções possíveis ao mesmo tempo. Aquilo era exaustivo. Cada emoção surgia como uma onda quebrando na praia, e eu não sabia ao certo o que fazer com todas as emoções que estava sentindo.

Eu me sentia como se tivesse transtorno de dupla personalidade. Queria gritar e, ao mesmo tempo, conversar com calma. Queria ser o bandido e o herói. Queria ser amiga dela e reconfortá-la, mas também queria ser o sargento implacável.

Não há meio-termo quando se trata de educar adolescentes. Você vive com a sensação de que está endoidando.

Antes que Karla pudesse ver minha cara de preocupação, um nó enorme se formou no meu estômago, pois, quando abri a porta do quarto dela, eu o encontrei vazio.

— Karla? — chamei.

Nenhuma resposta.

Ela não teria fugido, teria? Escapulido para fazer o que quer que estivesse fazendo durante o horário escolar?

Entrei no quarto e andei até a porta do closet. Quando coloquei a mão na maçaneta um grito agudo fez meus ouvidos arderem.

— O que você está fazendo?! — latiu Karla, e eu me virei para ela.

— Karla! — Uma onda de alívio quebrou na praia. — Meu Deus do céu, onde você estava? — perguntei, com o coração acelerado.

— No banheiro. — Os olhos dela se estreitaram. — Por que você ia entrar aí? Você é burra? Não sabe ler?

— Não me chame de burra — ralhei, com um tom de voz mais adulto do que eu realmente era. — Seu pai quer falar com você agora no escritório.

— Ah, é? Bem, estou ocupada.

Ela foi até a escrivaninha e se esticou para pegar os fones de ouvido, mas eu os peguei antes dela.

— Não está, não. Agora, já pro escritório do seu pai.

— Por quê?

— Porque nós sabemos.

— Sabem o quê?

— Você *sabe* o que nós *sabemos* — afirmei, estreitando os olhos e apontando o dedo para ela.

Ela arqueou uma das sobrancelhas.

— Ou não.

Coloquei as mãos na cintura.

— Karla, vamos. Pode parar com a farsa.

— Olha, eu não sei do que você tá falando e tô ficando cansada dessas acusações, então fala de uma vez ou sai do meu quarto.

— Faz semanas que você não vai à escola, Karla — rugiu Greyson, aparecendo atrás de mim. Seus olhos transbordavam de raiva, e seu peito subia e descia, mais pesado a cada respiração. — É disso que ela está falando. É isso que precisamos discutir.

Ele estava furioso, e com razão.

No segundo em que o pai dela entrou no quarto, me senti deslocada. Afinal, eu era apenas a babá. Na maior parte do tempo, Lorelai era minha ocupação principal.

— Eu assumo daqui, Eleanor — disse Greyson, colocando a mão na maçaneta e dando um passo atrás a fim de abrir caminho para que eu saísse.

Respirei fundo e olhei para Karla, que parecia tão nervosa quanto... feliz? Ela parecia satisfeita em estar tirando o pai do sério.

Então, dei as costas e saí do quarto. Greyson fechou a porta.

Em questão de segundos, a gritaria começou. A competição de gritos entre os dois me deixou igualmente inquieta e satisfeita.

Embora eles estivessem brigando, eu estava testemunhando Greyson fazer algo que eu não sabia se ele ainda era capaz de fazer — educar suas filhas. Vê-lo discutir com Karla, tão furioso, demonstrava que, em algum lugar dentro de seu coração frio e amortecido, ele ainda se importava muito. Em algum lugar dentro dele, ele ainda se preocupava.

Isso devia significar alguma coisa.

Fui embora aquela noite antes que a gritaria cessasse. Eu não tinha o direito de ficar escutando Karla e Greyson trocarem palavras repletas de exaustão e dor. Estava claro que ambos estavam sofrendo, mas a única maneira que pareciam encontrar para aliviar sua dor era gritando um com o outro.

Capítulo 33

Eleanor

Acordei na manhã seguinte curiosa para saber o que tinha acontecido entre a Karla e o Greyson. Não conseguia parar de me perguntar aonde Karla havia ido todos os dias, o que teria feito quando não estava na escola e como tinha conseguido esconder isso tanto do Greyson quanto de mim.

Quando fui até a casa do Greyson, ele estava na varanda da frente, com uma caneca de café apoiada na balaustrada. Ele não parecia tão zangado quanto ontem, então pensei que talvez a noite de sono o tivesse ajudado a se acalmar. Mas o estranho é que ele parecia sinistramente calmo.

O frio do lado de fora era congelante, e ele só estava com uma camisa de botão preta de manga comprida e calça. Como ele não tinha virado um cubo de gelo?

— Eleanor — disse ele, num tom de voz neutro.

Eu me encolhi de leve, pressentindo o que viria em seguida.

— Me deixa adivinhar... — Suspirei, puxando a bolsa no ombro. — Você vai me demitir. Eu entendo. Cometi um erro gravíssimo. Tem pouca coisa minha na sua casa. Depois vou recolher tudo meu que está na casa de hóspedes e sumo da sua frente em alguns minutos.

Quando passei por Greyson, fiquei surpresa ao sentir a mão dele no meu antebraço, detendo meu avanço.

Meus olhos se voltaram para a mão dele na minha pele, fazendo Greyson acompanhar meu olhar. De repente, nós dois estávamos nos encarando. Senti como se um choque elétrico tivesse percorrido meu corpo todo, provocando calafrios.

Ah. O que foi isso?

Eu me perguntei se ele também teria sentido aquilo.

Ele rapidamente baixou a mão e pigarreou.

— Desculpa. Eu só... — Ele deu um passo atrás e suspirou, cruzando os braços. — Bom dia.

Aquelas palavras fizeram minha mente dar a maior cambalhota da história da humanidade.

Arqueei uma das sobrancelhas.

— Bom... dia?

Ele ficou ali parado, olhando para mim, e eu olhando para ele. Meus olhos vaguearam por um tempo, sem saber ao certo que rumo aquela conversa iria tomar.

— Posso ajudar em alguma coisa...?

Minha voz era baixa e confusa.

— Você não está demitida.

— Ah, mas eu pensei...

Ele assentiu.

— Eu sei, mas não está.

— Então, o que foi? — perguntei. — Tem mais alguma coisa que você queira me dizer?

— Não. Sim. Quer dizer... — Ele inspirou fundo e soltou o ar devagar. Tudo com relação ao Greyson parecia tão complexo. Era como se o coração e a mente dele estivessem numa luta constante, fazendo com que fosse impossível ele se expressar direito. — Eu te devo um pedido de desculpas.

— Pelo quê?

— Por ter gritado com você ontem por causa da Karla. Não foi nada profissional da minha parte — afirmou ele, esfregando a nuca com uma das mãos, evitando contato visual comigo.

— Ah, tá. Bem, sim, não foi mesmo — concordei. — Mas eu compreendo. Eu também teria reagido mal àquela notícia. Só espero que você saiba que eu também não fazia ideia, Greyson. Realmente achei que eu estava fazendo a coisa certa.

Ele assentiu e não me corrigiu por chamá-lo pelo nome e não pelo sobrenome. Talvez estivesse tão abalado pela discussão de ontem que sequer reparou no meu erro.

— Você descobriu aonde ela estava indo todos os dias? — perguntei.

Ele balançou a cabeça e deu as costas para mim, olhando para o sol nascente.

— Não. Ela se recusou a me contar, mas descobri que ela falsificou minha assinatura em alguns papéis, dizendo que a família tinha tirado dois meses de férias. A escola chegou até a repassar todo o dever de casa para ela com antecedência, e ela tem feito tudo. Eu só...

A voz dele sumiu, e seus ombros se arquearam.

Ah, Greyson...

A tristeza dele era gritante naquele momento.

— Ela é esperta, sabe? — disse ele. — Minuciosa, como a mãe. Pensou em cada detalhe. Deve ter planejado tudo antes de você ter sido contratada, porque isso já está acontecendo há um tempo. Eu só não sei por quê.

— Você perguntou isso a ela?

— Não. — Ele voltou a se virar para mim, os braços cruzados. — Só estourei.

Ele também sabia que aquela tinha sido a atitude errada. Deu para perceber, pela reação dele, que Greyson se sentia culpado.

— Você se preocupa com ela.

Quando ele olhou para mim, seus olhos contaram uma história que os lábios não ousavam verbalizar. Aqueles olhos estavam mais cinzentos que nunca. E mais tristes, também. A noite passada deve ter sido difícil para ele; seu olhar contava essa história, a história de uma alma despedaçada.

— Eu só queria pedir desculpas por ter estourado — disse ele. — Acabei descontando na pessoa errada, e foi burrice da minha parte achar que você tinha alguma coisa a ver com essa história.

Sorri, mas tive certeza de que ele pôde perceber a tristeza na curva dos meus lábios.

— Obrigada por me pedir desculpas.

Ele assentiu e ergueu o café que estava na balaustrada.

— Fiz café pra você. Dois torrões de açúcar, uma dose de baunilha, creme extra.

Meu coração acelerou ligeiramente quando olhei para ele.

— Você se lembrou? Mesmo tantos anos depois?

— Não. Só reparei que você faz o café desse jeito todo dia de manhã na minha cozinha.

Ah. É claro. Que ridículo você ter pensado isso, Eleanor. É claro que ele não se lembrava do meu café preferido. Mas o fato de que ele reparava em mim todos os dias não tinha passado despercebido. E, mais ainda, ele me entregar aquela caneca meio que pareceu uma proposta de paz.

— Obrigada — falei, pegando a caneca das mãos dele.

— Não, sou eu quem tem que agradecer. Sei que posso ser... — Ele parou de falar e soltou um suspiro pesado. — Sei que posso ser difícil.

— Está tudo bem.

— Não, não está. Eu nunca fui muito bom nisso... em ser pai. Trabalho muito e fico muitas horas fora. Aí, quando chego em casa, estou exausto. Já era assim antes do acidente, mas pelo menos naquela época eu tinha a Nicole aqui para equilibrar as coisas, para ser a bonança da minha tempestade. Agora, sem ela... — Ele esfregou o polegar no nariz. — Eu simplesmente não sei como fazer isso — confessou ele.

— Fazer o quê?

Ele baixou a cabeça e, quando voltou a olhar para mim, testemunhei a expressão mais triste que já tinha visto na vida. O rosto dele estava pálido, como se toda a vida tivesse sido sugada dele.

Ele abriu a boca e falou pausadamente.

— Viver em um mundo no qual ela não existe. — Os olhos dele eram pura angústia. Greyson balançou a cabeça quando seus olhos se encheram de lágrimas, tentando se recompor. — Desculpa.

— Não precisa pedir desculpas. O que você passou... O que você está passando é uma das coisas mais difíceis da vida. Tem pouco tempo que tudo aconteceu, Greyson. Essas dores ainda são muito recentes. Não é de se espantar que você se sinta completamente perdido — falei, me aproximando dele.

Coloquei a mão em seu antebraço e senti o corpo dele tremer de leve com o nervosismo. Ele estava longe de estar bem, e provavelmente não se recuperaria por um bom tempo.

— Está tudo bem, eu estou bem — mentiu ele, tirando minha mão de seu braço. Ele pressionou o ponto entre as sobrancelhas. — Eu só queria me desculpar por ter sido tão grosseiro com você. Você não merece, Ellie. Não mesmo.

Greyson tinha me chamado de Ellie, e eu achava que ele sequer tinha percebido o deslize.

Sorri.

— Está tudo bem, mesmo. Eu entendo.

— Embora você entenda o meu lado, não merece minha grosseria.

Eu não sabia mais o que dizer, e parecia que ele também não.

Ele se virou para entrar na casa e então parou por um instante antes de se voltar para mim mais uma vez.

— Todo santo dia... Eu me preocupo com a Karla todo santo dia.

Naquela manhã, tudo voltou à rotina, só que dessa vez eu entrei com a Karla na escola. Obviamente, ela não ficou feliz com a ideia.

— Isso é humilhante — sussurrou ela, curvando-se, se esforçando ao máximo para desaparecer.

— É... bem, você devia ter pensado nisso antes de planejar toda essa mentira — respondi ao cruzarmos o portão.

— Tá, tanto faz. Você pode ir agora? — murmurou ela, grunhindo baixinho. — Isso é tão *careta*, Eleanor.

Eu nunca na vida tinha me sentido tão feliz em ser rotulada como careta.

— Não. Antes nós vamos passar na diretoria para esclarecer algumas coisas.

— Já está tudo esclarecido — disse uma voz, fazendo nós duas erguermos a cabeça.

Era Greyson, saindo da sala da diretoria.

— Pai — grunhiu Karla, batendo a mão na testa. — O que você tá fazendo aqui?

— Meu papel de pai — respondeu ele.

— Isso é novidade — retrucou Karla.

Duro, embora talvez fosse verdade...

— Está tudo em ordem. Além disso, eu inscrevi você em uns programas para obter créditos extras em todas as disciplinas — comentou ele, endireitando os ombros.

— Créditos extras?! — sibilou ela, as narinas infladas. — Mas eu fiz os deveres de casa!

— É, você fez... Depois de mentir por semanas pra fazer só Deus sabe o quê, no seu tempo livre. Você tomou uma decisão no momento que falsificou aqueles papéis, Karla. Agora estou tomando a decisão de impedir que você sequer pense em fazer algo parecido de novo. A não ser que...

— A não ser que o quê? — perguntou ela.

— A não ser que você me diga aonde foi todos os dias — respondeu Greyson.

Os olhos de Karla se encheram de lágrimas, e ela balançou a cabeça.

— Que merda! — gritou ela.

— Olha a boca — dissemos eu e Greyson em uníssono.

Sorri para ele.

Ele não sorriu para mim.

Parecia que as coisas tinham voltado ao normal.

— Você não tem uma reunião, ou alguma porcaria dessas? Não pode só me deixar em paz? — indagou ela.

Greyson olhou para o relógio e assentiu.

— Por acaso, eu tenho, sim. — Então, aqueles olhos se viraram para mim. — Obrigado por trazer minha filha pra escola hoje, Eleanor. Se puder, por favor, levá-la até a sala 102 para a aula de ciências, seria ótimo.

Ah, ele tinha realmente entrado no papel de pai que constrangia.

— Claro, Sr. East — respondi.

— É Sr. E... — Ele parou, percebendo que eu já o tinha chamado pelo sobrenome. — Certo, é claro. Bem, tchau, então.

Ele foi embora, e eu continuei indo com a Karla em direção à sala onde aconteceria a aula de ciências, embora ela fosse totalmente contra a ideia.

— Odeio quando ele faz isso — reclamou ela.

— Faz o quê?

— Tenta agir como meu pai.

— Ele *é* seu pai.

— Você tá com a gente há quase dois meses. Diz aí: quantas vezes você viu ele agindo como pai?

Ela tinha razão. Quando estávamos chegando à sala de aula, outro aluno apareceu e parou na nossa frente. Percebi Karla ficar tensa quando o menino olhou para ela.

Ele era uma graça, um menino bonito com cabelos loiros encaracolados e olhos azuis que fariam qualquer menina da idade deles derreter.

— Oi, Karla. Faz tempo que não te vejo — disse ele. — Teve gente que pensou que você tivesse ido pra outro colégio.

Ela se mexeu sem sair do lugar e se recusou a fazer contato visual com ele. A mão esquerda dela esfregou o braço direito.

— Pois é.

— Você tá bem? — perguntou ele, estreitando os olhos.

Antes que ela pudesse responder, outra menina o chamou.

— Brian! O que você tá fazendo?

Avistei uma menina atrevida, usando mais maquiagem do que a quantidade adequada para a idade dela, parada com as duas mãos na cintura.

Brian se virou para a menina e deu de ombros.

— Nada. Só parei pra dar oi pra Karla. Você viu que ela voltou?

— Vi, mas não me importo — murmurou ela. — Agora larga essa coisa e vem comigo pra sala — grunhiu ela.

Todos os pelos do meu corpo se eriçaram quando ouvi aquele filhote de demônio falando da Karla daquele jeito.

— Como assim "essa coisa"?! — esbravejei, mas Karla rapidamente puxou meu braço.

— Eleanor, não.

— Mas...

Ela me olhou com lágrimas nos olhos e balançou a cabeça.

— Por favor. Não.

Brian franziu a testa e esfregou a nuca.

— Bem, acho que a gente se fala depois, Karla.

— Provavelmente não — disse ela secamente enquanto ele corria para acompanhar a pequena Satã até a sala de aula.

— Quem são esses dois? — perguntei, enquanto ela resmungava no caminho até a sala.

— Fantasmas do passado da Karla — murmurou ela, sem revelar mais nada.

Era bom saber que o ensino médio ainda era o inferno na Terra.

Pelo menos algumas coisas nunca mudavam.

Capítulo 34

Greyson

— Como você tem dormido? — quis saber Claire, quando nos sentamos para nosso tradicional almoço de terça-feira.

Eu não queria encontrar Claire toda semana, mas ela era bastante teimosa. Se eu não a encontrasse, ela ficava sentada no saguão da EastHouse, tocando músicas do Journey no último volume. Era incrível como a mente humana podia entrar em curto após a terceira rodada de "Don't Stop Believing".

Por isso eu a encontrava para almoçar uma vez por semana. Embora ainda fosse difícil olhar para ela.

— Tenho dormido bem — respondi, comendo um pedaço do meu sanduíche.

— Você está mentindo — afirmou ela.

Ela tinha razão, mas não importava.

Minhas pálpebras estavam pesadas e, às vezes, eu "pescava" durante as reuniões. Era como se eu estivesse sendo movido a café e energético. Eram as únicas coisas que me mantinham em pé. Saudável? Não. Bom para a minha alma? Provavelmente não. Mas eu realmente não me importava, desde que não estivesse dormindo.

Ela largou o garfo, recostou-se na cadeira e me estudou. Ela também era muito boa nisso, em me olhar e dizer quando eu não estava bem. A maioria das pessoas havia entendido que era melhor me ignorar e me deixar em paz, mas ela e Landon viviam me pressionando para que eu me abrisse, embora eu me esforçasse ao máximo para mantê-los a distância.

— Greyson, não é nada saudável ficar sem dormir. Você realmente deveria conversar com um profissional sobre isso — orientou ela. — Jack e eu estamos muito preocupados com você.

Jack era o novo marido da Claire. Ela tinha perdido o pai da Nicole havia alguns anos e, por um bom tempo, pensou que ficaria sozinha pelo resto da vida. Mas aí Jack meio que caiu de paraquedas na vida dela e a fez mudar de ideia.

Claire inclinou-se para a frente e juntou as mãos.

— Eu fico preocupada que você não esteja descansando. Principalmente porque nos próximos dias...

— Estou bem — reafirmei, interrompendo a linha de raciocínio dela.

Continuava sendo mentira, e eu continuava não me importando.

A verdade era que eu não vinha dormindo há um tempo. Lutava contra isso com unhas e dentes toda noite. Parecia que a única vez em que tive uma noite de sono decente foi quando fiquei encolhido na cama com a minha filha que chutava dormindo.

— Greyson, sei que, com o aniversário...

— Como está o trabalho? — perguntei, interrompendo-a mais uma vez.

Ela fez uma careta, mas voltou a se recostar na cadeira, ciente de que era hora de mudar de assunto.

Ela me pressionava o tempo todo, mas conhecia os limites. Sabia quando estava passando do ponto, então recuava. Claire sempre foi boa em interpretar as pessoas, e sabia como me decifrar, mesmo sem que eu falasse nada.

— Está tudo bem no trabalho — respondeu ela, abrindo um leve sorriso.

Ela continuou tagarelando sobre qualquer coisa, e fiquei grato por isso, porque estava cansado demais para pensar em mim e muito triste para pensar nos dias que se aproximavam.

~

Três a um.

Era sempre assim que acabava. Os três votos delas sempre venciam o meu.

O problema em ser o único homem da família é que você frequentemente acaba perdendo nas votações. Eu nem sabia por que pediam minha opinião, já que nunca parecia importar, mas elas sempre me perguntavam o que eu achava do assunto em questão.

— Comemos comida italiana no fim de semana passado, quando saímos pra jantar — argumentei, durante nosso debate. — Além disso, comemos massa toda segunda. Vocês não estão cansadas de massa?

— Não — afirmou Lorelai, pulando em sua cadeirinha no carro. Prendi o cinto dela rapidamente antes de me sentar no banco do motorista.

— Na verdade, não — respondeu Karla, dando de ombros.

Por que elas nunca queriam comer carne?

Tudo o que eu queria era um filé enorme, suculento e com bastante gordura.

— Vamos à Cantina Italiana Palmers! — exclamou Karla, me fazendo grunhir ainda mais, porque o restaurante ficava a mais de uma hora de carro, e a chuva caía forte. Levaria ainda mais tempo do que o normal para chegar lá.

Olhei para Nicole e estreitei os olhos.

— O que você quer? — perguntei a ela.

Por favor, diga "carne". Por favor, diga "carne".

Ela deu de ombros.

— Os pãezinhos da Palmers são realmente incríveis. Além disso, é aniversário da Lorelai, então acho que ela é quem deveria escolher.

— Palmers! Palmers! — gritou ela, batendo as mãozinhas nas pernas.

É. Era isso.

Começamos o trajeto até o restaurante, que envolvia uma estrada sinuosa e áreas de bosque.

Enquanto dirigia, olhei para o celular que tocava e vi o nome do Rob Turner brilhando na tela. Ele era um funcionário meu, e eu sabia que estava resolvendo algumas coisas no escritório da EastHouse. Normalmente, eu atendia às ligações dele na mesma hora, mas era sábado à noite, e nós tínhamos uma regra clara em nossa família: nada de trabalho nos sábados à noite.

Nicole também reparou no nome na tela do celular e me encarou, querendo ver se eu iria atender, mas fui rápido em ignorar a ligação. A última coisa de que eu precisava era uma esposa irritada porque atendi a uma ligação de trabalho.

— Dá pra parar?! — latiu Karla para a irmã mais nova, que repetiu as palavras dela.

— Dá pra parar?!

— Mãe!

— Mãe!

— Não, é sério. Para, Lorelai!

— Não, é sério. Para, Lorelai — caçoou a mais nova na mesma hora.

Esse era seu novo passatempo preferido, repetir o que os outros falavam. O que deixava todo mundo louco, mas ela estava obcecada com isso.

— Meninas, se acalmem — ralhei. — Temos um longo caminho até o restaurante, e não quero ouvir mais um pio de vocês.

— Ela fica soltando meu cinto de segurança! — reclamou Karla, a voz cheia de irritação.

Nicole se virou rapidamente, apontando o dedo para nossa filha pequena.

— Lorelai East, nós não tocamos nos cintos de segurança do carro. Você me entendeu?

— Mas, mamãe

— Nada de "mas". Tira a mão daí — reprimiu-a Nicole, virando-se para a frente enquanto Lorelai fazia bico e Karla se regozijava em sua vitória, o que, é claro, levou Lorelai a abrir o maior berreiro.

A maneira como nossa aniversariante de 5 anos alcançava aqueles agudos me fazia pensar que tínhamos ali a próxima Mariah Carey.

— Meu Deus, Lorelai! Para com isso agora! — disse Nicole com a voz cansada, mas nossa doce menininha continuou com seu escândalo.

Quando uma menina da idade dela considerava injusta alguma situação, fazia de tudo para garantir que o mundo todo ficasse sabendo disso por meio de seus gritos.

Vi nos olhos da minha mulher — ela estava quase no limite. Não aguentaria muito mais até a exaustão dominá-la e a raiva crescer.

Virando-me, berrei:

— Lorelai! Será que você poderia ficar em silêncio?! É seu aniversário, esse não é um comportamento de aniversariante e

— Greyson! — gritou Nicole, me fazendo virar para a frente de novo.

Pisquei uma vez e, naquele segundo, tudo mudou.

Basta um minuto para que o mundo vire de cabeça para baixo, meros segundos para que uma vida repleta de alegria e sorriso seja substituída pelo completo desespero.

Aqueles olhos de corça brilharam diante dos faróis.

O medo preencheu nossos olhares.

Eu desviei.

Juro por Deus, eu desviei.

O cervo também desviou.

Juro por Deus, ele desviou.

Eu não o atingi.

Ele não me atingiu.

Um grito foi ouvido.

Minha pele formigou.

De quem era aquele grito?

Era da Lorelai?

Da Karla?

Será que minha mulher tinha berrado de medo?

Não...

Era meu, era a minha voz.

Galhos rasparam na lataria à medida que o carro saía da pista e seguia em direção ao bosque escuro. Virei o volante, pisando fundo no freio, mas não adiantou. O carro continuou se deslocando até bater em uma árvore e parar.

Uma colisão frontal.

Tudo doía. Tudo queimava.

Saía fumaça do motor. Minha cabeça latejava, minha visão ficou embaçada. Eu não conseguia pensar direito, e a acidez subia à minha garganta. Meu corpo estava gelado, e o gosto quente e salgado do sangue escorria pelos meus lábios.

— Grey... — disse a voz sussurrada dela para mim.

Eu me virei para a direita e vi a testa da Nicole encostada no airbag inflado.

— Está tudo bem, está tudo bem.

Eu não sabia por que aquelas eram as palavras que tinham saído da minha boca, mas foi só aquilo que me veio à mente. Fiz o possível para alcançá-la, mas estava preso. Meu cinto de segurança estava emperrado, e eu não conseguia me mexer. Precisava chegar até ela, precisava ajudá-la. Puxei e puxei, esperando que cedesse, mas não funcionava.

— Eu já te alcanço, espera só um pouco — prometi.

Ela balançou a cabeça.

— Não. As meninas.

Eu me virei e vi Lorelai gritando em sua cadeirinha, aparentemente sentindo mais dor do que seu corpinho conseguia suportar. Quando olhei para a esquerda, meu coração saiu pela boca.

A janela lateral estava estilhaçada, manchas vermelhas marcavam o vidro quebrado. Karla não estava no carro.

Onde ela estava? O que tinha acontecido? Como eu podia chegar até ela? Como podia salvá-la?

Karla?

Você está bem?

Preciso saber que você está bem.

Droga, me deixe sair!

Puxei o cinto com mais violência ainda, usando toda a força que consegui reunir, e finalmente o soltei. Virei-me para a Nicole, mas ela continuava balançando a cabeça.

— As meninas, as meninas — *clamou ela, sua voz permeada pelo medo e pelas dores do desconhecido.*

Joguei o corpo contra a porta repetidamente. Quando ela finalmente cedeu, tentei sair correndo do carro, mas minhas pernas sucumbiram.

Eu me forcei a me levantar e fui até a Lorelai. Embora estivesse chorando, ela parecia estar bem. Então, fui procurar a irmã dela. Corri em meio à chuva cegante em busca da minha filha.

— Karla! — *gritei uma, duas, um milhão de vezes.*

Não houve resposta, nada. Os pensamentos que passavam pela minha cabeça eram terríveis, e eu precisei usar todas as minhas forças para não desmoronar.

Ela está aqui. Ela está bem. Ela está aqui. Tem que estar.

Enfiei a mão no bolso, peguei o celular e liguei para o 190.

Sem sinal.

Fora da área de cobertura.

Eu me sentia enjoado, mas não podia simplesmente ficar parado ali tentando ligar para a emergência. Precisava encontrar minha filha.

Continuei gritando. Precisava que ela me ouvisse. Ela tinha de estar ali. As pessoas não desapareciam assim.

Quando me virei para a direita, eu a vi: uma figura pequena esparramada diante de duas árvores. Havia sangue na árvore à frente dela, como se Karla tivesse sido arremessada diretamente contra ela. Ela parecia tão pequena e imóvel.

Tão, tão imóvel.

Aquilo foi o que mais me assustou.

— Não — sussurrei, correndo até ela e desabando ao seu lado. — Karla, sou eu, é o papai. Acorda, querida. Acorda — implorei enquanto as lágrimas escorriam pelos meus olhos, misturando-se à chuva, que zombava de nós enquanto caía do céu. — Karla, acorda. Você está bem, ouviu? Nós estamos bem. Nós estamos bem. Nós estamos bem.

— Meu Deus — exclamou uma voz.

Eu me virei e vi faróis brilhando. Alguém caminhava na minha direção.

— O senhor está bem? — perguntou o estranho.

Estreitei os olhos para a silhueta à medida que ela ficava maior.

— Precisamos de ajuda — gritei, grato por vê-lo. — Não tenho s-sinal, não c-consigo pedir ajuda.

— Tudo bem, tudo bem.

Ele assentiu, o medo se instalando em seus olhos quando ele olhou para Karla. A maneira como ele a fitava me mostrou a verdade que eu já sabia — que ela não estava bem. No entanto, eu não conseguia suportar esse pensamento.

— Ela está bem. Ela está bem — prometi a mim mesmo, embora minhas promessas muito provavelmente fossem mentiras.

— Você está sangrando — comentou baixinho o homem, em um tom de preocupação.

O quê? Não.

Desabotoei o casaco e toquei nas costelas. Meus dedos ficaram vermelhos.

Meus olhos ficaram anuviados quando olhei para minha camisa branca, que estava manchada de vermelho. Só me dei conta do que estava acontecendo quando meu corpo começou a arder de dor. Vômito começou a subir do meu estômago à medida que o homem se aproximava.

— Me deixe ajudar você.

— Não, estou bem — afirmei. No entanto, eu não me sentia nada bem. Eu estava enjoado, nauseado, tonto. — Só vá buscar ajuda.

— Mas...
— Por favor!
Ele concordou com a cabeça e saiu correndo.

Continuei segurando minha filha nos braços, encostando a testa na dela, querendo mais que tudo no mundo que ela estivesse bem, que ela abrisse os olhos, que olhasse para mim e me dissesse que ficaria bem, mas ela não conseguia fazer isso. Então, continuei repetindo aquelas palavras sem parar.

— Você está bem, você está bem, você está bem
Ela não podia me ouvir.
Ela não podia me ver.
Ela não podia sentir que eu estava ali.
Minha visão embaçou ainda mais enquanto eu esperava por ajuda.
— Karla... — sussurrei, chacoalhando-a. — Karla, me responda... Por favor... — clamei. — Karla!

Capítulo 35

Eleanor

— Karla, quer se juntar a nós à mesa? — perguntei quando ela passou pela sala de jantar rumo à cozinha.

Eu perguntava a mesma coisa a ela todas as noites, e toda vez ela dava a mesma resposta monótona.

— Não.

Ela pegou seu prato e, quando estava atravessando a sala de novo, parou. Todas paramos.

Do nada, um grito de "Karla! *Não!*" foi ouvido de outro cômodo, e eu e Lorelai nos endireitamos na cadeira. Karla se aprumou. Nossa conversa cessou, e erguemos a cabeça, um tanto confusas, enquanto a gritaria continuava.

— *Não! Não!* — berrava a voz, obviamente vindo do escritório do Greyson.

Deslizei a cadeira para trás e me levantei. Tanto Lorelai quanto Karla pareciam nervosas, mas eu sorri para as duas.

— Fiquem aqui, meninas. Vou ver o que está acontecendo.

Fui até o escritório do Greyson e meu estômago embrulhou, pois parecia que ele estava em total desespero.

— Greyson...? — chamei, batendo à porta primeiro.

Sem resposta. Bati de novo. Nada. Então, girei a maçaneta, abri a porta do escritório e encontrei Greyson dormindo em cima da mesa e se debatendo.

Ele parecia transtornado. Obviamente estava tendo um pesadelo horrível. E pelo jeito não ia acordar tão cedo. Entrei devagar no escritório e toquei seu ombro de leve.

— Ei, acorda. — Ele não parou de se debater. Bati mais forte no ombro dele algumas vezes. — Greyson, acorda!

Ele se ergueu de supetão, apavorado e com os olhos arregalados.

Toquei o ombro dele de forma tranquilizadora para tentar afastar o medo.

— Está tudo bem, você está bem. Foi só um sonho.

Ele olhou para mim, os olhos totalmente arregalados, e se desvencilhou do meu toque. Então olhou em volta, alerta, e seus olhos me fitaram de novo.

— O que você está fazendo aqui? — rosnou ele, obviamente abalado.

— Eu... hum... nós ouvimos você gritando. Eu só queria ver se você estava bem.

— Você está bem, papai? — perguntou uma voz fininha.

Ambos olhamos para a porta e vimos Lorelai parada com uma expressão preocupada.

Greyson pigarreou e tentou se recompor enquanto se endireitava na cadeira e ajustava a gravata.

— Estou bem.

— Você estava gritando — comentou Lorelai, ainda preocupada com o pai.

Karla também apareceu à porta de repente.

— Qual é o seu problema? — indagou ela.

— Nada. *Estou bem!* — ralhou ele, fazendo todas nós nos sobressaltarmos. Ele deslizou as mãos pelo rosto e suspirou. — Desculpem. Estou bem. Por favor, voltem a fazer o que vocês estavam fazendo...

— Mas, papai... — começou Lorelai, os olhos ficando marejados de lágrimas.

Abri um sorriso na esperança de tranquilizar as meninas.

— Ele está bem, Lorelai. Foi só um pesadelo. Que tal voltarmos pra sala de jantar e terminarmos de comer?

— Ele não tá bem! — rosnou Karla, encarando o pai. — Nada nele tá bem! Nada nessa casa tá bem, e eu tô cansada de agir como se tudo tivesse bem quando na verdade não tá! — gritou ela e saiu do escritório o mais depressa possível.

Lorelai ainda estava parada, com lágrimas nos olhos.

— Lorelai, está tudo bem — afirmei. — Volta pra mesa. Eu já vou.

Desconfiada, Lorelai me obedeceu, e então eu finalmente pude soltar o ar que estava prendendo. Eu me virei para Greyson, que agora estava em pé, de costas para mim, olhando pela janela do escritório.

— Você está bem?

Ele se virou para mim. Inclinou a cabeça de leve enquanto entrelaçava os dedos com força.

— Sim, Eleanor. Estou bem — respondeu Greyson.

— Se não estiver...

— Eleanor.

— Sim.

— Feche a porta ao sair.

Fiz o que Greyson mandou, sabendo que ele já estava no limite e sem querer pressioná-lo ainda mais. Eu tinha pesadelos assim depois que minha mãe morreu. Era comum. Acontecia com muitas pessoas que haviam vivenciado uma tragédia. Eu me lembrava do pavor de fechar os olhos, porque não sabia aonde os sonhos iam me levar. Eu não estava preocupada com os sonhos dele. O que mais me consternava era que Greyson parecia ser o tipo de pessoa que não conversava com ninguém sobre o que estava sentindo.

Ele guardava todas as mágoas para si, e essa era a forma mais fácil de se afogar.

～

Fiquei até um pouco mais tarde com Lorelai naquela noite, pois sabia que ela havia ficado abalada com o surto do pai. Aquilo era algo que acontecia com a idade — quanto mais velho você fica, mais assustadora se torna a vida, e Lorelai estava na idade em que as coisas estavam começando a ficar um pouco mais assustadoras.

— Você está bem? — perguntei, indo até a cama dela e me sentando na beirada.

Ela confirmou com a cabeça e abraçou o travesseiro.

— O papai tá bem?

— Tá, sim. Ele só teve um sonho ruim.

— Ele tem muitos sonhos ruins — sussurrou ela, sua voz era bem baixinha e acanhada.

— É mesmo? Ele grita muito enquanto dorme?

— Grita. Às vezes ele me acorda quando tô dormindo. Ele tá bem mesmo?

Sorri, embora minha vontade fosse franzir o cenho. Passei os dedos pelos cabelos dela e me curvei para dar um beijinho em sua testa.

— Sim, ele está bem. Ele só está passando por uns problemas, só isso.

Ela assentiu, sendo mais compreensiva do que o esperado para uma criança tão pequena.

— Sinto falta dele.

— Você sente falta dele?

— É, ele costumava ficar comigo, mas agora... — As palavras dela morreram e ela franziu a testa. — Também sinto falta da mamãe. Ela era minha melhor amiga, ela e o papai.

Ah, querida...

— E da Karla. Ela era minha melhor amiga no mundo todo, mas agora nunca quer brincar comigo — explicou Lorelai. — Parece que ela tá sempre brava.

Meu coração doeu ao ouvir aquilo. Meu coração doía por todos eles. Suas vidas estavam emaranhadas na tragédia e nada podia realmente mudar essa situação.

Quando Lorelai finalmente pegou no sono, juntei minhas coisas para ir para casa e, quando passei pelo escritório do Greyson, notei que a porta estava aberta, o que não era comum.

Ele estava parado diante da lareira com um copo de uísque, e seu olhar era muito, muito firme. Suas sobrancelhas estavam unidas enquanto ele inspirava e expirava. Desejei poder entrar na cabeça dele e ver o que se passava dentro dela. Parecia que ele nunca parava de pensar, mas não se permitia externar esses pensamentos. A pressão que pesava em seus ombros parecia ser imensa.

— Oi — falei baixinho, e ele se virou de supetão. Quando olhou para mim, pareceu confuso por eu estar falando com ele. — Eu... bom, estava indo pra casa. As meninas já estão deitadas.

Ele assentiu uma vez com a cabeça.

— Obrigado.

— Lorelai ficou muito preocupada hoje.

— Não há nada com que se preocupar.

— Bem, eu discordo... — Dei um passo à frente e baixei o tom de voz. — Ela disse que acontece com bastante frequência.

— O quê?

— Seus terrores noturnos.

Ele inclinou a cabeça para mim, e seus olhos frios se fixaram nos meus.

— Eu não tenho terrores noturnos.

— Tem. — Afirmei com a cabeça. — Tem, sim, e é perfeitamente normal depois da tragédia que a sua família enfrentou. Depois que minha mãe morreu, eu não conseguia dormir. Lembra? Você me ligava. Você ligava e ficava no telefone comigo e...

— Por favor, não.

— "Por favor, não", o quê?

Ele deu um passo na minha direção, e sua voz era tão baixa que falhou na frase seguinte.

— Por favor, não faça isso.

— Isso o quê?

— Deixar tão claro que estou falhando com essa família.

A tristeza que escorria de suas palavras era de partir o coração.

— Não. Não é isso que eu estou dizendo. Você só está sobrecarregado. Não acho que eu conseguiria fazer metade do que você faz, principalmente com tudo o que está acontecendo. Você está fazendo tudo o que pode por suas filhas. Elas têm muitas atividades, estão sempre ocupadas, fazem terapia... mas você também precisa fazer alguma coisa por si mesmo. Você já procurou ajuda profissional?

— Não. Eu estou bem.

Ele mentiu bem na minha cara, como se isso fosse a coisa mais fácil do mundo. Talvez em algum lugar lá no fundo ele realmente acreditasse nessa mentira também, mas não havia nada no Greyson que estivesse bem. Ele vivia com uma chama interna que incendiava sua alma, mas não fazia nada a respeito.

Talvez porque ele não soubesse como lidar com a dor.

Ou talvez ele achasse que merecia queimar por dentro.

— Não há problema nenhum em procurar ajuda. Você me ensinou isso quando eu era mais nova. Foi você que me ajudou. Agora é sua vez de deixar eu te ajudar, Greyson.

Ele balançou a cabeça.

— A gente só fica cansado, sabe?

— Cansado de quê?

Ele inspirou profundamente e soltou o ar devagar enquanto coçava o queixo.

— De tudo — disse baixinho.

— Greyson... — comecei, mas ele balançou a cabeça.

— Boa noite, Eleanor.

Ele indicou a porta. Estava claro que aquela conversa havia se estendido por tempo demais.

Concordei com a cabeça e dei um grande passo atrás, com calafrios percorrendo minha espinha.

— Boa noite.

Capítulo 36

Eleanor

— Então, em qual episódio estamos da série amantes distantes? — indagou Shay, enquanto nos acomodávamos no sofá para nossa farra semanal de *reality shows*. — Como estão as coisas com o nosso Greyson?

— Não tem nada entre mim e o Greyson que seja digno de um *reality show*.

— Tá, claro. Então ainda estamos no episódio dois: "Negando o amor". Ai, isso é tão emocionante! Mal posso esperar, porque isso significa que daqui a pouco vem o episódio "Amizade em banho-maria"! Não vejo a hora de vocês, acidentalmente, se tornarem amigos de novo.

— Você está bêbada? — Eu ri. — Você só tomou uma taça de vinho, então acho que não está bêbada, né?

— Não, eu só entendo dessas coisas. Como roteirista, a gente aprende sobre a estrutura das tramas, e você e o Greyson são a clássica comédia romântica. É como se você fosse a Meg Ryan, e ele, o Billy Crystal. E eu fosse a Nora Ephron.

— Não entendi bem essa referência.

Os olhos dela se arregalaram.

— Como assim você não entendeu a referência? Ellie, *Harry e Sally: feitos um para o outro* é simplesmente uma das melhores comédias românticas de todos os tempos.

— Ah. Nunca vi.

Ela pulou no sofá, perplexa.

— Qual é o seu problema?

Eu ri.

— Tá, então, se ele é o herói do filme e eu sou a heroína, quem é a Nora Ephron? A melhor amiga excêntrica?

Shay me olhou como se eu tivesse acabado de arrancar o couro de um filhotinho de cachorro vivo. Ela levantou a mão e apontou para a porta.

— Sai agora do meu apartamento.

— Como é?

— Tô falando sério. Sai agora do meu apartamento. Nora Ephron, que Deus a tenha, foi simplesmente uma das maiores roteiristas de comédias românticas a dar o ar da graça nesse planeta. *Mensagem para você, Harry e Sally: feitos um para o outro, Sintonia de amor,* Ellie! Qual é?! Quer dizer, eu te amo, mas às vezes questiono sua inteligência quando você diz esse tipo de coisa.

Eu ri.

— Desculpa, mas nem todo mundo é cinéfilo que nem você, Shay.

— Só estou dizendo que ela era uma lenda.

— Então você acabou de se comparar a uma lenda?

Ela abriu um sorriso torto e ergueu os ombros.

— Se a carapuça servir... — Ela saltou do sofá e foi até a cozinha, então colocou um pacote de pipoca no micro-ondas. — Voltando ao assunto principal da noite: você e o Greyson.

— Não, esse definitivamente não é o assunto principal, porque não tem nada a ser dito. O assunto principal da noite é quem vai ficar com a última rosa no *The Bachelor*.

Shay grunhiu.

— Por que falar de *reality shows* forçados quando temos um de verdade bem aqui na nossa frente? Me fala só mais um pouquinho dele — pediu ela. — Como é o Greyson adulto?

Franzi o cenho, pensando.

— Num primeiro momento, achei que ele era meio rabugento e... bem, acho que ele até é rabugento mesmo, mas, sendo bem honesta, ele é basicamente triste. Tipo, muito solitário e desconectado de tudo ao redor.

Shay ficou séria.

— Isso é de partir o coração. Meio como o Jon Snow, então? Tipo uma tristeza sexy? Tipo aquela tristeza que faz você querer abraçar o cara e transar com ele?

Lancei um olhar severo para ela.

Ela levantou as mãos, aceitando a derrota.

— Tá bem, tá bem. Então ele tá bem arrasado mesmo, né?

O micro-ondas apitou, e ela tirou a pipoca. Depois de despejá-la numa tigela, Shay abriu um saco de batatas chips sabor churrasco e misturou os dois. Eu jurava que minha prima podia comer qualquer coisa no mundo e continuar um palito. Se eu só olhasse para um cupcake, minha bunda já aumentava dois números.

— Ele é como um zumbi de *The Walking Dead*. Fica se arrastando por aí, dia após dia, e tem explosões aleatórias de tristeza.

— Isso é muito triste. Ele era tão alegre quando jovem. Então você vai ajudá-lo?

— Assim, eu quero... Eu realmente quero. Eu só não sei mesmo como ajudar e, sinceramente, não acho que ele queira a minha ajuda.

— Bem, então só continue presente. Você é tipo aqueles cachorrinhos pelos quais as pessoas não conseguem não se apaixonar. Dê tempo ao tempo. Assim você provavelmente vai ajudar o Greyson a encontrar o caminho de volta.

Eu não sabia se ela estava dizendo aquilo porque realmente acreditava ou se só queria ver o episódio três da nossa série.

Mas, de qualquer forma, eu planejava estar presente. Quando éramos jovens e eu me sentia sozinha, foi exatamente isso que Greyson fez. Ele continuou presente e disponível, inclusive quando tentei afastá-lo de mim.

Talvez as pessoas só precisem de alguém que continue presente e disponível para elas nos dias ruins, mesmo quando tentam fazer o possível para manter todo mundo afastado.

Capítulo 37

Eleanor

Todos os dias, eu chegava à casa dos East quando o sol estava começando a nascer. Toda vez que eu o via nascer, fazia uma pequena prece. Eu tentava agradecer pelas pequenas coisas, pois era isso que minha mãe havia me ensinado. Eu tentava aproveitar todos os pequenos momentos, porque, no fim das contas, eram esses os que mais importavam.

Em uma sexta-feira, quando entrei na casa do Greyson, fiz meu café primeiro, como eu sempre fazia, e então fui acordar Lorelai. Quando entrei no corredor que dava para o quarto dela, Greyson apareceu do nada. Eu trombei nele, derramando café quente no terno inteiro.

— Merda! — gritou ele, dando um pulo para trás.

— Minha nossa! Me desculpa! — exclamei, colocando a caneca no chão e esfregando as mãos pelo peito dele para limpar o café que eu tinha derramado. Parei quando percebi que estava apalpando as partes íntimas do Greyson.

Ai, meu Deus. Para de esfregar o café que caiu na braguilha dele.

Ai, meu Deus. Está se mexendo!

Dei um salto para trás e senti o rosto ficar quente.

— Nossa! Me desculpa mesmo.

Para de olhar pra braguilha dele, Ellie. Levanta a cabeça, levanta a cabeça, levanta...

Levantei os olhos e vi que Greyson parecia furioso.

Naquele instante concluí que teria sido melhor se eu tivesse continuado olhando para a porção inferior do corpo dele.

Olha pra baixo, olha pra baixo, olha pra baixo...

— Meu Deus, você precisa olhar por onde anda! — rosnou ele, mais zangado do que deveria.

Estava claro que não tinha sido minha intenção derramar café nele nem apalpar suas partes íntimas.

— Me desculpa. Foi um acidente — falei.

— Isso não muda nada. Este terno custa setecentos dólares, foi feito sob medida, e você acabou de estragá-lo — ralhou ele de novo. Seu tom áspero me irritou.

— Bem, e por que alguém compraria um terno de setecentos dólares, pra início de conversa? — rebati.

Estar perto do Greyson era muito confuso. Você nunca sabia quando iria se deparar com a versão triste ou com a versão raivosa dele.

— Além disso, existe uma coisa chamada "lavagem a seco" — emendei.

— Não tenho tempo pra lidar com isso, nem com você.

— Por que você está sendo tão grosso? — perguntei.

— Por que você é tão desastrada? — retrucou ele, dando um esbarrão em mim ao seguir pelo corredor.

Ele foi embora, me deixando ali, perplexa.

— Isso foi muito escroto, Grey... — murmurei para mim mesma, abalada com a atitude desnecessária dele.

Tudo bem, eu tinha derramado café no terno absurdamente caro dele, mas não precisava ser tão grosseiro.

Acidentes acontecem.

— O que é um escroto? — perguntou uma vozinha fina.

Eu me virei e vi Lorelai bocejando, as asinhas de borboleta nas costas, e coçando os olhos cansados.

— Ah, nada, Lorelai. Eu disse "ex-broto". É tipo uma pessoa que não é mais tão jovem — improvisei, tentando encobrir meu erro.

— Meu pai é um "ex-broto"? — quis saber ela.

Ótimo.

— Bem, não. Quer dizer... Hum, é, foi que eu quis dizer...

Antes que eu conseguisse me explicar, Lorelai saiu marchando e gritando:

— Papai! Papai! Sabia que você é um "ex-broto"?! Você é um "ex-broto", papai!

Não fiquei nada surpresa, naquela noite, ao abrir meu e-mail e ver uma mensagem do Greyson na caixa de entrada.

DE: GreysonEast@gmail.com
PARA: EleanorGable@gmail.com
DATA: 8 de março, 19:34
ASSUNTO: Sério?

Eleanor,

Ex-broto.
Sério?

Duas bolas fora.

Cordialmente,
Sr. East

Fechei o laptop e levantei ligeiramente os ombros.

Tudo bem. Acho que dessa vez eu merecia. Por outro lado, meu "ex-broto" contou como uma bola fora, mas o fato de eu ter, de certa forma, contribuído para que a filha mais velha dele perdesse semanas de aula, não. Eu estava começando a achar que esse sistema de bolas fora era falho.

Fui aproveitar o restante da minha noite de sexta-feira da melhor forma possível — tentei ligar para o meu pai e, como ele não atendeu, voltei a ler. Shay pretendia ficar trancada no quarto trabalhando em seu próximo roteiro pelo resto da noite. Nós, mulheres solteiras, realmente sabíamos como fazer a farra no final da semana, isso era certo.

Fiquei sentada no sofá da sala lendo meu romance até tarde e, por volta da meia-noite, meu celular apitou.

Eu tinha recebido outro e-mail.

DE: GreysonEast@gmail.com
PARA: EleanorGable@gmail.com
DATA: 9 de março, 0:04
ASSUNTO: Hoje

Eleanor,

Peço desculpas por ter gritado com você hoje.. Eu estava zonzo e confuso depois depois de uma noite sem dormir. Não consegui desligar o cérebro e descontei em você.

Você me confunde.
Quando você está por perto, não sei pra onde olhar.
Não sei coomo agir.
Não sei como ficar no mesmo esspaço que você sem sentir alguma coisa.

Não sei o que significa o fato de você ter vindo parar aqui depois de todo esse tempo, e isso me deixa louco.

Está sendo uma semana ruim.
Acordei com o pé esquerdoo e descontei em você.
Me perdoa.

Grey

Eu me sentei e reli tudo várias vezes, reparando nos erros de digitação, assimilando as palavras dele. Meu estômago estava embrulhado, e eu me sentia enjoada enquanto meus olhos vagueavam pela tela, tentando processar o e-mail dele. Era a última coisa que eu esperava receber ao fim de um dia daqueles.

Meu celular apitou de novo com mais um e-mail.

DE: GreysonEast@gmail.com
PARA: EleanorGable@gmail.com
DATA: 9 de março, 0:09
ASSUNTO: Favor ignorar

Eleanor,

Por favor, ignore meu último e-mail.
Andei bebendo e sinto muito.

Sr. East.

Por favor, ignore meu último e-mail.
Como eu poderia fazer isso?
Por um instante, ele havia vacilado. No primeiro e-mail, ele tinha assinado como "Grey", o menino que eu costumava conhecer tão

bem, que estava sofrendo, passando por dificuldades e começando a permitir que eu entrasse um pouquinho nas sombras que ele habitava.

Então, minutos depois, ele voltou a ser o Sr. East.

Curto e grosso. Prático.

Era como se a alma dele estivesse se debatendo em um mundo de lama. Uma parte dele ansiava por se abrir, gritando por ajuda, enquanto a outra queria ser enterrada viva.

Ele lutava uma batalha contra si mesmo, e eu tinha quase certeza de que estava perdendo.

Pelo menos estávamos quites com relação a uma coisa: ele também me confundia. Quando ele entrava em um cômodo, eu não sabia para onde olhar nem como agir. Não sabia como ficar no mesmo espaço que ele sem sentir alguma coisa.

Por um instante, pensei em responder, mas então percebi que não sabia mais o que dizer a ele. Eu sabia o que teria dito no passado, mas Greyson não era mais o mesmo menino, e eu não era mais a mesma menina.

Agora eu não sabia mais o que o deixava zangado ou o que o tranquilizava. Não sabia o que tornava sua vida mais difícil, não sabia o que o apaziguava.

Então, o melhor que eu podia fazer era respeitar o desejo dele.

Dei a ele meu silêncio.

Ignorei seus e-mails.

~

Na segunda-feira, quando fui trabalhar, encontrei Greyson parado à porta do quarto da Karla, olhando para a filha adormecida. Ele parecia perdido em pensamentos enquanto seus olhos a estudavam.

Não era a primeira vez que eu o pegava observando as filhas dormindo. Teve um dia até que eu poderia jurar que ele estava contando os batimentos cardíacos delas.

Então me perguntei há quanto tempo ele estaria parado ali. Fiquei imaginando com que frequência ele observava as filhas de longe.

— Oi — falei, e ele olhou para mim. — Sei que você tem um voo agora e não quero que se atrase. As ruas estão bem ruins com a neve.

Ele ia para Nova York, onde passaria os próximos dias, e eu dormiria na casa pela primeira vez com as meninas.

— Sim, claro. — Ele desviou o olhar de mim com a maior rapidez do mundo e voltou a observar a Karla. Logo em seguida ele se virou de novo para mim. — Obrigado por tomar conta delas. A Allison e a Claire estarão por perto se você precisar de alguma coisa. Se acontecer qualquer emergência, por favor, não hesite em me ligar — instruiu ele, alisando a roupa.

— É claro. Boa viagem.

Ele assentiu e se virou para sair. Ao passar por mim, seu ombro esbarrou de leve no meu e eu podia jurar que, por uma fração de segundo, o tempo congelou.

— Ah... e, Eleanor... Hum... — Ele parou e pigarreou, depois se mexeu sem sair do lugar. — Sobre aqueles e-mails...

Abri um pequeno sorriso e dei de ombros.

— Que e-mails?

Um suspiro de alívio escapou dos lábios dele e seus ombros tensos relaxaram. De repente, ele olhou para mim — digo, realmente olhou para mim. Seus olhos se fixaram nos meus, e eu podia jurar que enxerguei dentro de sua alma.

— Obrigado, Eleanor — disse ele, suas palavras carregadas de gratidão. Ele baixou a cabeça e fungou antes de abrir um sorriso sem graça. — Obrigado.

Capítulo 38

Eleanor

— Você acha que ele vai gostar desse aqui? — perguntou Lorelai.

Na última semana, Lorelai vinha passando mais tempo desenhando em seu quarto de artes, criando novas obras-primas para pendurar em seu quarto, mas o maior projeto do momento era para Greyson. Desde o episódio do terror noturno, ela vinha pensando em uma forma de fazer o pai se sentir melhor. Ela havia passado muitas horas criando uma coleção de desenhos que eram lembranças da família para dar a ele, e aquilo era, de fato, a coisa mais atenciosa que eu já tinha testemunhado.

Greyson chegou de viagem naquela sexta. Ele não disse nada, estava ao celular quando entrou em casa e foi direto para o escritório, fechando a porta.

Foi naquela tarde que Lorelai finalmente terminou sua obra de arte. Nós tínhamos um tempinho antes de a Claire passar para pegá-las para ficar com elas no fim de semana, e Lorelai estava mais decidida do que nunca, determinada a terminar os desenhos antes de ir.

— Pronto — anunciou ela, largando o giz de cera.

Ela pegou todos os desenhos e ficou olhando para eles. Seus olhinhos brilhavam de orgulho.

— Estão perfeitos — comentei delicadamente, orgulhosa da dedicação daquela menininha à sua arte.

Havia muitas lembranças dela, da Karla e de seus pais, e aquilo tocava meu coração profundamente. Eu ficava feliz por ela ainda se lembrar.

Depois que minha mãe morreu, eu tive bastante dificuldade em reter lembranças.

Ela se levantou com o maior sorriso do mundo no rosto e saltitou.

— Vou entregar pra ele agora! — exclamou ela.

— Não, espera, ele está traba... — comecei, mas ela já corria em direção ao escritório dele. — Lorelai, espera!

Corri atrás dela e a vi entrando sem pestanejar no escritório do Greyson. A porta abriu tão rápido que bateu na parede e eu me encolhi.

— Papai! Papai! Olha o que eu fiz pra você! — gritou Lorelai. Sua voz transbordava alegria, e ela não parava de pular.

Greyson se virou para a filha, o celular grudado na orelha. Ele estava no meio de uma ligação. Os olhos dele se arregalaram, chocados, e ele cobriu o microfone do aparelho com a mão.

— Lorelai, agora, não.

— Mas, papai! Eu fiz...

— Agora. Não! — sibilou ele, parecendo mais irritado do que nunca.

Os olhos dele se fixaram nos meus, e havia tanta raiva neles que eu dei um passo atrás. Ele olhou para mim como se me mandasse, telepaticamente, fazer o meu trabalho se ainda quisesse ter um emprego. Então, deu as costas para nós duas e retomou à ligação.

— Não, peço desculpas. Não é nada.

Não, Greyson. É alguma, sim.

É tudo.

Fui até Lorelai e coloquei as mãos nos ombros dela para tranquilizá-la.

— Melhor voltarmos depois que ele der uma pausa no trabalho.

— Mas ele tá sempre trabalhando. — Ela suspirou, balançando a cabeça. Então saltitou, ainda esperançosa. — Papai, eu fiz esses desenhos pra você! — exclamou ela.

A esperança dela me entristeceu.

Eu costumava ser exatamente assim com meu pai.

— Lorelai, não estou brincando! Agora não é hora! — ralhou Greyson, jogando um balde de água fria na alegria da filha.

Os ombros dela se curvaram para a frente, e seus olhinhos se encheram de lágrimas.

— Mas, papai, os desenhos...

Greyson resmungou e se virou de costas para ela mais uma vez.

— Deixa em cima da mesa.

Lorelai ficou arrasada. Parou de saltitar, e seu sorriso desapareceu. Com passinhos lentos, ela caminhou até a mesa do pai e largou o projeto de arte no qual tinha trabalhado com tanta dedicação. Então, ela se virou e saiu do escritório, desolada e triste.

Nossa.

Eu não tinha como ficar em silêncio naquele momento.

Não dava. Eu não podia deixar aquilo passar. Lorelai era a menina mais doce do mundo, e o fato de o próprio pai a ter tratado de um jeito tão repugnante fez meu sangue ferver.

Portanto, era melhor que Greyson desligasse aquele telefone rapidinho, porque eu não ia sair dali sem falar umas poucas e boas para ele.

— *Você só pode estar de brincadeira* — sibilei, ainda parada em pé no escritório dele.

Ele olhou para mim, totalmente desconcertado, então voltou ao celular.

— Retorno a ligação daqui a pouco, Sr. Waken. Sim, eu sei, e peço mil desculpas. Preciso lidar com um problema urgente aqui.

— Sim, Greyson — afirmei, cruzando os braços. — Lide com isso.

E foi assim que chegamos ao sexto episódio da série Greyson e Eleanor: "A briga".

Ele encerrou a ligação e estreitou os olhos enquanto se virava para mim.

— O que você pensa que está fazendo?

— O que eu estou fazendo? Não, o que *você* está fazendo?

— Trabalhando, ao contrário de algumas pessoas por aqui. Como você ousa permitir que a Lorelai entre no meu escritório desse jeito? Você sabe como essa ligação era importante? — rosnou ele.

— Você sabe como aqueles desenhos eram importantes? — rebati, sem recuar.

Eu estava cansada de recuar. Greyson estava perdido, empacado, triste e sofrendo, mas, em meio a tudo isso, ele estava magoando as pessoas mais importantes da vida dele. Estava magoando as próprias filhas.

Ele se enraiveceu.

— Eleanor, por favor, saia do meu escritório.

— *Não.*

Ele arqueou uma das sobrancelhas.

— Como?

— Eu disse "não". Não vou sair porque você tem que me escutar. — Engoli em seco, nervosa, mas decidida a me fazer ouvir. — Eu entendo que seja difícil pra você.

— O quê?

— Eu disse que entendo. Entendo que alguns dias sejam mais difíceis que outros, mas a maneira como você tratou a Lorelai agora é inaceitável.

— Como é que é? — sibilou ele, sua voz transbordava indignação. O peito dele inflava e desinflava rapidamente, e ele estava apertando os dedos.

— A maneira como você dispensou sua filha é inaceitável. Ela passou a semana toda trabalhando naqueles desenhos e não via a hora de mostrar tudo pra você.

— Ela escolheu a hora errada pra me mostrar os desenhos.

— E quando ela deveria tentar te mostrar? Ultimamente, qualquer hora parece ser a hora errada com você. Você nunca está em casa e, quando está, fica trancado neste escritório como se fosse um homem das cavernas. Você não interage com as suas filhas a menos que elas estejam dormindo, coisa que eu não consigo compreender. Durante o dia você nem olha para elas, Greyson. Você nem vê suas filhas.

Ele fechou os olhos por um segundo, como se conseguisse sentir a verdade por trás das minhas palavras, mas lutasse contra elas, como se não quisesse encarar a realidade.

— Ela conhece as regras quanto a entrar no meu escritório.

— Ela tem 5 anos, Greyson! Danem-se as suas regras.

Ele deu as costas para mim de novo. Aquele era seu movimento preferido, dar as costas para tudo.

— Se você puder voltar pro seu trabalho, eu gostaria de voltar pro meu.

— Ela trabalhou tanto naqueles desenhos, e você nem deu atenção. Você deve um pedido de desculpas a ela.

— Você precisa ir embora — ralhou ele, virando-se e dando alguns passos na minha direção.

— *Não* — berrei, erguendo o queixo enquanto dava um passo na direção dele.

Peito estufado. Cabeça erguida. Eu esperava que ele não notasse que eu tremia um pouco. Não era segredo que ele me deixava nervosa. Greyson era tão frio e rígido que eu nunca sabia se ele estava prestes a estourar ou não, e isso era assustador. Mesmo assim, eu não podia recuar, porque Lorelai precisava de mim. Ela precisava de alguém que lutasse por ela, visto que não podia fazer isso sozinha. Então, finquei os pés no chão e me mantive firme.

— A sua filha está chorando aqui do lado porque você não parou um segundo pra ver os desenhos dela.

— Isso é tudo, Eleanor? Porque, se você tiver terminado, eu preciso voltar a trabalhar.

— Nem tudo na vida se resume a trabalho.
— Talvez não pra você, mas pra mim, sim.
— Você não queria ser como ele — falei, balançando a cabeça, incrédula. — Você passou a vida toda não querendo ser como o seu pai.
— Meu pai era um homem trabalhador. Eu era uma criança que não reconhecia os sacrifícios que ele fazia para administrar essa empresa e sustentar a família.
— Isso é mentira.
— Eleanor, para — disse ele, quase como se estivesse implorando que eu recuasse por estar tocando em um assunto delicado, mas eu não podia.

Eu ia pressioná-lo. Continuaria pressionando até que ele despertasse daquela escuridão profunda em que estava imerso. Eu ia continuar cutucando-o com minhas palavras até que a realidade o arrebatasse.

— Seu pai te abandonou — afirmei. — Ele foi embora, assim como a sua mãe, e eles te deixaram sozinho.
— Eleanor.

A voz dele era grave, e seus olhos, intensos. Eu estava conseguindo. Estava mexendo com ele e não ia parar.

— Você me disse várias vezes que se sentia sozinho depois que seu avô morreu. Você me falou várias e várias vezes que odiava ficar em casa, porque não tinha ninguém lá pra te acolher. Greyson, esse não é você. Essa não é a pessoa que você queria ser. Esse não é quem você deveria ser.

— Você não me conhece — rosnou ele, seu rosto ficando mais vermelho a cada segundo. — Você não sabe quem eu me tornei.

— Sim, mas sei quem você era — retruquei. — E ainda consigo ver aquele menino em algum lugar dentro dos seus olhos, lutando com unhas e dentes pra voltar à vida.

— Você não sabe de nada — argumentou ele.
— Sei que você sente falta da sua mulher.

O queixo dele caiu, e ele estreitou os olhos. Aquilo o atingiu com força. Aqueles olhos cinzentos frios...

— Acho melhor você parar de falar.

— Sim, você tem razão. Eu devia parar, mas não vou, porque eu entendo. Eu sei que você sente falta dela, Greyson. E sei que, quando você olha pras suas filhas, você vê muitas partes da Nicole nelas, e isso deve ser difícil. Tenho certeza de que, às vezes, a sensação é de que a dor do luto vai te engolir, mas você não pode permitir que ela te domine. Você tem duas filhas lindas que procuram orientação e amor em você, e a última coisa que elas precisam é disso, dessa versão *monstruosa* do pai que surge do nada e acaba com o mundo delas.

Embora minha voz tremesse, permaneci de cabeça erguida diante do Greyson. Eu sabia que aquele espectro de homem não era ele. É claro que tínhamos perdido alguns anos, mas, bem no fundo daquela escuridão, estava o menino que um dia eu tanto amara, o menino gentil e adorável. O menino que me salvara.

Eu precisava acreditar que o meu Grey ainda vivia dentro daquele homem. Caso contrário, o mundo estava perdido.

— Ora, ora, temos aqui uma sabe-tudo — comentou ele sarcasticamente.

— Não sou sabe-tudo, mas sei o bastante.

Ele se enfureceu com as minhas palavras, obviamente irritado por eu ter a audácia de falar com ele daquele jeito.

— Então, por favor, Eleanor, me diga. Parece que você foi enviada a mim pra me lembrar de todas as minhas falhas. Você está aqui pra jogar as suas verdades sobre mim e minha família na minha cara, então me diga! Me diga: do que as minhas filhas precisam?

— *Do pai delas!* — berrei, minha voz vacilando enquanto eu marchava na direção dele.

Eu continuei a avançar, o que me surpreendeu um pouco. Talvez porque eu estivesse levando tudo aquilo para o lado pessoal. Talvez fosse porque eu sabia como era estar na situação daquelas meninas, porque todas as palavras que eu nunca gritara para o meu pai agora estavam transbordando da minha alma. Então, eu não podia recuar, porque meu coração estava batendo forte demais dentro do peito. Eu não podia recuar, porque minha alma sabia que era importante ajudar Greyson a encontrar o caminho de volta. Estávamos cara a cara, as respirações dele eram pesadas, transbordavam aborrecimento; meu peito inflava e desinflava. Eu estava irritada por ele ser tão fechado. As exalações quentes dele sibilavam na minha pele e, toda vez que ele piscava, eu esperava o olhar dele voltar a se fixar no meu.

O cômodo estava dominado pela tensão. Cada inspiração parecia mais difícil que a anterior, e minha pulsação não desacelerou. Eu teria mantido o nível de intensidade também, se não fosse por um único detalhe.

De vez em quando, ele piscava, e parecia arrasado. Como se cada pedacinho de sua alma estivesse sendo incendiado.

De todas as emoções que habitavam o corpo de Greyson, a que mais cintilava era a exaustão. Ele parecia à beira da exaustão ao olhar para mim.

Pela primeira vez desde que eu tinha entrado no escritório dele hoje, examinei seu rosto; as curvas, as depressões, as marcas de expressão.

Os lábios... A maneira como eles se curvavam para baixo, de tristeza.

Os olhos... A maneira como contavam a história de seu passado.

Recuei.

Então fui eu quem desmoronou, porque estava claro que não havia nada mais a ser despedaçado dentro dele.

— É de você, Greyson... — Desviei o olhar e esfreguei o queixo com o polegar. Meus ombros arquearam para a frente, derrotados, e balancei a cabeça de leve. — Elas só precisam de você.

O cômodo foi dominado pelo silêncio, enquanto ele continuava olhando para mim.

Dei um passo atrás.

— Perdão — sussurrei. — Eu passei dos limites.

— É, passou.

— Eu só queria dizer...

— Você está demitida — ele me interrompeu.

— Peraí. Como é que é?

— Está claro que você não concorda com a forma como essa família é administrada; portanto, você não se encaixa bem aqui.

Senti um aperto no peito quando o pânico começou a se espalhar pelo meu corpo.

— Mas, quer dizer, sei que passei dos limites...

— Exatamente, e isso basta. Terceira bola fora. — Ele se virou de costas para mim e baixou a cabeça enquanto me dava uma última ordem. — Feche a porta ao sair.

Capítulo 39

Eleanor

— Feliz aniversário, minha querida! — exclamou Claire naquela tarde quando Lorelai saiu correndo do quarto na direção da avó.

Lorelai se jogou nos braços da Claire para um abraço apertado e eu fiquei ali parada, perplexa.

— É aniversário da Lorelai? — perguntei, quando Claire soltou a neta e lhe pediu que fosse buscar sua malinha. — Eu não fazia ideia. Podíamos ter comemorado.

— É, ela faz 6 aninhos. — Ela olhou para o escritório do Greyson. — Como ele está hoje? Estou ligando desde cedo, mas ele está ignorando minhas ligações.

Fiquei parada ali na sala de estar olhando para ela, ainda atordoada por causa da minha discussão com o Greyson.

— Pra falar a verdade, ele me demitiu.

— O quê? — Os olhos dela se arregalaram de preocupação. — Por quê? — Expliquei para Claire o tinha acontecido, e ela respirou fundo. — Ah, entendi. Tadinha da Lorelai.

— Ela ficou arrasada.

— Todo mundo nessa casa está arrasado — concordou ela. — Eu devia imaginar que esses dias seriam difíceis pra todos. Estava realmente torcendo pra que isso fosse aproximar o Greyson das meninas, em vez de afastá-lo.

— Como assim?

— Hoje faz um ano do acidente. — Ela baixou a cabeça e fungou. — Eu senti que o Greyson estava ficando mais distante nas últimas semanas. Sei que ele ficou frio depois do que aconteceu, mas parecia que ele estava ainda mais frio.

Engoli em seco, me sentindo péssima, sabendo que eu tinha brigado com ele sem fazer ideia das dificuldades pelas quais estava passando. É claro que ele estava passando por dificuldades — como poderia não estar?

— Eu não fazia ideia — confessei. — Eu sinto muito. Não devia ter pressionado.

— Não é culpa sua. Você não sabia.

Apesar de entender um pouco o comportamento dele, o aperto no meu peito continuou. Eu não sentia nada além de culpa.

Quando entrei como um raio no escritório do Greyson, não estava ali apenas como uma babá preocupada, e sim como uma filha que muitas vezes fora engolida pela raiva por um pai que me abandonara emocionalmente. Fui falar com ele com a cabeça cheia e disse coisas que não deveria ter dito. Invadi o espaço dele e o repreendi não apenas pela Lorelai, mas por mim, por toda criança que se sentia invisível para os pais.

Enquanto eu esbravejava por causa da injustiça da situação, não fazia ideia do temporal que Greyson estava enfrentando sozinho.

Claire colocou a mão no meu ombro e o apertou de leve.

— Você está se desculpando por tê-lo pressionado, mas eu acho que é isso que precisa acontecer. O Greyson precisa que alguém o acorde. Ele precisa ser pressionado, então obrigada por isso. Obrigada por forçá-lo a sair da letargia.

— Não sei se o ajudei assim, e também não importa muito, já que ele me demitiu.

Claire abriu um sorriso e balançou a cabeça de leve.

— Deixa passar o fim de semana. Ele só precisa atravessar essa tempestade. Um dia de cada vez. Você já durou bem mais tempo do que as outras babás, isso deve valer de alguma coisa. Então não saia distribuindo currículos ainda. Espere a poeira baixar um pouco.

~

Eu devia ter ido para casa depois que Greyson me demitiu. Devia ter ficado encolhida no sofá lendo um livro e tomando uma xícara de chá, mas não consegui, porque isso parecia errado. Não conseguia aceitar a ideia de deixar Greyson sozinho na noite mais solitária e difícil de sua vida.

Ele tinha ficado ao telefone comigo por horas na noite em que minha mãe morreu, sem desligar. Eu devia a ele a mesma coisa que ele tinha me dado — companheirismo.

Deixei passar um tempo, então bati na porta da casa do Greyson, mas ele não atendeu, embora eu pudesse vê-lo pela janela. Ele estava na sala de estar, olhando para o fogo aceso na lareira, segurando alguma coisa.

Bati mais uma vez, mas ele nem se mexeu.

Respirando fundo, peguei minha chave e abri a porta. Eu já estava no olho da rua mesmo — o que de pior ele podia fazer agora? Chamar a polícia por eu estar invadindo a casa com a chave que ele tinha me dado?

Eu estava disposta a arriscar.

— Greyson — chamei baixinho, indo até ele.

Ele não reagiu à minha voz, sequer se encolheu, como se não tivesse me escutado.

— Greyson, você está bem?

Eu me aproximei dele, meu nervosismo crescendo a cada passo. Ele se virou lentamente e, quando vi seus olhos repletos de emoção, meu peito ficou apertado.

Ele tinha chorado. Devia ter chorado.

Os olhos de ninguém podiam ficar tão vermelhos e inchados se não houvesse algum tipo de emoção escapando deles.

Em suas mãos estavam os desenhos da Lorelai.

— Estou bem — respondeu ele, virando-se de novo para a lareira.

— Eu... Parece que... — comecei, mas ele me interrompeu.

— Achei que eu tivesse deixado claro que seus serviços não são mais necessários aqui.

— É, deixou. Entendi a mensagem perfeitamente.

— Então por que ainda está aqui?

— Porque você precisa de mim.

— Não preciso. Por favor, vai embora.

Ele sussurrou aquelas duas últimas palavras, mas a voz dele tremia. A dor permeava sua irritação.

— Não posso.

Eu precisava ficar porque devia aquilo a Greyson. Eu devia a Greyson por ele ter ficado ao meu lado durante meus dias ruins todos aqueles anos atrás. Eu devia a Greyson porque, quando eu estava à deriva, ele tinha me puxado de volta para a orla.

— Não posso deixar você assim, Greyson, principalmente hoje.

Ele suspirou.

— Então a Claire te contou.

— Contou. Eu sinto muito, muito mesmo. Não consigo imaginar o que você está passando, mas sei que não devia enfrentar isso sozinho.

Greyson baixou a cabeça, e seus ombros se arquearam, mas ele continuou sem me olhar.

— Se você quiser que eu vá embora, eu vou. Vou e não volto mais. Pela manhã, estarei longe daqui, e você nunca mais vai ter notícias minhas, mas, se alguma parte de você quiser que eu fique... Se alguma parte de você não quiser ficar sozinho esta noite, é só me dizer. É só me dizer que eu fico. Não precisamos nem conversar. Você pode ficar de costas pra mim a noite toda que eu não vou sair do seu lado. Você não precisa ficar sozinho hoje.

— É sexta à noite... Você não tem nenhum compromisso? — perguntou ele.

— Tenho. — Confirmei com a cabeça. — E estou bem aqui.

Ele ficou em silêncio mais um tempo, e eu tive certeza de que aquela era minha deixa para ir embora, mas, quando me virei para sair, ele foi até o carrinho de bebidas. Ele largou os desenhos e então se abaixou, pegou dois copos e os colocou em cima da mesa.

Então pegou uma garrafa de uísque e se virou para mim.

O lábio inferior dele tremia de leve, e ele fixou os olhos cinzentos nos meus.

Aqueles olhos tão, tão tristes.

Os lábios dele se abriram e Greyson perguntou:

— Você bebe uísque?

Eu não esperava que ele fosse me pedir para ficar, mas, quando pegou aquela garrafa, o ar que eu nem sabia que estava prendendo escapou pelos meus lábios.

No fim das contas, nem a alma mais solitária de todas quer realmente ficar sozinha.

— Claro.

Ele assentiu e serviu o destilado nos copos.

Então ele os pegou e me entregou um. Fomos até o sofá e nos sentamos, ele à direita, e eu à esquerda, e não dissemos nada. Ficamos sentados lado a lado, com os copos na mão e sem dizer uma palavra. Tudo estava tão quieto, o silêncio se estendia de uma parede a outra por toda a casa vazia. Tudo o que ouvíamos eram nossos goles na bebida e nossas respirações.

Quando ele inspirava, eu expirava. Quando ele expirava, eu inspirava.

Ficamos assim por um tempo, ambos enchendo a cara e sem falar nada. Ele continuou enchendo os copos até o uísque acabar. Foi só depois de ter passado um bom tempo e o efeito do álcool se manifestar que Greyson pigarreou.

Meus olhos se voltaram rapidamente para ele, e percebi que sua postura rígida havia cedido. Ele já não estava tão tenso. Seu corpo tinha relaxado um pouco, soltando-se enquanto ele abria a boca para falar.

— Eu te devo um pedido de desculpas — confessou ele, falando bem baixinho. — Pela maneira como te tratei hoje.

— Tá tudo bem.

— Não, não tá. Fui escroto e sinto muito. — Ele se virou para mim antes de voltar a olhar para o copo vazio. — Às vezes não sei como existir perto de você.

— Como assim?

— Você representa um período da minha vida em que as coisas eram mais fáceis, melhores, e isso é difícil. É difícil olhar pra trás, pra um tempo tão bom, quando as coisas estão tão despedaçadas como agora.

— Posso perguntar por que você me contratou, então?

Ele inclinou a cabeça para mim e me olhou. E, dessa vez, senti nossa conexão. Senti a presença dele.

— Porque acho que uma pequena parte de mim que não está destruída precisa de algo bom a que se apegar.

— Eu sou algo bom?

— Você sempre foi algo bom, Eleanor, desde a primeira vez que te vi.

Meu coração palpitou, mas eu me esforcei ao máximo para não prestar atenção nele.

— Lamento que você esteja sofrendo tanto — falei.

— Por quanto tempo eu vou sofrer? — perguntou ele bem baixinho

Repeti resposta que ele tinha me dado muitos anos antes.

— Pelo tempo que precisar.

— Me desculpa — murmurou ele, virando-se para o outro lado, parecendo envergonhado. — Estou bêbado.

— Você não precisa se desculpar por ter sentimentos, Greyson. Eu estaria tão perdida e confusa quanto você, se não mais.

Ele assentiu e olhou para a lareira. O fogo flamejava na lenha, e as chamas bailavam como se fossem arder para sempre.

— Por que você voltou? — indagou ele.

— Hum?

— Depois que eu te demiti... Por que você voltou pra ver como eu estava?

— Porque eu te devia uma.

— Pelo quê?

— Por ter me salvado quando eu era mais nova e estava prestes a me afogar.

— Obrigado, Ellie.

Eu sorri.

— Imagina. Vou lá pegar um pouco de água pra gente, pra aliviar o porre.

Eu me mexi para levantar do sofá, com o copo na mão, e então parei quando ele falou.

— Hoje é aniversário da Lorelai — contou ele. Ele estava se abrindo cada vez mais à medida que o uísque fazia efeito. *Por favor, continue se abrindo, Grey*. Ele deslizou o polegar pela borda do copo, e suas sobrancelhas se uniram enquanto o examinava. — Ela fez 6 anos hoje.

Voltei a me sentar e me virei para ele.

— É, a Claire me contou. Eu não fazia ideia. Podíamos ter comemorado. Eu podia ter feito um bolo, ou algo assim.

Ele fez uma careta e esfregou a nuca.

— Não sabia como encarar o dia de hoje.

— Eu não enten... — comecei, mas as palavras morreram quando as peças se encaixaram. É claro que ele não comemorara o aniversário da Lorelai. — Porque foi no dia do aniversário da Lorelai que a Nicole morreu.

Ele confirmou com a cabeça.

— Há exatamente um ano tudo mudou, e eu nunca me recuperei. É uma merda, né? Essa pessoa que eu me tornei, a pessoa que eu sou... Sou um monstro.

— Greyson...

— Não, Eleanor. Não faz isso.

— Fazer o quê?

— Sentir pena de mim. Sei que é fácil pra você sentir pena de mim, mas não sou o herói da história. Sou o vilão.

Ele mordeu o lábio inferior e se recusou a olhar para mim.

— Você não é um vilão, Greyson.

— Diga isso para aquela menininha que não está comemorando o aniversário com o pai. Você sabe, aquela que tem mais conversas com um fantasma do que comigo. Ou, então, diga isso para aquela que está aleijada e cheia de cicatrizes por minha causa.

Olhei para ele franzindo o cenho, porque percebia a dor que Greyson sentia, mas também conhecia o outro lado. Eu também era as duas filhas dele. Era a Lorelai, a menina que só queria a atenção do pai, e era a Karla, a menina que se rebelava só para que ele a notasse.

A única diferença entre nós era que eu nunca tinha visto no meu pai a culpa que o Greyson carregava. Nunca presenciei os momentos silenciosos em que as verdades do meu pai eram reveladas.

— Foi mal — murmurou ele, pressionando o ponto entre as sobrancelhas. — De novo... Estou bêbado — repetiu ele.

— Tá tudo bem.

— Não tá, não. Não sei como recuperar agora — confessou ele.

— Recuperar o quê?

— Minha família.

— Você sente falta das suas filhas?

— Todos os dias.

— E quer fazer parte da vida delas?

Ele suspirou e torceu o nariz enquanto largava o copo e colocava as mãos na nuca.

— Quando eu olho pra elas, não vejo só a mãe delas. Vejo tudo o que tirei das duas. Sou responsável pela perda do que mantinha a família unida, e não sei como recuperar isso. Tanto tempo se passou que agora eu nem sei se tenho o direito de ter as duas de volta.

— Tem, sim.

— O fato de você dizer isso não significa necessariamente que seja verdade.

— Não, você tem razão, mas é verdade. As duas te aceitariam de volta sem questionar, sem hesitar. — Inclinei a cabeça. — Bom, talvez a Karla hesite um pouquinho, mas só porque é a Karla. Ela é muito teimosa.

— Não sei de quem ela puxou isso.

Dei um sorriso torto para ele e revirei os olhos.

— É, não dá pra ter ideia.

— Eu nem sei por onde começar... como voltar a fazer parte da vida delas.

— Primeiro, você; depois, elas. Você precisa se ajudar primeiro, Greyson. Precisa se recuperar pra poder ser o que suas filhas precisam que você seja. Além do mais, posso ser a sua copiloto.

— Minha copiloto?

— É, vou inventar uns eventos pra irmos todos juntos. Vamos fazer uma atividade uma vez por semana. Isso vai te dar a chance de realmente se reconectar com as meninas.

— Você faria isso por mim? — perguntou ele, parecendo chocado pela minha sugestão.

— Greyson... Você moveu mundos e fundos pra ficar comigo uma vez por semana quando minha mãe estava doente. Você me ajudou a continuar respirando. Nada mais correto do que eu retribuir o favor. Então, o que me diz? Vai me deixar ser sua copiloto?

Ele meio que sorriu, e eu meio que adorei.

Tanto faz.

— É, acho que vou.

Estendi o mindinho para ele.

— Juramento de dedinho?

Ele enganchou o mindinho no meu. Tentei ignorar as borboletas que começaram a bater suas asinhas no meu estômago, porque essas sequer tinham o direito de existir.

Quando chegou a hora de eu ir embora, me levantei e caminhei até a porta. O céu noturno era de um azul intenso e salpicado de estrelas. Greyson me acompanhou até a varanda, as mãos nos bolsos.

— Obrigado por ficar — disse ele.

— Imagina. Espero que você fique bem.

Ele assentiu.

— Te vejo na segunda.

— Isso quer dizer que ainda tenho um emprego? — perguntei, meio que brincando, com base na minha nova ocupação como copiloto.

— Se ainda estiver disposta a trabalhar pra mim, é claro.

Sorri.

— Te vejo na segunda, Greyson.

— Ellie... — Ele passou o dedo pelo queixo e deu de ombros de leve. — Pode me chamar de "Grey".

Capítulo 40

Greyson

— Ai, meu Deus. Isso é um pônei?! — gritou uma voz assustadoramente parecida com a da Lorelai enquanto eu estava trancado no meu escritório no sábado à tarde, embora eu tivesse certeza de que estava ouvindo coisas, já que as meninas ficariam na casa dos avós até domingo.

— AI, MEU DEUS. É UM PÔNEI!

Eu me endireitei na cadeira. Era, definitivamente, a voz da Lorelai.

Saí do escritório e caminhei até o local de onde o barulho parecia estar vindo, no quintal dos fundos. Quanto mais eu me aproximava, mais alto ficava o burburinho. Não era apenas a voz da Lorelai que eu estava escutando — eram as vozes de todo mundo.

E por "todo mundo" eu quero dizer todo mundo mesmo.

O quintal estava abarrotado de gente. Havia balões cor-de-rosa e dourados amarrados às árvores. Duas churrasqueiras tinham sido montadas, e Landon e Jack grelhavam hambúrgueres.

Amigos que eu não via fazia meses estavam no meu quintal com seus filhos, brincando, rindo e se divertindo.

— Mas o que...

Quando abri a porta, todos devem ter percebido minha expressão de surpresa quando me viram.

— Papai! Papai! Olha! Um *pôneeeeeei!* — gritou Lorelai, já montada no animal.

Havia um pônei de verdade no meu quintal.

Minha mente rodopiava mais rápido que nunca. Quando olhei para a esquerda, vi Eleanor, sorrindo de orelha a orelha. Ela veio até mim com um chapeuzinho de aniversário na mão, e o colocou na minha cabeça.

— Bela festa, Grey — disse ela. — É o melhor aniversário de criança que eu já vi na vida.

Meu coração ficou apertado, e eu respirei fundo.

— Você fez isso? Pela Lorelai?

Ela balançou a cabeça.

— Não só por ela, por você também. Nós fizemos por você — disse ela, apontando para todas as pessoas importantes da minha vida.

Todos estavam ali. Embora eu os tivesse ignorado durante meses. Embora suas ligações sempre caíssem na caixa postal. Embora eu tivesse me distanciado deles. Eles ainda estavam ali, presentes.

Eles não faziam ideia do quanto aquilo significava para mim.

Eleanor não fazia ideia do que havia feito.

— Obrigado — falei, a voz embargada.

— De nada — respondeu ela. — Agora, vai! Vai cumprimentar todo mundo! É uma festa, afinal de contas, então vai festejar!

Ela soprou sua língua de sogra no meu rosto e continuou com aquele sorriso enorme.

Dei um passo para ir em direção aos convidados, mas então parei. Eu me virei de novo para ela e, sem pensar, eu a abracei. Eu a abracei tão forte que tinha quase certeza de que a mataria esmagada, mas não conseguia soltá-la. Por sorte, ela não pediu que eu a largasse. Quando me afastei, fiquei um pouco constrangido. Atacá-la com um abraço sem aviso prévio era algo atípico da minha personalidade, mas parecia o certo a fazer. Eu precisava daquele abraço. Parecia ser a única forma de realmente poder demonstrar minha gratidão a ela.

Ela não pareceu se abalar com a minha atitude. Continuou com aquele sorriso gentil no rosto e apontou com a cabeça na direção dos meus amigos.

— Vai se divertir, Grey.

Se divertir.

Eu não tinha certeza se ainda sabia o que era isso, mas me esforçaria ao máximo para obedecer a ela. Fui até Landon e toquei em seu ombro.

Ele olhou para mim e abriu um grande sorriso amarelo.

— Cara! Bela festa! Você vai ter que me mostrar quem são as solteiras — brincou ele.

— O que você está fazendo aqui? — perguntei, pois não fazia ideia de que poderia ver meu melhor amigo de volta a Illinois.

Ele deu de ombros.

— Estava passando por aqui.

— Você me deixou uma mensagem de voz ontem. E estava em Los Angeles. Você não estava simplesmente passando por aqui, Landon. Estava do outro lado do país.

Ele abriu um sorriso sincero e me deu um tapinha no ombro.

— Por você, Greyson, eu estou sempre passando por aqui.

Aquilo significava mais do que ele jamais poderia imaginar. Pressionei o ponto entre as sobrancelhas.

— Olha, eu sei que estive ausente por um tempo...

— Se você me pedir desculpas mais uma vez, vou dar um chute no seu saco, Greyson — ameaçou ele.

Joguei as mãos para o alto em rendição.

— Tá bem, tá bem.

— Então... a Eleanor deu uma encorpada, hein? Tipo, cacete... ela tá linda.

Ela sempre foi linda. Mas a maioria das pessoas não percebia.

Ele coçou a barba que estava deixando crescer para o próximo papel em um filme de ação.

— Então... Ela tá solteira?

Revirei os olhos.

— Não começa, Landon. Você não vai dormir com a minha babá. Além do mais, você já dormiu com a prima dela, a Shay, há muitos anos.

— Shay... Shay — Ele vasculhou a mente tentando ligar o nome à pessoa, tentando se lembrar de uma mulher chamada Shay com quem ele tinha dormido. Quando lembrou, me deu um tapa. — Cacete, Shay Gable. Meu primeiro amor!

Eu ri.

— Se aquilo foi o que você considera amor, temos um problema. Vamos, vou pegar uma bebida pra você.

— Isso eu não vou recusar. Qualquer coisa menos EastHouse, aquela merda tem gosto de mijo — brincou ele, me fazendo rir e mostrar o dedo do meio para ele.

Acho que aquela era a primeira vez que eu ria em meses.

Todos interagiram comigo como se eu não tivesse me distanciado do mundo no último ano. Eles me receberam de braços abertos, com risadas, sorrisos e abraços. Eu recebi infinitos abraços naquele dia.

Em um fim de semana que tinha tudo para ser difícil, eles tornaram meu dia muito mais fácil.

Ver Lorelai se divertindo para valer me trouxe alegria. Eu podia jurar que ela estava andando naquele pônei pela centésima vez. Karla, porém, preferiu por ficar no quarto dela o tempo todo.

Depois que a festa acabou, fui até o quarto da Karla com um pedaço de bolo de unicórnio. Meu estômago estava embrulhado quando abri a porta.

Ela ergueu os olhos do computador e tirou os fones de ouvido.

— O que foi? — murmurou ela, olhando para mim como se eu fosse o maior incômodo do mundo.

— Eu, hum... trouxe um pedaço de bolo pra você — respondi, entrando no quarto.

Ela estreitou os olhos.

— Por quê?

— Achei que você fosse gostar de comer um pedaço. — Coloquei a fatia de bolo do lado dela, e seu olhar incisivo não arrefeceu. — Teria sido legal se você tivesse ido à festa hoje. Todo mundo perguntou por você.

— Ah, tá — resmungou ela, voltando-se novamente para a tela do computador.

— Karla, eu estava pensando...

— Olha, podemos não fazer isso? Não sei o que deu em você... sei lá, talvez a culpa por ter sido um pai ausente no último ano finalmente tenha batido, mas eu não tenho tempo pra isso. De verdade. Quer dizer, ontem foi aniversário da Lorelai, e você nos mandou embora. Ontem fez um ano que a mamãe morreu, e você nem passou o dia com as suas filhas. Então tenho certeza de que está todo mundo feliz pra caramba de ver você por aí, agindo como um semi-humano de novo, mas, por favor, me poupe por não estar interessada no que quer que esteja rolando com você nesse momento.

Minha boca se abriu, mas nenhuma palavra saiu dela. Foi como se Karla tivesse me dado um soco no estômago e me deixado sem ar. Porém, pior do que as palavras dela foi o fato de que o que ela havia acabado de dizer era a mais pura verdade. Eu não tinha estado presente na vida das minhas filhas no último ano.

— A mamãe jamais teria nos abandonado — sussurrou ela, a voz trêmula, e, pela primeira vez em muito tempo, minha filha demonstrou algo diferente da raiva, demonstrou sua dor.

— Karla... — comecei, encostando nela, mas ela se desvencilhou da minha mão.

— Só vai embora, pai — sibilou ela, colocando os fones de volta.

— E leva esse bolo idiota junto.

Respirei fundo e peguei o prato de bolo. Queria dizer mais alguma coisa. Queria me expressar de um jeito que talvez a fizesse entender o que eu havia sofrido, mas não sabia como. Eu sequer sabia por onde começar a consertar todo o estrago que tinha causado a ela, o estrago que havia causado à minha família.

Saí do quarto e fechei a porta. Enquanto atravessava o corredor, ouvi vozes e olhei para o banheiro. Avistei Lorelai lavando as mãos com a ajuda da Eleanor. Ela estava coberta de chocolate e chantilly, e as duas riam como se fossem melhores amigas.

— Acho que saiu tudo — comentou Eleanor, tocando no nariz da Lorelai.

— Tá, legal. Vou pegar mais bolo! — Lorelai saiu correndo do banheiro. Ela parou na minha frente quando me viu, e seus olhinhos brilharam. — Oi, papai!

— Oi, querida — respondi, abrindo um sorriso tímido.

Ela correu até mim, envolveu minhas pernas com os braços e me puxou para um abraço.

— Obrigada pela melhor festa de aniversário do mundo e pelo pônei e pelo bolo e pelos hambúrgueres e... E... Você é o melhor pai do mundo. — Ela me apertou com mais força ainda e então, quando me soltou, pegou o prato da minha mão e gritou: — E obrigada pelo bolo!

Eleanor fez menção de ir atrás da Lorelai, impedindo-a de fugir correndo, mas balancei a cabeça.

— Tudo bem. Lidamos com a pós-euforia glicêmica depois.

Ela assentiu e se apoiou no batente da porta, me olhando.

— Você está bem? Parece chateado. — Ela se endireitou de leve. — Está chateado por causa da festa? Eu só pensei...

— Não, de modo nenhum. Foi incrível, Eleanor. Você tem sido incrível pra minha família, pra mim... e nada do que eu disser pode expressar minha gratidão.

— Então o que foi? Qual é o problema?

— Eu, hum... A Karla nunca vai me perdoar e, sinceramente, ela nem deveria — confessei. — Eu abandonei minhas filhas quando elas mais precisavam de mim, e nada do que eu faça pode remediar isso. Eu me afastei da minha Karla e a deixei sozinha.

— Ela só está magoada, Greyson. E com razão. Mas ela te ama.

— Não sei se ainda me ama.

— Ama, sim — insistiu Eleanor.

— Como você pode ter certeza disso?

— Porque anos de amor não desaparecem por causa de um único ano trágico. Você só precisa dar a ela um tempo para se conformar. Por enquanto, você só tem uma coisa a fazer.

— O quê?

— Continuar presente, independentemente do que aconteça. Ela vai resistir, vai gritar e fazer você querer desistir, mas você não pode abandoná-la de novo, Grey. Precisa continuar presente na vida dela, mesmo nos dias difíceis — explicou Eleanor. — Principalmente nos dias difíceis. E foi por isso que eu comprei ingressos para todos nós irmos a uma partida de beisebol daqui a duas semanas. Eu já conversei com a Allison, e ela vai abrir espaço na sua agenda para a noite do jogo. Também convidei minha prima, a Shay. Espero que não se importe. Além disso, eu convenci a Karla a ir dizendo que era pra comemorar o aniversário da Lorelai. É preciso dar poucos passos por vez pra poder mudar.

— Obrigado, Eleanor — falei.

— Pelo quê?

Enfiei as mãos nos bolsos.

— Por ser meu motivo para sorrir hoje.

Capítulo 41

Eleanor

Depois que a festa terminou, fiquei mais um tempo para ajudar a arrumar a bagunça. Quando estava tudo guardado e a lava-louça cheia e trabalhando, peguei minhas coisas para ir para casa.

Estava seguindo em direção à porta de entrada quando Landon me chamou.

— Ei, Eleanor? Posso trocar uma palavrinha com você rapidinho? — perguntou ele.

Eu me virei e sorri. Landon parecia tão adulto comparativamente àquele menino de tantos anos antes. Shay teria odiado ver que ele estava tão gato.

— Sim, claro. O que foi?

Ele enfiou as mãos nos bolsos.

— Eu só queria te agradecer por tudo que você tem feito por essas meninas e pelo Greyson. Não sei como você tá conseguindo, mas obrigado. Hoje foi o primeiro dia em que senti que meu melhor amigo tava aqui de verdade. Ele foi praticamente um fantasma no último ano, e foi bem difícil presenciar isso. Então... é... só continua fazendo o que tá fazendo, por favor? O que quer que seja, continua.

Sorri.

— Não sei se tenho ajudado muito, mas sei que não planejo ir a lugar nenhum.

— Acredita em mim, você ajuda pra caramba. Ah, e eu... hum... te devo um pedido de desculpas por ter sido um babaca no passado. Por ter chamado você de "Sorriso Metálico" e tal. Foi foda.

Eu ri.

— É, foi. Mas já que você trouxe um pônei pra festa, acho que posso relevar.

— Claro! E, tipo, parece que deu certo pra você, né? O aparelho. — Ele apontou para a minha boca. — Ficou bom. Então... é. Bom pra você.

Ah, Landon. Para um astro do cinema, você é bem esquisito.

— Obrigada.

— Tá, tudo bem... vou te deixar ir agora. Diz pra sua prima Shay que eu mandei lembranças.

Eu com certeza transmitiria o recado para a Shay, o quanto antes.

— Digo, sim. Boa viagem, Landon.

Assim que ele saiu da minha frente, eu peguei o celular e mandei uma mensagem para a Shay.

Eu: O Landon perguntou por você.
Shay: Ah, é? Você disse pra ele queimar no inferno? Espero que tenha dito pra ele ir pro inferno.

Abri um sorriso torto, sabendo que aquela conversa estava mexendo com ela um pouquinho.

Shay: Como ele tá? É mais feio pessoalmente do que nos filmes?
Eu: Bizarramente, ele é ainda mais bonito.
Shay: Argh. É claro que é. Tanto faz, não quero mais pensar nele.

Shay: Mas, só pra deixar claro... você disse pra ele que eu estou ótima e que nunca mais pensei nele quando me formei no ensino médio? Da próxima vez, não esquece de falar isso pra ele.

Shay: Meu Deus. Eu odeio esse cara. Como ele teve coragem de perguntar por mim? Que cara de pau!

Shay continuou tagarelando, e eu me senti um pouquinho satisfeita. Era legal ter algo para provocá-la agora, já que ela sempre me provocava quando se tratava do Greyson. Eu sentia que nós duas finalmente estávamos jogando de igual para igual. Cada vez que ela tirasse sarro de mim, eu estaria pronta para contra-atacar.

— Até quando você vai me levar até a minha sala? — grunhiu Karla, enquanto seguíamos para a primeira aula dela na segunda-feira após a festa da Lorelai.

Essa era nossa nova rotina, e é óbvio que ela odiava cada segundo.

— Até seu pai dizer que posso parar, acho.

Ela grunhiu.

— Ele tem estado mais irritante que nunca ultimamente.

— Ele só está cumprindo o papel dele, Karla. Só isso. Ele tem passado por muita coisa.

— Todos nós temos passado por muita coisa.

— É, eu sei — falei.

Ela bufou.

— Você não faz ideia — resmungou.

Passei a mão pelos cabelos e abri um pequeno sorriso para a Karla.

— Sabe, eu tinha mais ou menos a sua idade quando perdi minha mãe. Então eu sei o quanto é difícil.

— Ah, é? Você também ficou cheia de cicatrizes, igual a um monstro? — perguntou ela, olhando para mim e balançando a cabeça. — Ah, espera, não. Você continua linda.

— Você também é linda, Karla. E, acredite em mim, eu não era assim no ensino médio. Meu apelido era Sorriso Metálico.

— Ah, nossa, então acho que você e eu somos iguaizinhas! — exclamou ela, seu sarcasmo era evidente. — Minhas cicatrizes são *exatamente* como o seu aparelho. Não vejo a hora de essa fase da minha vida passar. Ah, peraí...

Ela revirou os olhos de uma forma dramática.

— Olha por onde anda, aberração — resmungou alguém ao esbarrar nela, fazendo-a cambalear para trás.

— Ei, pode parar com isso! — ralhei, embora Karla parecesse inabalada.

Ela estava acostumada àquele tipo de coisa, acontecia com bastante frequência, mesmo quando eu estava bem ao lado dela. Eu nem conseguia imaginar as coisas que aquelas crianças tinham coragem de dizer para a Karla quando não havia um adulto por perto.

— Deixa pra lá, Eleanor. Trouxas vão sempre agir como trouxas — ponderou ela, mantendo a cabeça baixa.

Arqueei uma das sobrancelhas.

— Você acabou de fazer uma referência a Harry Potter?

— É, dã.

— Você é fã de Harry Potter?

— Harry Potter é simplesmente o Santo Graal do mundo contemporâneo, Eleanor — respondeu ela, revirando os olhos. — E eu não espero que você entenda.

— Hum, oi? Lufa-Lufa aqui, me apresentando pro serviço. Fique você sabendo que eu já adorava Harry Potter muito antes de você pensar em nascer. Eu tinha que esperar anos pro próximo livro ser lançado. Anos!

— Parabéns, você é velha pra caramba. E é claro que você seria Lufa-Lufa — comentou ela, com certa ironia no tom de voz.

Antes que eu pudesse responder, outra pessoa esbarrou nela e então se virou para trás e disse:

— Foi mal, Quasímodo.

E então saiu correndo.

— O que foi que ele disse pra você?

— Nada — bufou ela, puxando as mangas do moletom preto. — Não é nada.

— Não foi o que pareceu.

Karla suspirou e olhou para mim, dando de ombros.

— Algumas pessoas me chamam de "Quasímodo". Você sabe, de *O corcunda de Notre Dame*, por causa da minha postura.

— Tá. É aqui que precisamos estabelecer limites. Estou indo agora à sala do diretor para denunciar isso.

— Não perde seu tempo. O que eles vão fazer? Expulsar metade dos alunos porque ficam zoando a aberração?

Meu coração se despedaçou quando Karla disse aquilo, porque ela proferiu aquelas palavras como se fossem verdadeiras.

— Karla, você não é nenhuma aberração. — Ela não respondeu. — Você escuta esse tipo de coisa dessas pessoas todo dia?

Ela confirmou com a cabeça.

Eu não podia nem imaginar o que ela sentia.

— Vem — falei, puxando-a pelo braço.

Ela me olhou, surpresa.

— O quê?

— Estamos indo embora.

— O quê? Não posso. Tenho aula de ciências.

— Hoje, não. Hoje, nós vamos matar aula.

— Mas... Meu pai...

— Eu sei, eu me entendo com seu pai depois. Agora, vamos sair desse lugar e cuidar da nossa saúde mental.

— Como assim cuidar da nossa saúde mental?

— Vamos mandar a escola e esses trouxas de mente fechada irem se ferrar. Aí você vai pra casa e assiste a uma maratona de *Harry Potter* e come muita besteira até dar vontade de vomitar.

Um pequeno sorriso apareceu nos lábios da Karla, e eu podia jurar que aquela era a primeira vez que eu a via sorrir. Ela ficava linda quando sorria.

— Você devia fazer isso mais vezes, Karla — falei, sem pensar.

— Isso o quê?

Ri entre os dentes.

— Nada. Deixa pra lá. — Tirei o cabelo do rosto dela com os dedos e acenei uma vez com a cabeça. — E então? O que me diz?

— Esse é algum tipo de pegadinha? Tipo, alguma espécie de psicologia reversa?

— Não. É só uma fuga da realidade. O que você me diz? Topa?

Em um primeiro momento, ela concordou lentamente com a cabeça, mas logo passou a acenar mais rápido, com o sorriso ainda estampado no rosto.

— Tá, topo.

Demos meia-volta e seguimos direto para a saída, sem olhar para trás nem uma única vez. Assim que chegamos ao carro, foi como se eu pudesse ver uma completa mudança no comportamento da Karla. O corpo dela foi relaxando. A escola em si já era algo estressante para um adolescente padrão, imagine para alguém como ela. Karla não estava lidando só com o *bullying* dos colegas. Havia o luto pela morte da mãe também.

Eu sabia que a vida não era justa, mas parecia ser mais cruel ainda com a Karla.

Paramos em um mercado para comprar umas guloseimas para a nossa maratona de filmes e fomos para casa. Espalhamos cobertores e almofadas na sala e a transformamos no lugar mais confortável do universo. Então nos acomodamos e começamos o primeiro filme do Harry Potter.

Pela primeira vez, vi a Karla se iluminar.

Eu sabia que Greyson provavelmente ficaria zangado por eu tê-la feito perder aula, mas, depois de tudo pelo que ela tinha passado, a menina merecia um descanso.

Enquanto assistíamos aos filmes, testemunhei o surgimento de uma versão da Karla que eu não sabia que existia. Ela permaneceu sentada, com os olhos arregalados e focados na tela da televisão. Eu me lembrei de ter ficado deslumbrada quando vi os filmes pela primeira vez. Aquela animação, a felicidade.

Os lábios dela se moviam, reproduzindo os diálogos, deixando claro que ela tinha visto os filmes dezenas de vezes. Ela tinha quase todas as falas memorizadas e na ponta da língua.

Só pausávamos os filmes para ir ao banheiro.

No fim das contas, acabou sendo bom para a minha saúde mental também. Um dia de magia e aventuras, um dia de ficar bem longe dos trouxas.

De repente me dei conta de que já eram quase três da tarde e que estava na hora de eu ir buscar a Lorelai na escola. Isso era muito triste, porque Karla e eu estávamos absortas nos filmes.

Ela se mexeu para se levantar e eu balancei a cabeça.

— Você não precisa vir comigo. Vai ser rápido.

Ela me olhou meio cabreira.

— Meu pai não gosta que eu fique em casa sozinha. Ele não confia em mim.

— Você acha que vai ficar bem? — perguntei.

— É claro, não sou idiota.

— Tá. Tudo bem, então. Se acontecer alguma coisa, você me liga. Deixa eu salvar meu número no seu telefone.

Karla me entregou o celular dela.

— Caramba. Você deve estar realmente querendo ser demitida hoje.

Sorri e joguei o celular de volta para ela.

— Volto rapidinho.

Fui até a escola da Lorelai e, quando entrei na fila de carros, vi aquela menininha geralmente cheia de vida caminhando com a cabecinha baixa. Estacionei o carro imediatamente e fui até ela.

— Ei, parceira. O que aconteceu? — perguntei, cheia de preocupação.

— Nada. É só a idiota da Caroline — murmurou ela, olhando para uma menininha à sua esquerda que estava conversando com as outras crianças da idade delas.

— O que a Caroline fez?

Lorelai fungou enquanto arrastava a mochila pela calçada.

— Ela convidou todo mundo pra superfesta de aniversário dela, menos eu.

— O quê? Isso é impossível. Tenho certeza de que foi algum engano, meu amor.

Ela balançou a cabeça.

— Não. Ela disse que eu não fui convidada porque sou uma aberração esquisita que fala sozinha.

Aquilo me tirou do sério.

Eu me aprumei e olhei para a Caroline. Então, vi a mãe dela chamando-a da fila de carros.

— Espera aqui, Lorelai. Vou dar um jeito nisso.

Corri até o carro parado e chamei a mulher.

— Com licença! Com licença!

A mulher se empertigou de leve, surpresa com a minha abordagem. Ela segurou a bolsa mais perto do corpo e abriu um sorriso contido.

— Posso ajudar?

— Oi, sim. Sou Eleanor, a babá da Lorelai — expliquei, apontando para a Lorelai, que ainda estava com a cabecinha baixa de decepção.

A mulher olhou para ela e fez uma careta.

— Ah, sim, a nova babá. Juro pra você, mais babás passam por aquela casa do que por qualquer outra. É de se pensar que eles já deveriam ter encontrado uma forma de manter suas funcionárias por mais tempo.

Ignorei o comentário.

— É, bem, eu só queria conversar com você com relação a um mal-entendido. Parece que todo mundo na sala da Lorelai foi convidado pro aniversário da sua filha, menos ela, e tenho certeza de que isso foi só um equívoco.

— Ah, não, não há equívoco nenhum — disse ela, apertando os lábios como uma maldita prima-dona. — Ela não foi convidada mesmo.

— O quê? Mas isso não faz sentido. Você foi à festinha dela com a Caroline. A Lorelai é uma ótima menina.

— Sim, tenho certeza de que ela é ótima, só não acho que seja uma boa ideia ter uma menina como ela na festa da minha filha.

— "UMA MENINA COMO ELA"?! — berrei. Sim, eu berrei com aquela mulher, e não me importava. As palavras dela me machucaram de uma forma que eu não imaginava ser possível. — O que merda isso significa?

— Não é nada tão ofensivo assim — afirmou ela, um tanto chocada com a minha reação.

— Hum, não... com certeza é algo bem ofensivo — retruquei. — O que você quer dizer com "uma menina como ela"?

— Ora, querida — ela falou em um tom de quem julgava ser tão superior que fez minha pele formigar —, você já conviveu com a menina por tempo suficiente pra saber que ela não é normal. A Caroline me contou que ela fala sozinha durante o recreio, e eu mesma testemunhei isso na festa dela.

— Ela não está falando sozinha — argumentei. — Está falando com a mãe.

A mulher arregalou os olhos.

— Com a mãe?

— É.

— A mãe que morreu?

— Exatamente.

Ela botou a mão na testa.

— Meu Deus! Até a babá deles é maluca. Olha, eu sinto muito. Eu sinto muito mesmo. Entendo que a menina passou por um trauma, mas isso não é problema meu. Eu me reservo o direito de escolher que tipo de pessoa fica perto da minha Caroline.

— É, bem... a sua Caroline foi muito grosseira com a Lorelai hoje. Ela chamou a Lorelai de aberração.

— Ah, bem, você sabe como é. Crianças sendo crianças. — Ela colocou os óculos de sol e deu de ombros. Aquilo me tirou do sério. — Agora, se me der licença... — Ela me dispensou como se eu fosse nada.

Então, aconteceu.

Meus olhos saltaram para fora. Minha visão ficou turva.

E. Eu. Surtei.

— Não, não tem nada disso de *crianças sendo crianças*. Sua atitude é inaceitável. Você devia pagar por isso! Sua filha está fazendo *bullying* com a minha pequena. Ela fez *bullying*, e você está agindo como se isso fosse normal. E eu nem fico surpresa pela sua filha agir assim, tendo uma mãe como você. Esse tipo de comportamento não surge do nada na cabeça da criança, é ensinado, e você devia ter vergonha de si mesma! Você é um ser humano repugnante que está criando uma vaca mirim!

Fechei a boca, mas as palavras continuaram bailando na minha cabeça.

Eu tinha, sem querer, chamado uma criança de "vaca mirim".

Olhei ao meu redor, e vi que todos estavam em silêncio. Estavam olhando para mim, boquiabertos e com os olhos arregalados.

Então olhei para a mãe da Caroline, que estava com cara de quem tinha acabado de pisar em cocô com seus sapatos de salto alto.

— Seu patrão vai ficar sabendo disso! — ameaçou ela. — Pode ter certeza!

Então ela colocou a filha no carro e foi embora.

Fui até a Lorelai, que estava com um sorrisinho nos lábios. Então ela olhou para mim e abriu um sorriso bem maior.

— Você é meio maluca, Eleanor — disse ela.

Ela não estava errada.

Coloquei-a no carro e afivelei o cinto, então tirei os cabelos do rostinho dela.

— Ei, só quero que você saiba que você é especial, tá bem? Você é especial, esperta e linda por dentro e por fora. E, se qualquer pessoa te disser qualquer coisa diferente disso, tá mentindo. Você entendeu? O que a Caroline te disse não passa de uma mentira. Você. É. Incrível.

Ela assentiu lentamente.

— Você pode falar isso? Pode falar que é incrível?

— Eu sou incrível.

Ela sorriu, e eu podia jurar que vi o jovem Greyson no sorriso dela.

— Isso. — Concordei com a cabeça, tocando no nariz dela. — É mesmo.

Entrei no carro, arranquei e segui para a casa dos East.

— Eleanor?

— Sim?

— O que é uma vaca mirim?

— Uma pessoa que não é muito legal — respondi. Olhei para ela pelo retrovisor e balancei a cabeça. — Mas não conta isso pro seu pai. Tenho certeza de que ele iria me demitir se ouvisse isso. Combinado?

— Tá. — Ela voltou a olhar pela janela e, segundos depois, eu a ouvi sussurrar: — Eu sei, mãe. Também gosto da Eleanor.

Juro que meu coração parou por uns cinco segundos quando escutei aquelas palavras.

Entramos em casa e vimos Karla deitada sobre a pilha de cobertores e almofadas, assistindo ao quarto filme da saga do Harry Potter.

Ela olhou para mim com um biscoito Oreo na boca, e seus olhos se arregalaram.

— Foi mal, não consegui esperar pra começar o filme.

A boca da Lorelai se abriu.

— Você tá comendo biscoito doce, e a gente não tá na casa da vovó! — exclamou ela, apontando para a irmã.

— É, eu sei. Eu precisava de um dia pra cuidar da minha saúde mental — respondeu ela, enfiando outro biscoito na boca.

— O que é um dia pra cuidar da saúde mental? — quis saber Lorelai.

— É quando você come besteira e fica vendo filme o dia todo — esclareceu Karla.

Lorelai correu até a irmã e se deitou, pegando um punhado de biscoitos.

— Eu também preciso de um dia pra cuidar da minha saúde mental!

Sorri ao ver as duas juntinhas, comendo biscoitos e parecendo curtir a companhia uma da outra.

— Talvez um filme diferente, agora que a Lorelai está aqui, Karla — sugeri.

Ela grunhiu.

— Mas ela só quer ver *Frozen*!

— "Livre estooooou"! — cantarolou Lorelai.

— Por favor. Qualquer coisa menos isso — suplicou Karla.

Fiquei me perguntando o que podíamos ver, e então abri a boca.

— Vocês já ouviram falar de um programa chamado *Mister Rogers' Neighborhood*?

— Não, e parece idiota — respondeu Karla.

Não levei para o lado pessoal. Adolescentes eram bem avessos às melhores coisas do mundo. Encontrei o programa em um serviço de *streaming* e coloquei um episódio para elas verem. Karla suspirou imediatamente.

— É, eu tinha razão. É idiota — comentou ela.

Lorelai imitou a irmã.

— É, idiota — exclamou ela.

Mas, mesmo assim, elas ficaram sentadas ali e assistiram a um episódio. E mais um. E depois outro.

No quarto episódio, as meninas tinham adormecido no chão, aconchegando-se uma na outra e totalmente nocauteadas de tanto açúcar.

Peguei o celular na mesma hora e tirei várias fotos delas, porque aquele era um desses momentos que não devem ser esquecidos.

Era um momento importante.

Por volta das sete, a porta se abriu, e fiquei surpresa ao ver Greyson entrar com sua maleta. Ele olhou para mim, depois para as meninas, que ainda dormiam amontoadas no chão.

Ele franziu o cenho e se dirigiu a mim.

— Eleanor.

— Ah, oi, Greyson. E aí?

Os olhos dele se voltaram novamente para as meninas, e mais uma vez para mim.

— Eleanor.

Engoli em seco

— Sim?

— Posso falar com você no meu escritório?

Ele seguiu para o escritório, ainda carregando a maleta, e eu o acompanhei, com o estômago embrulhado de tão nervosa que estava.

Ele não falou de imediato, apenas apontou para uma cadeira. Eu me sentei na mesma hora. Fiquei retorcendo os dedos, sem saber ao certo onde colocar as mãos. Eu sabia que tinha passado dos limites naquele dia. Sabia que tinha cometido muitos erros, mas, sinceramente, não me arrependia de nada. Pela primeira vez em muito tempo, eu tinha visto Karla sorrir.

Aquilo fez tudo valer a pena para mim.

Ele largou a maleta, tirou o casaco e se sentou à mesa.

Ainda sem falar.

Ele uniu as mãos e respirou fundo.

— Recebi uma ligação da Sra. Robertson hoje.

— Sra. Robertson?

— A mãe da Caroline Robertson.

Ah. Aquela mulher.

— Olha, me deixa explicar. Sei que surtei, e sinto muito por isso. Mas, por outro lado, eu não sinto muito, não. Quer saber por quê? Porque ela e a filha dela foram extremamente desrespeitosas com a Lorelai, e eu assino embaixo de cada palavra que falei pra ela. — Fiz uma pausa. — Bem, talvez chamar a filha dela de "vaca mirim" tenha sido demais, mas eu continuo afirmando que a mãe dela é uma vaca. E, desculpa, mas...

— Eleanor — disse Greyson com severidade.

— Sim?

— Você não para de falar.

— É. Foi mal. Eu só... Eu quero que você saiba que, embora eu tenha consciência de que estou encrencada, não me arrependo de nada. Não me arrependo do que disse. Sei que foi errado e infantil da minha parte surtar em público e sei que isso pega mal pra você, mas eu não consegui me segurar. Sei que você também deve estar se perguntando o que é aquela bagunça toda na sala, e eu vou te contar logo de uma vez porque, bom, já estou encrencada mesmo... a Karla também teve um dia de merda, e eu a tirei da escola e nós duas fizemos uma maratona de Harry Potter e comemos besteira e é isso. Me desculpa.

Ele franziu o cenho, olhando fixamente para mim, sem demonstrar nenhuma emoção. Nem raiva, nem decepção — nada, mesmo. Eu gostaria que ele parasse com aquilo. Gostaria que ele pelo menos me desse uma pista, só uma ideia do que estava pensando.

— Obrigado — disse ele por fim.

— Como é?

— Eu disse "obrigado". Obrigado por defender as minhas meninas.

Arregalei os olhos, pasma.

— Você não está... Você não está bravo?

— Não. Eu te chamei aqui só pra te agradecer por ter defendido as duas. Sei que nem sempre posso estar por perto e sei que estive distante nos últimos meses. Eu não sou... — Ele respirou fundo e olhou para as mãos. — Eu não sou eu mesmo. Estou tentando ser eu mesmo e voltar ao normal, mas ainda não consegui. Então, obrigado por estar aqui. Elas precisavam de você hoje. Eu precisava de você hoje.

Aquilo era o oposto completo do que eu imaginava que ele ia dizer. Sinceramente, eu não tinha ideia de como reagir.

Então me recostei na cadeira, perplexa.

— Ah, bom... Tá. De nada.

— Só me mantenha informado da próxima vez. Se for tirar a Karla da escola ou soltar os cachorros em cima de uma mulher na frente do colégio inteiro, só me avisa antes.

— Sim, claro. Não vai ser algo corriqueiro, e eu realmente sinto muito por tudo isso, principalmente por ter surtado na escola da Lorelai.

— Não sinta. A Sra. Robertson é uma vaca.

Eu sorri. Ele sorriu também.

O Greyson sorriu para mim.

Era o sorriso do qual eu me lembrava, o tipo de sorriso que me fazia olhar para ele sem parar, deslumbrada, quando éramos mais jovens, o tipo de sorriso do qual eu não sabia que sentia tanta falta até vê-lo nos lábios dele.

— Você devia fazer mais isso, Grey — falei.

Você devia fazer mais isso.

Capítulo 42

Greyson

Depois que Eleanor foi embora naquela noite, continuei trabalhando por mais um tempo no escritório, e, quando Landon ligou, finalmente atendi.

— Oi, Landon. E aí?

— Meu Deus do céu! Então sua voz é assim agora? Juro que está mais grave — brincou ele.

— A gente acabou de se ver na festa da Lorelai outro dia.

— Mesmo assim, é estranho você atender uma ligação minha. Liguei, mas não esperava que você atendesse.

— É, foi mal por não atender suas chamadas. Você sabe, todas as quinhentas.

— Ah, imaginei que você atenderia quando estivesse pronto.

— É. Como foi a viagem de volta pra Califórnia?

Ele me contou como estava indo a filmagem de seu novo filme, disse que os paparazzi estavam malucos e que já tinha ido para a cama com metade de Hollywood. Enfim, o básico.

Era uma loucura ver que tínhamos mudado tanto, mas que, em muitos sentidos, ainda éramos os mesmos — Landon ainda não conseguia evitar dormir com qualquer mulher que olhasse para ele.

— Mas podemos falar sobre a Eleanor um pouquinho? Foi incrível o que ela fez pro aniversário da Lorelai — comentou Landon.

— É, ela tem sido incrível mesmo. Mais do que eu mereço, pra ser sincero. Ela realmente tem ajudado as meninas mais do que eu poderia expressar.

— Pois é. Então... você tem visto a Shay, já que a Eleanor... — começou Landon, mas, antes que ele pudesse elaborar mais, alguém bateu à minha porta.

Então ela se abriu, e eu vi Karla parada ali.

Fiquei um tanto chocado.

Karla nunca vinha ao meu escritório.

— Oi, pai — disse ela, pigarreando. Eu não conseguia me lembrar da última vez que ela dissera "pai" sem que ouvisse raiva em seu tom de voz. Aquilo era mais que estranho. Eu definitivamente procederia com cautela. — Posso falar com você rapidinho?

— Sim, é claro. — Voltei à ligação. — Landon, eu te ligo depois.

— Beleza! E agora que sei que seu telefone funciona, não ignora mais as minhas ligações. Caso contrário, vou começar a ligar mais ainda. Dá um beijo nas meninas por mim. Tchau!

Desliguei e voltei a olhar para a Karla. Por algum motivo, ela parecia nervosa, o que, por sua vez, me deixou nervoso também.

— O que foi?

— Olha, eu sei que a Eleanor pisou na bola hoje e tenho certeza de que você vai mandar ela embora ou qualquer coisa assim, porque já demitiu outras babás por muito menos, mas... Bom, eu só acho que você deveria saber que ela só estava cuidando de mim e da Lorelai. Ela é meio esquisita e tal, e enxerida, e às vezes se mete demais na minha vida, mas, na maior parte do tempo, ela faz o trabalho dela direitinho. Ela é bem boa com a Lorelai, também. Então, se você puder não demiti-la, seria ótimo.

Deslizei a palma da mão pela nuca.

— Você gosta dela.

Ela gostava da Eleanor; eu sabia. Karla só defendia pessoas de que gostava. Não defendia nada do que não gostava.

Ela deu de ombros.

— Ela é ok, acho.

— Não vou mandá-la embora se você me contar aonde ia durante o horário das aulas no começo do ano.

Ela ficou visivelmente murcha. Vi um lampejo de preocupação se espalhar por seu rosto, e então ela se recompôs e suspirou.

— Só deixa pra lá, pode ser?

Eu precisava tentar. Minha mente não parava de pensar nas possibilidades e no perigo com os quais ela poderia estar envolvida. Todos os dias, eu me perguntava aonde ela tinha ido. Todos os dias, refletia sobre as batalhas que ela travava consigo mesma.

Ela se virou para ir embora, e eu a chamei.

— O quê? — bufou ela.

— Acho que você tem razão... Acho que a Eleanor está sendo boa pra nossa família. Então, vou mantê-la como babá.

Um peso foi tirado dos ombros da Karla, e ela suspirou.

— Ah, beleza, legal. Porque, como eu disse, ela é ok. — Karla deu de ombros. — Você sabe, pra uma Lufa-Lufa.

Fiz minhas paradas noturnas nos quartos das meninas e, quando passei pelo da Karla, a luz ainda estava acesa, mas ela estava na cama, lendo um dos volumes da saga Harry Potter. Eu não conseguia me lembrar da última vez que a tinha visto lendo. Antes, ela costumava ler o tempo todo. Era praticamente impossível vê-la sem um livro nas mãos, porém, depois que a Nicole morreu, Karla meio que deixou de lado todas as coisas que adorava.

Foi então que eu soube o que estava havendo. Eleanor estava fazendo aquilo que sabia fazer tão bem, entrando devagarinho na vida de alguém e tornando a vida melhor sem a pessoa nem se dar conta do que está acontecendo.

Capítulo 43

Eleanor

Greyson se esforçou ao máximo para se fazer presente na vida das filhas. Com a Lorelai, foi fácil. Ela o recebeu de volta de braços abertos. Ele trabalha até tarde da noite todo dia, mas, volta e meia, arranja um tempo para assistir às aulas de caratê dela. Eu podia jurar que, toda vez que ele aparecia, os olhinhos da Lorelai se iluminavam como se seu maior sonho tivesse se tornado realidade. Ela se esforçava mais nas aulas e sempre olhava para o pai para ter certeza de que ele estava assistindo.

Então, quando chegava o horário do jantar, ele se sentava com a gente e conversava. Lorelai, é claro, liderava a maioria das conversas, mas Greyson estava lá, participando. Estava se tornando parte da família novamente.

Karla, por outro lado, não se juntava a nós. Ela nem respondia mais quando eu a chamava para jantar. Simplesmente saía sem olhar para trás. Até que um dia cheguei ao meu limite e acabei indo até o quarto dela. Karla estava sentada na cama, jantando, com os fones nos ouvidos.

— Você precisa parar de fazer isso, Karla — falei.
— Fazer o quê?

— *Isso*. Afastar todo mundo de você. Seu pai está se esforçando.

— Não me importa se ele está se esforçando. Ele teve muitos dias pra se esforçar. Esperei por muito tempo que ele se esforçasse, mas já não faz mais diferença. Eu não me importo.

Fui até ela e respirei fundo.

— Vem jantar com a gente hoje, Karla.

— Você é surda? Eu já disse que não. Tenho certeza de que já deixei bem claro, nos últimos quatro meses, que eu não quero jantar com vocês.

— É, eu sei, mas agora estou pedindo pra você reavaliar sua decisão.

— Não vou mudar de ideia por causa dele — ralhou ela, revirando os olhos.

— Não estou falando pelo seu pai. Estou falando pela Lorelai.

Ela arqueou as sobrancelhas.

— O quê?

— A Lorelai sente muito a sua falta, Karla.

— Nós moramos na mesma casa. Eu vejo a Lorelai o tempo todo.

— Ela precisa de você — respondi.

— Ela está bem — retrucou Karla.

— Tudo bem, eu entendo. Você está brava com o seu pai, e eu entendo. Pra você é como se ele tivesse te abandonado, e você tem todo o direito de levar o tempo que precisar pra trabalhar esses sentimentos. Mas você precisa entender que, se existe uma pessoa que entende perfeitamente o que você está passando, é a Lorelai. Ela também perdeu a mãe. Por favor, não faça com que ela também perca a irmã. Ela precisa da irmã, Karla. Ela precisa de você.

Karla se mexeu e olhou para os pés enquanto retorcia os dedos. Então, ela se levantou, pegou o prato e grunhiu.

— Tanto faz. Desde que você pare de tocar nesse assunto.

Sorri, satisfeita, e voltei à sala de jantar com ela.

Ela colocou o prato em cima da mesa, puxou a cadeira e desabou nela. Greyson estava mais do que perplexo, e os olhinhos da Lorelai se iluminaram quando ela viu a irmã.

— Você vai comer com a gente, Karla? — indagou Lorelai, claramente chocada.

— Parece que sim — resmungou ela, com o celular em uma mão e o garfo na outra.

— Que bom! Senti falta de jantar com você — disse Lorelai, chupando um fio de espaguete. — A mamãe também sentiu sua falta — emendou ela, apontando com a cabeça para o prato intocado de massa separado para Nicole.

Karla revirou os olhos.

— A mamãe não está aqui, Lorelai — retrucou ela. — Anjos não existem.

— Karla — reprimi, mas Lorelai deu de ombros e se inclinou para mim.

— Tudo bem, Ellie — sussurrou ela. — A mamãe sabe que a Karla só fala da boca pra fora.

Karla revirou os olhos de novo e olhou para Greyson.

— Só pra esclarecer, não estou aqui por sua causa — afirmou ela severamente. — Isso não tem nada a ver com você.

— Perfeitamente esclarecido — disse ele, erguendo as mãos em rendição.

Greyson olhou para mim e articulou "obrigado" com a boca.

Assenti uma vez com a cabeça e voltei a comer.

Enquanto jantávamos, uma grande parte de mim queria pedir a Karla que largasse o celular, mas pelo menos ela estava à mesa. Pelo menos ela estava presente, apesar de eu saber muito bem que aquilo tinha sido muito difícil para ela. Na verdade, deve ter sido difícil para todos se sentarem àquela mesa naquela noite.

Um passo de cada vez, Eleanor.

Um passo de cada vez.

— Não consigo acreditar que finalmente vou ver o Greyson, depois de todo esse tempo — comentou Shay enquanto íamos de carro até a casa dele para o jogo de beisebol. — Quer dizer, sei que você já me falou dele e tenho prestado o máximo de atenção possível no seu *reality show*, mas ver o Greyson cara a cara depois de todo esse tempo vai ser surreal. É como se eu fosse uma figurante no seu programa — exclamou ela.

Eu ri.

— Você é muito besta.

— Ele ainda está a mesma coisa? — quis saber ela.

— Hum, sim, mas, tipo... de um jeito adulto. Você vai ver.

— Então essa vai ser a sua nova casa quando você se casar com o Greyson, hein? — exclamou Shay, quando entramos na propriedade. — Nada mal.

— Pelo amor de Deus, só espero que você evite dizer essas coisas na frente dele.

— Não prometo nada. Você me conhece, eu falo pelos cotovelos.

Estacionamos e, quando começamos a andar em direção à varanda da frente da casa, Greyson veio até nós, usando um boné de beisebol virado para trás e uma camisa do Chicago White Sox.

— Oi, meninas! — Ele sorriu e desceu os degraus da varanda correndo para nos cumprimentar. — Shay, quanto tempo! É ótimo ver você de novo.

Ele a puxou para um abraço, e Shay permaneceu imóvel feito uma estátua.

Quando ele a soltou, ela abriu um sorriso contido e então se virou para mim e sussurrou, meio gritando:

— Que merda é essa, Ellie?

— O quê? Qual o problema?

Ela me puxou para perto e virou-se de costas para Greyson.

— Hum, como, em nome de todos os santos, você se esqueceu de me dizer que o Greyson, como posso dizer, se tornou um deus grego? Fala sério, aqueles bíceps são reais? Não podem ser de verdade. As pessoas não são assim. *As pessoas não são assim!*

— *Shhh*, ele vai te ouvir. Para de agir assim.

Nós nos viramos para ele e sorrimos.

— Vocês estão prontos pra ir? Concluí que caberíamos todos no seu SUV — falei.

— Sim, vou buscar as meninas. Encontramos vocês aqui.

Ele se virou e andou com as mãos nos bolsos até entrar em casa. Shay gemeu.

Ela *gemeu*.

— Você viu, Ellie?

— Vi o quê?

— Aqueles glúteos de aço. *Glúteo esquerdo, glúteo direito, glúteos, glúteos, glúteos, ah, como os glúteos do Grey são "glutosos"* — disse ela, zombando da bunda do Greyson.

— Ai, meu Deus, Shay! Cala a boca, pode ser?

Revirei os olhos com os comentários da minha prima, mas, caramba, eu não tinha reparado na bunda do Greyson.

Um homem não podia usar uma calça jeans perfeitamente ajustada como aquela sem que ninguém olhasse para seu bumbum, e o Greyson não tinha carência alguma nesse departamento.

Nenhuma mesmo.

— Olha, sei que é contra as regras, mas, se você não dormir com ele, eu vou — brincou ela.

Eu dei um leve empurrão nela.

— Você é muito besta. Mas, escuta, preciso te dar um alerta antes de você conhecer a Karla. Ela pode ser um pouco dura com as pessoas que não conhece, num primeiro momento..

— Ah, tá! Aquela que ruge, né?

— É. A Karla vai tentar te assustar com as cicatrizes. Não reage, porque isso só vai piorar as coisas. Tenta levar numa boa. Finge que nem percebeu.

Shay foi até o carro, pegou seu chapéu-coco preto e o colocou na cabeça.

— Tenho certeza de que você está exagerando. Não se preocupe, vai dar tudo certo.

É, eu também já pensei assim.

Greyson e as meninas saíram da casa, e Lorelai vinha saltitando sem parar, animada com o jogo. Eu não fazia ideia se ela gostava de esportes, mas, no momento em que falei em algodão-doce, ela topou.

Meu estômago se revirou quando percebi os olhos da Karla se voltarem para a Shay.

Karla a encarou.

Shay a encarou também.

Minutos pareceram se passar antes de a Shay acenar com a cabeça.

— Gostei do seu estilo — elogiou ela, falando da roupa toda preta da Karla. — Bem vibe europeia.

— Obrigada. — Karla respondeu ao aceno. — Gostei do seu chapéu.

— Quer experimentar?

— Por que não?

Shay tirou o chapéu-coco, foi até a Karla e o colocou na cabeça dela.

Karla assentiu mais uma vez com a cabeça.

— Obrigada.

Ela se virou, caminhou até o SUV e entrou, logo após a Lorelai.

Fiquei de queixo no chão.

O que tinha acabado de acontecer?

Shay franziu o cenho.

— O rugido foi bem abaixo das expectativas, Ellie

Então ela também entrou no carro.

Eu me virei para o Greyson, que estava parado ali, tão chocado quanto eu.

— Sua prima é bruxa?

— É a única explicação lógica pro que acaba de acontecer. Nada mais faria sentido.

Partimos para o estádio e, durante todo o trajeto, a Shay e a Karla conversaram como se fossem melhores amigas, falando de música, maquiagem e, minha nossa, a Karla estava falando mais que a Lorelai.

Como foi que entramos naquela quinta dimensão?

O jogo acabou sendo bem mais divertido do que eu poderia ter imaginado. Lorelai estava agitada de tanto açúcar que comeu, Greyson estava focado no jogo e volta e meia eu podia jurar que parecia que Karla estava cantarolando: "Vamos, White Sox."

— Ei, pai. Pode me dar um dinheiro pra eu comprar um cachorro-quente? — pediu Karla, se levantando.

Greyson se endireitou de leve, parecendo surpreso com o pedido da filha mais velha.

— Sim, claro. Toma aqui.

— Obrigada. Quer alguma coisa? — murmurou ela.

Os olhos de Greyson se arregalaram. Ele balançou a cabeça.

— Agora não, obrigado.

— Beleza.

Karla saiu para comprar seu lanche.

— Você viu isso? — perguntou Greyson. — Ela me pediu dinheiro e *depois* perguntou se eu queria alguma coisa.

Eu sorri.

— É, eu vi.

— Esse foi um daqueles pequenos passos, né?

— Foi — concordei. — Foi, sim.

Essa era a questão dos pequenos passos — eles tinham o poder de levar a grandes oportunidades.

Quando chegamos à sétima entrada, Lorelai estava no seu limite. A euforia do açúcar estava se esvaindo bem depressa.

— Só mais um pouquinho — disse Greyson, segurando a luva na mão.

Vimos quatro bolas voarem na nossa direção durante todo o jogo, e ele estava mais determinado do que nunca a pegar uma.

— Mas, papai...

Lorelai bocejou, acomodando-se no colo da Shay.

— É sério, querida, estamos quase conseguindo. O próximo batedor é o que está batendo todas as bolas na nossa direção. Eu tenho um bom pressentimento.

Lorelai grunhiu, mas não causou nenhum transtorno.

Então, como em um passe de mágica, o jogador bateu a bola na nossa direção. Greyson se levantou, e tudo pareceu estranhamente como um ato do destino. Greyson estava de olho na bola e, quando ela começou a descer, Lorelai puxou a calça do pai, forçando-o a desviar sua atenção por uma fração de segundo. Mas aquilo foi o bastante. Entre os segundos que Greyson olhou para a filha e voltou sua atenção para o céu, seu foco foi prejudicado. A bola estava perto demais e o atingiu em cheio no rosto.

— Ahhh! — grunhiu ele, cambaleando para trás e deixando a bola cair.

Todos arfaram.

— Você está bem, pai? — indagou Karla, parecendo bem preocupada.

— Papai, você não pegou a bola — observou Lorelai.

— Ah, vejam! Estamos no telão! Dancem meninas! — instruiu Shay, e as três começaram a dançar enquanto eu ajudava Greyson a se levantar.

— Tenho certeza de que não está tão ruim quanto a dor que sinto — choramingou ele.

— O que é assustador, porque está péssimo. Melhor irmos pra casa.

Fomos todos para o carro, e o trajeto foi bastante silencioso. Eu não conseguia parar de olhar para o rosto vermelho do Greyson. Parecia estar doendo muito.

Durante o momento mais silencioso no carro, Karla começou a gargalhar sozinha.

— Ei, pessoal... Vocês se lembram de quando o papai pegou a bola de beisebol com a cara?

Todos começaram a rir, até o Greyson.

— Quem precisa de luva quando se tem um nariz? — brincou ele.

Eu podia jurar que aquela era a primeira vez que eu ouvia a gargalhada da Karla.

Mais um passinho.

Quando entramos em casa, Lorelai pediu que a Shay a colocasse para dormir — depois de mostrar a ela todas as suas obras de arte nas paredes, claro.

Karla bocejou quando entramos na casa.

— Boa noite, gente.

— Boa noite — respondemos Greyson e eu.

Quando todos saíram da sala, Greyson abriu um sorriso encabulado.

— Ela me deu boa noite, dá pra acreditar? E fez uma piada no carro, e perguntou se eu estava bem quando a bola bateu no meu rosto. Pequenos passos.

— É um passo e tanto. Isso é ótimo. Mas sabe o que não está ótimo? O seu rosto. Senta aqui no sofá. Vou buscar um pouco de gelo.

Quando voltei com o pano, tive um *flashback* instantâneo do jovem Greyson ao me sentar diante dele.

— Sabe, talvez seja melhor você se manter afastado de bolas de beisebol — comentei, pressionando o pano com o gelo na pele dele.

O braço dele roçou no meu, e calafrios percorreram minha espinha.

— Vai ficar um pouco roxo, mas acho que você vai sobreviver.

— Obrigado, Ellie.

Tirei o pano por alguns instantes e toquei levemente na pele dele enquanto Greyson respirava fundo.

— Eu me lembro de tudo — disse ele. — De tudo o que aconteceu entre nós quando éramos mais novos. Do seu café preferido, do urso de pelúcia que ganhei pra você, da maneira como você esfregava o braço quando estava nervosa.

Meus olhos se fixaram nos dele, e eu podia jurar que, de alguma forma, estávamos mais próximos. De alguma forma, a mão dele estava na minha coxa. De alguma forma, minha mão estava no peito dele.

— Você se lembra de alguma coisa sobre mim, Ellie? — sussurrou.

Senti o coração dele acelerar sob minha mão.

— Só de tudo.

Ele mordeu o lábio inferior e olhou para baixo por um instante antes de fixar aqueles olhos cinzentos de novo em mim. Eu gostaria que ele parasse de olhar para mim.

Eu não conseguia pensar direito quando aqueles olhos encontravam os meus.

— Em algum momento você pensa em me beijar, Ellie? — perguntou ele, deslizando o dedo delicadamente pelo meu pescoço.

Meu corpo estava traindo minha mente, à medida que reagia a cada toque dele. Fechei os olhos.

— Só o tempo todo.

— Ellie... — sussurrou Greyson, e eu sabia que ele estava mais perto. Senti sua respiração roçando minha pele, mas não consegui abrir os olhos.

Mas, se ele quisesse se aproximar, eu permitiria. Se fosse encurtar a distância entre nós, eu permitiria. Se nossos lábios se tocassem...

— Bom, acho que ela pegou no sono — disse Shay, entrando na sala.

No instante em que ouvimos a voz dela, nós dois demos um pulo. Fiquei ruborizada enquanto me levantava. Shay olhou para mim com uma expressão de confusão misturada com satisfação.

— Certo, bem, é melhor a gente ir embora — murmurei. — Hum, Greyson... nos vemos... hum... é isso, tchau.

Saí correndo da casa, com a Shay me seguindo.

Quando entramos no carro, ela se virou para mim.

— O que foi aquilo? — questionou ela, curiosa como sempre.

— Nada. Só um pouquinho de nostalgia — murmurei, fechando os olhos e esperando que meu coração em alvoroço se acalmasse.

— Ele estava prestes a te beijar, Ellie — ponderou ela, como se eu não soubesse disso.

— É, eu sei.

Ela deu um assobio baixo.

— Juro... Esse *reality show* está ficando melhor a cada noite que passa.

Ignorei o comentário dela, porque minha mente estava caótica demais para mandá-la calar a boca.

Greyson quase tinha me beijado.

E, sem pensar muito, eu quase tinha deixado.

Capítulo 44

Greyson

— O que você acha da Eleanor? — perguntou Claire no nosso almoço semanal.

Preciso admitir que a pergunta me deixou um pouco constrangido. Será que ela sabia do que tinha acontecido entre mim e a Eleanor? Será que estava escrito na minha testa que quase tínhamos nos beijado?

Será que eu estava analisando demais as coisas desde que a boca da Eleanor se aproximou da minha?

Sim, estou só analisando demais as coisas. Deixa isso para lá, Grey.

— Acho que ela é ótima com as meninas. A Lorelai é apaixonada por ela. Até a Karla está se acostumando com ela, o que eu acho uma loucura. Ela é realmente muito boa com as meninas.

— É, eu concordo. Acho que ela é maravilhosa com as meninas, mas não foi isso que eu quis dizer.

— Ah?

Ela se aproximou e abriu um sorriso torto.

— Quero saber o que você acha dela.

Eu me recostei na cadeira, confuso. Então, quanto mais eu olhava para ela, mais percebia aonde ela queria chegar, via a malícia em seu sorriso. A perspicácia em seus olhos.

Ora, francamente, Claire. Deixa isso para lá.

Olhei para o relógio. Nosso horário de almoço tinha chegado ao fim. *Graças a Deus.*

— Minha nossa, já viu que horas são? Parece que nosso horário de almoço está acabando. — Eu me levantei e joguei algumas notas em cima da mesa, provavelmente mais do que o necessário para pagar a conta. — Preciso voltar pro escritório. Foi bom ver você de novo, Claire.

Ela riu entre os dentes, quase satisfeita com meu desconforto.

— Você também, Greyson. Vejo você semana que vem. E, da próxima vez, faço questão de pagar um almoço completo, não apenas um lanche.

Jamais.

— E pense em uma resposta pra minha pergunta! — gritou ela, mas eu a ignorei. Eu definitivamente não pensaria em uma resposta para aquela pergunta.

Claire precisava parar de ler aqueles romances bregas pelos quais era obcecada.

~

Em uma sexta-feira à noite, depois que as meninas foram para a casa dos avós, vi Eleanor sentada ao volante, tentando ligar o carro, mas sem sucesso. Nós ainda não tínhamos parado para conversar desde nosso quase beijo.

Parecia que ela estava se esforçando para me evitar.

— Não, não, não — resmungava ela enquanto eu me aproximava. — Droga! Não acredito nisso! — berrou ela, saindo do carro e socando o ar. Em seguida bateu no capô do carro.

— Não acho que vá consertar assim — comentei, e ela se empertigou.

— Precisa de ajuda? — perguntei, o que a fez se virar para me olhar.

Quando ela se virou para mim, parecia corada, quase envergonhada por eu tê-la pegado no meio de um surto.

— Ah, Greyson, oi. Desculpa. Meu carro não quer pegar, e eu planejava ir até o Lago Laurie, porque hoje seria aniversário da minha mãe. Além disso, tô tentando ligar pro meu pai o dia todo, pra ver como ele tá, mas ele vem ignorando minhas ligações de novo. Faz semanas que não tenho notícias dele, pra falar a verdade, e tô começando a ficar preocupada. Principalmente hoje, porque sei que a data é bem difícil pra ele... — Ela suspirou. — E, claro, é informação demais pra você, mas, como tô tendo um ataque de nervos e tudo mais...

— Pega um dos meus carros — ofereci. — O que você quiser.

Os olhos dela se arregalaram e se encheram de lágrimas.

— Sério? Não tem problema?

— É claro que não.

Ela esfregou os olhos e respirou fundo algumas vezes.

— Mesmo, mesmo?

— Sim, claro, para que você consiga ir até o Lago Laurie hoje.

Então ela deu um salto e me abraçou.

Ela me apertou o máximo que conseguiu. Num primeiro momento, fiquei imóvel, surpreso pelo abraço que pareceu ter surgido do nada. Então, segundos depois, relaxei e a apertei também. Eu tinha me esquecido de como era bom fazer isso, como ela era boa em me abraçar.

Quando éramos jovens, os abraços dela eram uma das minhas coisas preferidas.

Quando ela me soltou, deu um passo atrás e colocou o cabelo atrás da orelha.

— Desculpa. Como eu disse, estou emotiva hoje.

— É compreensível. Tenho certeza de que já vivi minha cota de dias emotivos.

Ela sorriu, mas eu percebi a tristeza por trás do sorriso dela.

— Quer que eu vá com você? — perguntei. — Assim você não precisa ir sozinha.

Capítulo 45

Eleanor

Quer que eu vá com você?

As palavras do Greyson ficaram bailando na minha cabeça enquanto eu olhava para ele.

Ele não estava de terno, o que era estranho. Estava de jeans e camisa de malha.

Parecia o velho Grey.

— Ah, não precisa, tá tudo bem — menti, abrindo um sorriso contido.

— Sorriso falso — observou ele. — Vou com você — afirmou ele, com aqueles olhos cinzentos que sempre me davam arrepios.

— O quê? Ah, nossa, não. Não posso te pedir uma coisa dessas. Estou bem, mesmo.

— Você não está me pedindo. Eu é que estou perguntando se posso ir com você — disse ele, sem desviar os olhos de mim.

Meus batimentos cardíacos estavam enlouquecidos e, nossa, eu sentia falta dele. Eu sentia muita falta dele. Eu não sabia o quanto até começar a ver os pedacinhos do Greyson que fizeram parte da nossa adolescência. As partes que apareciam na minha frente quando eu mais precisava dele.

— Tudo que você precisa fazer é dizer "sim" — continuou ele. — Diga "sim", e eu vou com você.

Eu sabia que deveria negar, por causa do que meu coração estava sentindo. Sabia que deveria me afastar dele, porque meu estômago estava repleto de borboletas, e eu estava sentindo coisas por um homem que não era meu. No entanto, meus lábios se abriram, e eu soltei um suspiro.

— Sim — sussurrei.

Ele me acompanhou, apenas como amigo, para me dar apoio moral em um dia muito difícil.

Nada mais, nada menos.

Fizemos o caminho até o Lago Laurie em silêncio, porque eu não conseguia pensar em nada para dizer. Bem, nada além de: "*Lembra quando a gente quase se beijou? O que foi aquilo?*" Ou então: "*Ei, o que teria acontecido se a Shay não tivesse entrado na sala bem naquele momento?*" Ou: "*Bem, se você não teve sucesso na primeira tentativa... Tente de novo...*"

Então foi por isso que fiquei de boca fechada.

A mão esquerda do Greyson tamborilava em sua coxa enquanto ele dirigia. Se fosse qualquer outra pessoa, eu não teria nem percebido, mas eu conhecia Greyson e seus hábitos.

Ele também estava nervoso.

Estacionamos o carro e atravessamos o bosque. As lembranças da nossa adolescência voltaram em um turbilhão à minha mente. Greyson e eu tínhamos compartilhado muitos momentos naquela lagoa escondida. Momentos que salvaram a minha vida. Momentos que me definiram. Momentos que me guiariam pelo resto da vida.

Nós rimos muito ali.

Nós choramos também.

Nosso primeiro beijo foi naquele lugar.

— Que loucura voltar aqui depois de tanto tempo — comentou ele, me despertando dos meus devaneios. Fiquei grata por isso, visto que meus pensamentos estavam sendo desleais com o meu cérebro.

Na minha cabeça, eu sabia que nutrir sentimentos por um viúvo era uma péssima ideia. Mas e o meu coração? Ele não estava nem aí para o que meu cérebro dizia. Apenas continuava batendo pelo Greyson.

Nós encontramos o tronco que era nosso lugar cativo, e isso me surpreendeu. O tronco ainda estava ali, firme e forte, como estivera todos aqueles anos antes. Nós nos sentamos nele.

— Continua lindo — afirmou Greyson. — Talvez mais ainda agora.

— Penso isso toda vez que venho aqui. É como se eu notasse algo novo a cada vez.

Ele inclinou a cabeça para mim.

— Você está bem, Ellie? — perguntou ele. — Sei que hoje é um dia difícil pra você...

Sorri e apoiei as mãos no tronco.

— Sim, estou bem. Quer dizer, durante muito tempo, esse dia foi bem difícil pra mim. Mas, à medida que os anos passam, a dor vai diminuindo. Você começa a substituir a tristeza pela gratidão. Você meio que se torna grato pelas lembranças. Fica mais fácil respirar quando a dor é substituída pela gratidão.

— Não vejo a hora de esse dia chegar pra mim — disse ele, apoiando as mãos no tronco também. Nossos dedinhos se tocaram de leve, e eu senti aquele toque no fundo da alma.

— Não precisa ter pressa. Só sinta o que você precisa sentir que, com o tempo, seus sentimentos vão se transformar em algo diferente. Em algo lindo. Uma coisa boa em relação à morte é que ela não pode apagar suas lembranças. Elas vivem pra sempre.

Ele baixou a cabeça e inspirou fundo.

— Você sempre sabe o que dizer quando eu mais preciso de ajuda. Mesmo quando não quero ouvir. É como se você soubesse as palavras exatas que preciso ouvir.

Ri entre os dentes.

— Isso basicamente descreve o que você foi pra mim quando a gente era adolescente. Você foi o salva-vidas que me impediu de afundar.

Greyson ficou sério por um instante, olhando para o cair da tarde.

— Ainda não consigo entender isso tudo...

— Isso o quê?

— Nós. Eu e você. O fato de você ter aparecido quando eu mais precisava. Não entendo.

— Parece meio doido mesmo, né?

— Não sei se acredito em vida após a morte — confessou ele. — Eu vejo a Lorelai conversando com a mãe e rezo para que seja real, pelo bem dela mesma. Mas não sei se existe um Deus, ou anjos, ou qualquer coisa do tipo. Por outro lado, quando eu me sentia no fundo do poço... Quando ficava totalmente arrasado e despedaçado, eu a procurava. Eu procurava a Nicole. Eu ia até o túmulo dela, me sentava diante dele e desabava. Implorava por ajuda, por uma luz, por qualquer coisa... Buscava um motivo pra sorrir... — Ele engoliu em seco, uniu as mãos e olhou para mim. Seus olhos eram tão dóceis e calmos. Aqueles olhos cinzentos... Ele fungou de leve, ergueu o ombro direito e falou baixinho: — Mas aí você chegou.

Ah, Greyson...

— Desculpa — disse ele, corando de leve.

Ele estava nervoso. Eu estava nervosa também. Para ser sincera, não sabia ao certo se era o nervosismo dele que eu estava sentindo ou o meu.

— Fico feliz por ter podido estar aqui pra te ajudar — comentei. — Além do mais, eu te devia isso.

— Pelo quê?

— Por impedir que eu me afogasse.

Ele sorriu e olhou para a lagoa.

— Acho que agora estamos quites.

Ficamos sentados ali por mais um tempo, sem dizer nada, pois não precisávamos de palavras.

Estávamos só ali, em meio à floresta, apaziguando nossas almas. Volta e meia, uma libélula zunia ali perto.

— Sabe a preocupação que você sente pela Karla? — perguntei.

— Sei.

— É assim que eu me sinto com relação ao meu pai. O tempo todo. Tenho essa terrível sensação de que ele está afundando cada vez mais na depressão e, mesmo se ele precisasse de mim, não me procuraria. Isso me deixa apavorada todos os dias.

— E você tentou ajudar o seu pai?

— Várias vezes, e, a cada ano, ele se afasta ainda mais de mim. Ele está se afogando na solidão e se recusa a pegar minha mão.

— É difícil — confessou Greyson. — É difícil aceitar ajuda das pessoas. E, quanto mais os dias passam, se distanciar das pessoas fica cada vez mais fácil. A maioria das pessoas também desiste de você. Elas percebem que você é uma causa perdida, que não vão conseguir ajudar sua alma despedaçada. Sei porque foi isso que eu fiz. Eu me distanciei de todo mundo e só quem mais importava pra mim foi quem ficou. Quer o meu conselho?

— Por favor.

— Continua ligando. Um dia, ele vai resolver atender, e, se não atender, vai até a casa dele e derruba a porta. Se mesmo assim você não conseguir falar com ele, pelo menos vai saber que tentou de tudo, que você não desistiu.

Assenti.

— Obrigada, Greyson.

— Estou sempre às ordens.

Quando chegou a hora de ir embora, nós dois nos levantamos do tronco.

Respirei fundo e parei.

— Posso ficar um minuto sozinha? — pedi. — Só pra conversar com a minha mãe?

— Claro. — Ele enfiou as mãos nos bolsos. — Espero você no carro.

Então ele foi embora, me deixando sozinha com minha mãe.

Eu sabia que ela estava ali, podia sentir a energia dela me rodeando. Em vários momentos na vida eu me sentia perdida. Havia situações em que eu não sabia se deveria ir para a direita ou para a esquerda. Eu duvidava de mim mesma e das escolhas que tinha feito. Às vezes sentia que estava me afogando e, naqueles dias, eu conversava com a minha mãe e contava tudo para ela.

Enquanto eu estava ali, parada na frente do lago que oscilava lentamente de um lado para o outro, pedi a ajuda dela, uma orientação. Pedi à minha mãe que cuidasse do meu pai de um jeito que eu não podia cuidar.

Então fechei os olhos e senti a brisa suave na minha pele. Fiquei grata porque, de alguma forma, minha mãe era mágica. De alguma forma, ela tinha conseguido enganar a morte. Embora sua forma física não estivesse mais entre nós, eu sentia seu espírito me tocar todos os dias.

Sempre que eu pedia ajuda, ela vinha me mostrar o caminho. Algumas pessoas chamavam isso de "sinais"; outras, de "bênçãos", mas eu simplesmente chamava de beijos da minha mãe.

Ela me guiava pela escuridão e prometia que haveria luz no fim do túnel.

Então, não importava o que acontecesse, eu sabia que tudo ficaria bem.

Porque o amor de uma mãe é suficiente para transpor o tempo e o espaço.

O amor de uma mãe nunca morre.

O amor de uma mãe sempre consegue curar o coração de sua filha com simples beijos ao vento.

— Feliz aniversário, mãe — sussurrei, secando as lágrimas que encontraram uma forma de escorrer dos meus olhos.

Eu não sabia se eram lágrimas de felicidade ou de tristeza, mas não importava. Enquanto eu ainda estivesse sentindo emoções, sabia que ficaria bem.

Capítulo 46

Greyson

Semanas se passaram, e a amizade entre mim e Eleanor só cresceu. Como aconteceu quando éramos jovens. Ela me ouvia sempre que eu precisava conversar, ficava comigo nos dias difíceis e não me pedia nada, só ficava do meu lado. Eleanor também era uma ótima copiloto. Eu tinha passado mais tempo com a Karla nas últimas semanas do que durante todo o ano anterior. Ultimamente, Karla nem implicava mais com o fato de todos nós sairmos juntos e, de vez em quando, eu podia jurar que ela até sorria, exatamente como a mãe.

Quando estava perto do aniversário da Eleanor, eu sabia que queria fazer algo especial para ela. Eleanor havia feito uma mudança na vida da nossa família, e principalmente em mim. Eu queria celebrá-la por isso. Era a Ellie, afinal de contas, e isso valia uma comemoração.

As meninas e eu decoramos a casa para ela, e Karla nem reclamou. Ela inclusive fez um bolo com a irmã. Eu tinha certeza de que ele havia queimado, e provavelmente também tinha uns pedacinhos de casca de ovo na massa, mas elas o decoraram mesmo assim.

A Claire também apareceu e, por sorte, trouxe um bolo para a comemoração. Provavelmente muito melhor.

— Que produção! — exclamou Eleanor, sorrindo de orelha a orelha quando a levamos para a festinha que improvisamos. — Vocês não precisavam ter feito isso tudo.

— É claro que precisávamos. Você é uma parte importante dessa família, e nessa família nós comemoramos dias importantes — disse Claire.

Ouvir aquelas palavras da Claire era muito significativo. Se havia alguém que era mestre em fazer uma pessoa se sentir amada, era ela. O amor da Claire era gritante, e ela era sempre carinhosa com todo mundo.

— Meninas, vocês acham que a gente devia entregar o presente da Eleanor agora? — sugeri.

— Sim! — exclamou Lorelai, correndo até a mesa e pegando o embrulho com o nome da Eleanor. — Toma, Ellie.

Os olhos da Eleanor se arregalaram.

— Vocês não precisavam me dar nada. De verdade — disse ela.

— Claro que precisávamos, é seu aniversário! Olha, não é nada de mais, mas todos nós trabalhamos nele — contei.

— Até a Karla ajudou! — contou Lorelai.

Karla bufou.

— Não precisa fazer escândalo. Não é grande coisa.

Ah, minha adolescente raivosa. Quanta alegria.

Eleanor começou a abrir a caixa e, no instante em que viu o que tinha lá dentro, seus olhos se encheram de lágrimas, e ela cobriu a mão com a boca.

— Grey... — sussurrou ela.

— Tira do pacote — falei, apontando para o embrulho com a cabeça.

Ela colocou as mãos dentro da caixa e tirou o cardigã com libélulas bordadas. Lágrimas começaram a escorrer pelo rosto da Eleanor enquanto ela abraçava o tecido. Ela continuou olhando para a peça incrédula.

— Você gostou? — perguntou Lorelai.

— Meu Deus, eu amei, Lorelai. Mais do que consigo dizer. — Ela olhou para mim. — Como vocês... Vocês que fizeram?

— Foi. Depois de vários vídeos no YouTube e alguns rolos de linha desperdiçados, acabou saindo uma coisa decente. As meninas também tricotaram uma parte. Mas as libélulas são obra da Claire. Não tenho tanto talento assim. Então, é de todos nós.

— Feito com amor — complementou Claire.

Eleanor cobriu a boca com a mão mais uma vez e começou a chorar aos soluços, deixando as emoções tomarem conta dela. Ela ficou arrebatada, e Lorelai foi abraçá-la.

— Está tudo bem, Ellie. Não precisa ficar triste.

— Ah, não, não estou triste, meu bem. Estou muito feliz. Sabe, quando eu era criança, minha mãe fazia cardigãs pra mim. Uma vez ela me deu um muito parecido com esse que vocês fizeram pra mim, e ele era o meu preferido. Mas eu acabei perdendo todos eles e pensei que nunca mais teria um de novo, então esse presente é mais do que incrível.

— Então são lágrimas de felicidade? — indagou Lorelai.

— São as lágrimas da maior felicidade do mundo — respondeu Eleanor. — Muito, muito obrigada. Obrigada a todos vocês. Esse é o melhor presente que eu já ganhei na vida.

— A Shay me contou que você tinha perdido seus cardigãs. Sei que não podemos substituir aqueles, mas esperava que talvez esse trouxesse um sorriso ao seu rosto. — Sorri. — Feliz aniversário, Ellie.

— Obrigada, Grey.

Ela sorriu para mim, e meu coração palpitou.

Eu não sabia que isso ainda podia acontecer comigo.

Não sabia que meu coração podia bater por outra pessoa.

E a sensação era maravilhosa.

Naquela tarde, as meninas foram para seus quartos depois de terem comido mais fatias de bolo do que deveriam. Eleanor voltou para casa para seu jantar de aniversário com a Shay e eu fiquei arrumando as coisas depois da festinha.

— A Eleanor é excelente — comentou Claire, entrando na cozinha enquanto eu colocava a louça na máquina. — Ela seria ótima pra você.

— É, ela é ótima com as meninas — concordei. — Até a Karla está se abrindo com ela, e todo mundo sabe que isso é um avanço. A Eleanor tem sido excelente pra elas.

— É, concordo plenamente, mas eu quis dizer que ela é boa pra *você*.

As palavras da Claire me pegaram de surpresa, e eu me levantei, olhando para ela.

— Como?

Ela me fitou com os olhos mais doces do mundo e andou até mim.

— Eu entendo, Greyson, eu entendo. De verdade. Sei que você provavelmente está tentando ignorar, sufocar os sentimentos, mas você não precisa fazer isso. Sei que deve estar com medo do que isso possa significar, de ver esses sentimentos surgindo dentro de você, mas você não devia ter medo deles. Eu conhecia a minha filha. Sei o que ela iria querer pra você. Ela iria querer que você fosse feliz de novo. Isso é tudo o que a Nicole iria querer pra você, que você encontrasse a felicidade. Se a Eleanor representa a felicidade pra você, como eu acho que seja o caso, por favor, não a deixe escapar.

Larguei o prato que estava segurando e me apoiei na pia.

— É tão óbvio assim? — perguntei.

— Só quando você olha pra ela Quando você olha pra ela, é como se o mundo inteiro se iluminasse dentro de você. — Claire se aproximou de mim e colocou a mão no meu antebraço. — E isso é bom, Greyson Isso é lindo.

Meu peito ficou apertado, e eu respirei fundo, fechando os olhos.

— É que parece que é uma traição... Como se eu estivesse traindo a Nicole.

— Não — afirmou Claire na mesma hora, balançando a cabeça.
— Não, não, não. Eu imaginei que você fosse reagir assim e fiquei preocupada com isso. Você não está traindo ninguém, Greyson. Você e a minha filha viveram uma linda história de amor. Vocês criaram um amor tão forte que viverá pra sempre, e isso é incrível, mas não significa que você não possa mais amar de novo. Seu coração continua batendo, filho, o que significa que há espaço pra mais amor. E, se existe alguém no mundo que merece encontrar esse amor, esse alguém é você.

Eu inspirei fundo.

— É assustador.

— Sim, é. Mas, ainda assim, vale a pena.

— E se ela não quiser um relacionamento comigo?

— Ela vai querer.

— Como você sabe?

— Porque, quando ela olha pra você, é como se o mundo todo se iluminasse dentro dela. Então, confie nos seus sentimentos e não deixe que a dúvida te domine. Às vezes a gente precisa simplesmente se jogar, Greyson. Você precisa se jogar e acreditar que vai conseguir voar.

Ela abriu um sorriso igual ao da Nicole, e isso me deixou feliz e triste ao mesmo tempo.

Expirei lentamente, sentindo minha pulsação acelerar.

Ela tinha razão.

Ela sempre tinha razão.

— Obrigado, Claire.

— Estou sempre às ordens.

— Eu só... — pigarrei e me mexi, sem sair do lugar. — Acho que nunca te falei isso, mas só queria que você soubesse que eu sempre te vi como uma mãe pra mim. Eu nunca tive de fato uma figura materna na minha vida até você chegar, e, desde o início, você me recebeu de braços abertos. Você me orientou quando eu precisei, me puxou da beira do precipício quando eu estava prestes a pular.

Quando atingi o fundo do poço, você ficou lá, do meu lado. Você lutou por mim quando eu mesmo não conseguia lutar. Você sempre esteve do meu lado, mas acho que não sabe o que isso realmente significa pra mim. Não acho que compreenda a honra que é, pra mim, chamar você de "mãe".

Lágrimas encheram os olhos da Claire enquanto ela vinha até mim. Então ela me abraçou.

— Você é o filho que eu sempre sonhei em ter.

Aquilo me tocou mais do que ela poderia imaginar. Depois de um instante, ela se afastou e colocou as mãos no meu rosto.

— Agora, vai — sussurrou ela, sua voz era permeada unicamente por amor. — Voa.

Capítulo 47

Eleanor

Depois que ganhei o cardigã do Greyson e das meninas, eu não o tirei mais. Eu o usei no meu jantar de aniversário com a Shay. Quando voltamos pro apartamento, me acomodei no sofá com o novo romance que estava lendo, pensando em mergulhar de cabeça no universo dos meus personagens, mas não consegui. Meu foco estava comprometido, e eu não conseguia parar de pensar no Greyson.

De todos os presentes que eu já tinha ganhado na vida, aquele cardigã de libélulas era um dos melhores.

Depois de ter passado um tempo, e eu só ter lido oito páginas, larguei o livro de vez.

Como meus pensamentos não se aquietaram, peguei o celular e comecei a escrever um e-mail.

DE: EleanorGable@gmail.com
PARA: GreysonEast@gmail.com
DATA: 24 de agosto, 22:34
ASSUNTO: Libélulas

Greyson,

Eu só queria te agradecer por hoje. Você não tem ideia do que esse dia significou pra mim... do quanto esse cardigã significa pra mim. Eu iria até a sua casa agora para agradecer pessoalmente, mas começaria a chorar feito uma doida, e não quero que você tenha que lidar com isso.
Eu amei demais, Grey. Será meu tesouro pelo resto da vida.

Ah, eu estava conversando com a Karla hoje e pensei em uma coisa que talvez te ajude a se reconectar com ela. Pode ser que seja um passo pequeno, mas talvez valha a pena considerar.
Ela se sente perdida e sente que você não confia nela. Acho que demonstrar um pouquinho de confiança pode ser ótimo, mesmo que seja só deixar ela tomar conta da Lorelai algumas horas por semana. Ela é realmente excelente com a irmã, e acho que isso talvez a faça se sentir mais independente e útil, de certa forma.
De novo, é só uma ideia. Fique livre pra ignorar. Só queria dar essa sugestão.

Ellie

～

DE: GreysonEast@gmail.com
PARA: EleanorGable@gmail.com
DATA: 24 de agosto, 23:02
ASSUNTO: Re: Libélulas

Eleanor,

Aceito qualquer dica e sugestão em que você conseguir pensar. Obrigado.

Aliás, vai rolar uma grande festa de lançamento da nova linha de uísques da EastHouse. Meu amigo Landon vai ser o anfitrião, e o evento vai ser enorme. Você e a Shay gostariam de ir? Pelo que me lembro, festas não são lá muito a sua praia, mas fique à vontade pra levar um livro.

Vou garantir que você tenha um cantinho antissocial pra se esconder.

Grey

~

DE: EleanorGable@gmail.com
PARA: GreysonEast@gmail.com
DATA: 24 de agosto, 23:09
ASSUNTO: Re: Re: Libélulas

Grey,

Você me ganhou com o cantinho antissocial.
Estaremos lá.

Ellie

~

DE: GreysonEast@gmail.com
PARA: EleanorGable@gmail.com
DATA: 24 de agosto, 23:17
ASSUNTO: Re: Re: Re: Libélulas

Feliz aniversário, Ellie.
Espero que todos os seus sonhos e desejos se realizem.

Grey

Capítulo 48

Eleanor

Na noite do lançamento da linha de uísques, Shay e eu nos arrumamos na casa de hóspedes do Greyson. Ele tinha contratado uma limusine para nós três irmos juntos à festa, então fazia sentido que nos aprontássemos por lá.

Era para ser um dos maiores eventos do ano e, como Landon seria o anfitrião e convidaria outras pessoas famosas, eu sabia que seria uma noite e tanto.

Mesmo assim, peguei uma bolsa grande o suficiente que comportasse o livro que eu estava lendo, pois a introvertida dentro de mim ainda estava vivinha da silva.

— Ficou legal? — perguntou Shay, alisando o vestido preto que parecia que tinha sido feito para ela.

Minha prima estava deslumbrante, embora isso não fosse nada difícil para ela. Shay poderia usar um saco de batatas e continuaria maravilhosa.

— Está incrível — respondi, atônita com a beleza dela. Virei-me novamente para o espelho e passei o batom vermelho, o toque final do meu *look*. — E eu?

Eu estava usando o vestido dourado mais sofisticado que já tinha visto, graças à Shay. Ela tinha me levado para fazer compras, e, quando eu o provara e vira todo aquele brilho fascinante, pensei que era superexagerado, mas a Shay me convenceu de que Hollywood era exagerada mesmo, o que significava que o vestido era perfeito.

Terminamos de nos arrumar, colocamos os sapatos de salto alto e fomos até a casa do Greyson. A limusine já estava nos aguardando do lado de fora, e, quando eu a vi, um nó se formou na minha garganta. Aquela seria a noite mais esquisita da minha vida, eu tinha certeza disso.

— Você acha que o Chris Evans vai estar lá? — perguntou Shay, quando nos aproximamos da varanda da casa. — Queria muito que o Capitão América estivesse lá. Ou então o Chris Hemsworth, ou, nossa, o Chris Pratt. Sinceramente, não sou exigente. Só preciso de um Chris.

— Tem certeza de que não precisa de um Landon? — brinquei, tirando sarro de sua primeira paixonite do colégio.

O rosto dela ficou tenso, e ela emitiu um ruído abafado.

— Sabe o que é pior do que ter namorado um cara que vira uma celebridade e, por isso, você é forçada a ver o rosto dele em todo lugar? Sabe o que é pior do que isso?

— O quê?

— Nada, absolutamente nada. Aposto que ele continua sendo o velho Landon de todos aqueles anos atrás, só que com carros mais caros.

Shay disse aquilo tudo como se não se importasse, mas eu sabia que minha prima estava nervosa. Ela cutucava as unhas quando estava aflita, e não tinha parado de fazer isso desde que eu comentei com ela sobre a festa.

Batemos à porta da casa do Greyson, e ele atendeu, com um sorriso.

— Oi, meninas, vocês estão lindas. Estou só terminando de arrumar o cabelo — disse ele enquanto passava gel pelos fios, alisando-os para trás.

Ele estava com um *smoking* preto que lhe caía como uma luva e marcava cada músculo do seu corpo... Bem, cada *atributo* dele.

Ele se virou para voltar para dentro de casa e Shay baixou o tom de voz.

— Glúteo esquerdo, glúteo direito, glúteos, glúteos, glúteos... — sussurrou ela.

Eu a cutuquei, sentindo meu rosto enrubescer, porque, sim, eu tinha reparado na bunda dele.

Ah, como os glúteos do Grey são "glutosos".

Quando ele voltou, estava enfiando a carteira no bolso de trás com um enorme sorriso no rosto.

— Tá, eu tô pronto.

— Peraí, vocês todos vão? — perguntou Karla, entrando na sala de estar. — Não me diga que a Madison está vindo pra tomar conta da gente.

— Não — respondeu Greyson, ajeitando as abotoaduras nas mangas. — Pensei que você mesma poderia tomar conta da sua irmã.

Os olhos da Karla se arregalaram, e eu podia jurar que o queixo dela estava caído no chão.

— O quê? Você quer que eu tome conta da Lorelai?

— Bem, sim. Acho que não faz sentido chamar alguém pra ficar de babá hoje. Não vou ficar fora por muito tempo, e você já tem idade suficiente pra ficar sozinha com a sua irmã. Quer dizer, se você estiver disposta — disse Greyson, arqueando uma das sobrancelhas. — Senão, eu posso ligar...

— Não! — disse Karla apressadamente, jogando as mãos para cima. Então percebeu sua resposta empolgada e baixou os braços, pigarreando. — Quer dizer, tanto faz. Eu tomo conta dela, se precisar.

— Obrigado, Karla. Isso significa muito pra mim. Tenha uma boa-noite. Me liga se precisar de alguma coisa — disse Greyson.

— Tá bom. Tchau.

Quando Greyson deu as costas para a filha chocada, olhou para mim, sorriu e articulou um "obrigado" com a boca.

Assenti, sentindo que aquela vitória era exatamente algo de que ele e a Karla precisavam.

Greyson conduziu nós duas até o carro e abriu a porta.

Nossa, parecia que eu estava indo para o baile de formatura — um baile de formatura bem caro, de alto nível e repleto de celebridades.

Greyson entrou, e o motorista fechou a porta.

— Olha, Ellie, eu não queria que você surtasse, sei que é introvertida por natureza, mas a gente vai ter que passar por um tapete vermelho. Você sabe, por uma questão estratégica. Vai ter muita gente da imprensa lá, principalmente com todas as celebridades que o Landon convidou. Mas não quero que você se sinta sufocada.

Eu me encolhi ao ouvir aquilo.

Falando sério, aquele era o meu pior pesadelo.

Greyson deve ter percebido, pois colocou a mão no meu joelho e o apertou de leve.

— Não fica preocupada. Eu vou estar o tempo todo do seu lado.

E assim eu retornei ao tempo em que ele era adolescente e me levou ao meu primeiro baile, garantindo que tudo ficaria bem. Era engraçado... as lembranças eram muito rápidas em deixar impressões no coração de alguém.

Sorri e concordei com a cabeça, tentando ignorar meus pensamentos erráticos.

— E você, Shay? Está se sentindo à vontade para cruzar o tapete vermelho com a gente?

Shay riu, balançando a cabeça.

— Greyson, eu brinco de desfilar sobre o tapete vermelho desde que tinha 2 anos. Vou fazer história hoje. Eu nasci pra isso.

Ela não estava mentindo. Quando éramos crianças, ela colocava os sapatos de salto alto da minha tia e andava de um lado para o outro, posando como se os paparazzi a estivessem seguindo por toda parte. O sonho da Shay estava prestes a se tornar realidade.

Quando chegamos ao local do evento, tudo parecia de faz de conta. Havia dezenas e dezenas de pessoas andando pelo longo tapete vermelho. *Flashes* pipocavam por toda parte, e havia vários seguranças.

Tinha também uma grade para impedir que o público chegasse muito perto das celebridades e, *ai meu Deus, eu vou vomitar*. Bem ali, na frente de todas aquelas câmeras, eu ia vomitar.

Greyson apertou meu joelho de novo, e eu fingi que o toque dele não derreteu cada pedacinho do meu corpo.

— Muito bem, senhoritas, preparadas? É hora do show — anunciou ele enquanto a porta da limusine se abria.

Ele saiu primeiro, então ofereceu a mão à Shay. Ele a ajudou a saltar do carro e então estendeu a mão para mim.

Eu tremia.

Minha testa suava, e eu estava muito zangada comigo mesma por não ter passado um desodorante de longa duração. Quando eu estava prestes a desistir, quando estava quase fugindo correndo dali, a mão do Greyson tocou minha lombar, e ele se aproximou para sussurrar no meu ouvido.

— Não precisa ficar preocupada, Ellie. Eu tô aqui. Além disso... — Ele se afastou de leve e fixou os olhos nos meus. — Você está linda demais.

Arrepios.

Arrepios por todo o meu corpo.

— Pronta? — perguntou ele.

— Pronta — respondi.

Tão pronta quanto eu poderia ficar.

Greyson engachou um braço no da Shay e o outro no meu enquanto andávamos até o tapete vermelho. Parávamos de vez em quando, enquanto os *flashes* pipocavam. Eu tinha certeza de que meu sorriso estava horroroso. Tinha certeza de que meus joelhos estavam cedendo. Sabia que, quando visse as fotos na internet, na manhã seguinte, eu ficaria mortificada, mas Greyson continuou me segurando, então eu não pude tentar fugir.

— Sr. East! Sr. East! Aqui! — gritou um repórter.

— Não, aqui, Sr. East! — berrou alguém.

— Quem são as senhoritas que o acompanham esta noite? — perguntou outra pessoa.

— Duas amigas dos tempos de colégio — respondeu Greyson, sorrindo.

É, essa era eu, apenas uma velha amiga de um cara muito bem-sucedido. Sinceramente, eu não tinha me dado conta de como Greyson era bem-sucedido até aquele momento.

— É estranho estar aqui sem a sua esposa? Como você está lidando com a morte dela? — perguntou outro repórter.

— Como está sendo lidar com a perda? Foi por isso que trouxe essas duas mulheres bonitas como acompanhantes?

Senti Greyson ficar tenso, mas ele manteve o sorriso no rosto. Ele agradeceu aos repórteres por estarem ali e nós seguimos em direção à festa.

— Isso foi bem grosseiro — sibilei, irritada com a insensibilidade dos repórteres.

Assim que entramos, Greyson soltou nossos braços e abriu um sorriso acanhado, erguendo o ombro de leve.

— Faz parte.

— Bem, isso é ridículo. Se você quiser, posso ir até lá dar uma surra neles. Tenho feito pilates e estou com os músculos tonificados — falei.

Greyson sorriu enquanto entrávamos no salão.

— Ou podemos simplesmente esquecer todos eles e tomar umas doses dos novos uísques — sugeriu ele quando um garçom com uma bandeja carregada apareceu na nossa frente. Greyson explicou o que era cada um deles. — Esse tem sabor de canela; esse, de maçã; e esse aqui é meio cítrico. Vocês precisam provar todos. É a regra.

Positivo e operante.

Nós três tomamos uma dose atrás da outra, e, embora queimasse um pouquinho, era bem fácil beber. O de maçã foi meu preferido.

— Minha nossa, Greyson! São deliciosos! — exclamou Shay.

— Qual é o seu preferido? — perguntou uma voz atrás de nós.

Quando nos viramos, nos deparamos com o Landon, parado ali de terno azul-marinho feito sob medida, elegante como nunca. Seus cabelos loiros estavam penteados para trás, ele estava usando uma gravata bordô que combinava com os sapatos, e eu não podia mentir — ele estava um gato.

Acho que a Shay pensou o mesmo, porque ela estava boquiaberta. Eu me inclinei para ela.

— Shay?

— Sim?

— Fecha a boca, senão vai entrar mosca.

Os lábios dela se apertaram em uma linha fina, e ela se recompôs, endireitando os ombros.

— Eleanor, que bom ver você de novo. — Landon enfiou as mãos nos bolsos e deu a Shay um sorriso hollywoodiano maroto. — E, Shay, quanto tempo. Você está tão linda quanto eu me lembrava.

— Tanto faz, Landon. Você está ok.

Ele riu.

— Estou vendo que sua personalidade forte continua a mesma.

— E eu estou vendo que suas orelhas continuam grandes — retrucou ela.

Eles ficaram se encarando por um tempo, quase como se estivessem em uma competição para ver quem desviaria o olhar primeiro.

Aquilo estava ficando bem esquisito, para dizer o mínimo.

— Hum... tudo bem. Bem, vou dar uma volta com a Ellie — disse Greyson, colocando a mão na minha lombar.

Eu gostaria que ele parasse de fazer aquilo.

Ele não percebia o nervosismo que provocava em mim.

— Por que tenho a sensação de que o Landon e a Shay vão acabar dormindo juntos essa noite? — sussurrou Greyson no meu ouvido.

Eu podia jurar que os lábios dele roçaram de leve no lóbulo da minha orelha. Ou talvez eu tenha apenas sonhado que isso aconteceu. De qualquer forma, meu corpo reagiu à proximidade dele.

— Ah, porque eles certamente vão acabar dormindo juntos — constatei.

Começamos a andar pelo salão e, toda vez que uma bandeja de uísque passava por mim, eu tomava uma dose para acalmar os nervos. Quanto mais bêbada eu ficasse, melhor seria.

Alguém trombou no meu ombro e se desculpou, tocando meu antebraço de leve. Eu podia jurar que era o Capitão América e, *ai, meu Deus, nunca mais vou lavar o braço.*

— Quero te mostrar uma coisa — disse Greyson, me conduzindo pela multidão.

Seguimos em direção à área VIP e, quando passamos por uma porta, chegamos a um longo corredor com várias outras portas fechadas. Andamos pelos corredores e, quando chegamos em frente a uma determinada porta, ergui as sobrancelhas. Havia uma plaquinha com meu nome nela.

— O que é isso? — indaguei.

Greyson pegou um cartão magnético e abriu. Meus olhos se encheram de lágrimas.

Havia fios de luzinhas brancas pendurados pelo cômodo todo, e o chão estava repleto de cobertas e almofadas. Havia também uma mesa com petiscos e outra com pilhas de livros.

— O que é isso, Grey?

— Sei que você não gosta muito de festas, então montei um cantinho de leitura pra você. Você sabe, pra poder se esconder, se precisar.

Ele montou um cantinho de leitura pra mim...

Ele montou um cantinho de leitura pra mim!

Adeus, coração. Você agora pertence a Greyson East.

— Obrigada, Grey. Isso é... — Inspirei fundo quando vi a pilha de livros da série do Harry Potter. — Isso é mais que perfeito.

— Preciso fazer uma social com a imprensa, mas aqui está o cartão. Você pode entrar e sair quando quiser. Basta mostrar o cartão e sua credencial VIP. Vai rolar uma grande explosão de confetes à meia-noite pra celebrar o lançamento oficial dos uísques, caso você queira ver. Também vai ter uma queima de fogos lá fora. Sei que talvez pareça idiota, mas é bem bonito, na verdade.

— Estarei lá — prometi, sorrindo. Podia ver quanto aquilo era importante para ele e não queria perder. — Eu te encontro.

Ele sorriu para mim, e eu adorei.

— Isso, me encontra.

Com isso, ele se foi, levando meu coração com ele.

Fiquei no meu cantinho de leitura até o relógio marcar 23:50. Estava lendo as palavras sobre uma terra fictícia que ficava muito, muito longe dali, e, mesmo assim, não conseguia parar de pensar no Greyson. Eu nem tentei reprimir meus pensamentos. Permiti que ele povoasse minha mente.

Então me levantei para ir ao encontro dele e tomei um susto quando abri a porta e o vi parado ali.

— Greyson — falei, meio ofegante.

— Oi, Ellie.

— O que você veio fazer aqui? Eu ia te procurar agora pra ver os confetes...

— Eu não consigo parar de pensar em você — confessou ele, colocando as mãos no batente da porta e se inclinando para mim. — Não consigo parar de pensar em você há um tempo e não sei o que isso significa. Quando fecho os olhos, vejo o seu rosto. Quando sonho acordado, é você que eu vejo.

Meu coração batia em uma velocidade que eu não sabia ser possível. Percebi que estava quente e gelada ao mesmo tempo, quando levei as mãos ao peito e olhei bem naqueles olhos lindos.

— Às vezes, quando fico perto de você, eu sinto — continuou ele.

— Sente o quê?

Greyson me encarou, e vi o olhar mais sincero do mundo. Então ele abriu a boca e sussurrou:

— Tudo.

Por que minha mente não estava conseguindo acompanhar o ritmo da fala dele? Por que eu não estava mais conseguindo pensar?

— Diz que eu tô maluco, Ellie. Diz que você não sente isso assim, com essa intensidade toda, quando olha pra mim. Diz que você não sente exatamente isso quando nossos olhos se encontram. Diz que eu tô louco.

— Não posso dizer isso, Grey.

Ele levantou ligeiramente a cabeça.

— Por que não?

— Porque eu também não consigo parar de pensar em você, assim, desse jeito.

Ele baixou os braços e chegou mais perto de mim.

— Você também sente isso, com essa intensidade toda? — sussurrou ele, chegando tão perto que sua respiração tocava minha pele.

Confirmei com a cabeça.

— Com essa intensidade toda.

Havia vários motivos para nós dois sairmos correndo dali, um para cada lado, naquele exato momento. Ele ainda estava de luto, e eu ainda não sabia como fazer meu coração bater direito por um homem. Nós dois ainda estávamos machucados, despedaçados, crescendo e aprendendo. Havia erros e perfeição; riachos fluindo e furacões.

Mas por quanto tempo eu ia conseguir reprimir o que sentia? Como podia lutar contra aqueles sentimentos? A verdade era que eu achava que o que sentia por aquele homem parado na minha frente nunca tinha morrido.

E como poderia?

Ele era ele, eu era eu, e nós éramos nós.

Aquilo era nós.

Aquela era a nossa história.

Ele pegou minhas mãos, entrelaçando nossos dedos, e eu tive certeza de que ia desmaiar, pois minhas pernas estavam prestes a ceder. Eu tremia, ou talvez fossem os calafrios dele que eu estava sentindo. Sinceramente, era difícil distinguir as minhas sensações das dele.

Ele se aproximou ainda mais e encostou a testa na minha. Fechei os olhos quando as mãos dele deslizaram pela minha lombar, e meu corpo se curvou, sem esforço algum, encostando no dele.

— Eu quero te beijar — sussurrou ele.

— Eu também — confessei, as palavras deslizando fracamente pela minha língua.

— Preciso que você entenda que, se eu te beijar, não vou parar. Tudo vai mudar, e nada mais será o mesmo. Se eu te beijar, a gente vai ser uma coisa totalmente nova.

— É, eu sei — falei, suspirando, enquanto abria os olhos e encarava aquele olhar cinzento. — Mas me beija mesmo assim.

E então ele beijou.

A boca dele cobriu a minha, me engolindo. O beijo dele era intenso, como se estivesse compensando o tempo perdido. Eu o beijava pensando em todos os momentos que nossas bocas não haviam se encontrado. Ele fechou a porta atrás de nós e me levou para dentro do cantinho de leitura.

Dei um passo atrás e olhei para ele, sorrindo.

Arranquei os sapatos de salto alto.

Ele tirou o paletó.

Comecei a abrir o zíper do vestido.

Ele afrouxou a gravata.

Meu vestido caiu no chão, e os olhos dele percorreram meu corpo.

— Nossa, Ellie — murmurou ele, vindo até mim, me tocando, pressionando o corpo contra o meu. A boca dele se moveu até a curva do meu pescoço e me deu um beijo delicado, sussurrando: — Eu te quero tanto, tanto...

Eu desabotoei a camisa dele e a tirei. Meus dedos deslizaram para cima e para baixo no peito dele. Metade de mim achava que eu estava sonhando e a outra metade, que eu estava de volta ao meu mundo de fantasia, mas eu não me importava.

Era bom demais. Eu não queria parar.

Ele abriu meu sutiã e o tirou. Suas mãos seguraram meus seios, e ele se inclinou um pouco para chupar o bico do meu peito de um jeito delicado e sexy, me venerando a cada toque.

Em seguida, nós arremessamos a calça dele para o outro canto do cômodo.

Meus nervos pareciam correntes elétricas, e acho que Greyson estava percebendo isso, pois volta e meia repetia que eu era linda.

Quando não havia mais nenhuma peça de roupa nos cobrindo, as coisas aumentaram muito em intensidade.

Tudo se acelerou à medida que ficávamos mais determinados em nossas ações.

Ele me deitou sobre as cobertas. Os fios de luzinhas brilhavam acima de nós enquanto eu apoiava a mão no peito dele. Observei a respiração pesada dele fazendo seu peito subir e descer, e supliquei, só com o meu olhar, que ele me possuísse. Eu queria que ele se doasse a mim por inteiro, todas as partes dele — as boas, as más e as despedaçadas.

Ele esfregou sua ereção na minha virilha, e eu arqueei o quadril. Ele baixou o corpo, aproximando o tronco do meu, e lambeu o lóbulo da minha orelha antes de chupá-lo delicadamente, me provocando arrepios que desceram pela espinha.

— Por favor, Grey... — supliquei, ofegante, enquanto ele me provocava, deslizando sua ereção por cima dos meus pelos pubianos, meu desejo crescendo. — Por favor... — implorei, querendo tudo. Querendo Greyson. Querendo nós dois. Querendo o amor.

E, então, ele me deu tudo.

Ele deslizou para dentro de mim devagar, movimentando o quadril para a frente e para trás. Meus dedos afundavam nas costas dele enquanto eu gemia de prazer. Ele penetrava cada vez mais fundo e recuava de leve, mantendo esse ritmo lento por um tempo, fazendo com que eu sentisse cada centímetro dele preenchendo cada milímetro meu.

— Mais... — sussurrei, e ele acelerou. Ele se movia dentro de mim enquanto eu me agarrava a ele. — Mais... — clamei e encarei seus olhos dilatados, enxergando seu desejo, suas necessidades, sua paixão.

Mais forte, mais fundo, mais rápido...

Greyson fez amor comigo como se conquistasse o território do meu corpo, que estava ali para ser conquistado por ele. Cada célula minha era dele. Cada parte de mim pertencia a Greyson.

— Ellie, eu vou... — sussurrou ele, o movimento da penetração constante. Ele continuou se movendo, e eu arqueei o quadril. — Eu vou... *Caralho*

Ele fechou os olhos, e eu mergulhei no mais profundo êxtase quando atingimos o clímax juntos.

Depois de um tempo, ele saiu de cima de mim e se deitou ao meu lado. Eu estava sem fôlego, tentando controlar minha respiração o melhor que eu podia.

— Isso foi... — sussurrei passando a mão na testa.

Greyson riu.

— É, exatamente.

Eu me virei para olhar para Greyson, e ele me deu um daqueles sorrisos que eu sempre amei. Ele se inclinou e beijou minha testa, então me puxou para junto dele e me abraçou.

Ficamos em silêncio por um minuto, apenas assimilando a quietude da noite.

— Nós perdemos os fogos de artifício — brinquei.

Ele rolou meu corpo para cima do dele e me encarou, abrindo um sorriso torto.

— Não precisa se preocupar — afirmou ele, confiante. — Podemos fazer os nossos próprios fogos de artifício.

E foi o que fizemos.

Quando finalmente nos vestimos, vi três ligações perdidas da Shay no celular. Saí correndo do quarto para procurá-la enquanto Greyson chamava a limusine para irmos embora.

Assim que a vi, arregalei os olhos. O batom dela estava borrado, e seus cabelos, desgrenhados. Quando ela olhou para mim, teve a mesma reação.

— Você...? — perguntou ela, com um ar astuto.

Meus cabelos deviam estar tão bagunçados quanto os dela. Apontei para ela.

— Você...?

Ela sorriu.

Eu sorri.

— Estamos ferradas — murmurou ela, vindo até mim e entrelaçou o braço no meu. — Mas fico feliz que o episódio nove finalmente tenha acontecido.

Ri entre os dentes.

— Shay?

— Sim?

— Acho que ainda sinto alguma coisa muito forte pelo Greyson.

Ela revirou os olhos de um jeito dramático.

— Não brinca, Sherlock!

— E quanto a você e Landon? — perguntei.

Ela fez uma cara de nojo.

— Eu e Landon? Foda-se o Landon — respondeu ela, cheia de desprezo.

— Hum, acho que isso já rolou antes — brinquei.

— Foi só umazinha, e com muito uísque nas ideias. Não conta. Eu ainda odeio o Landon até o último fio de cabelo. Aquele babaca arrogante.

Abri um sorriso torto.

Ela estava caidinha por ele.

Voltamos todos na limusine para a casa do Greyson. Shay e eu íamos passar a noite na casa de hóspedes e voltaríamos ao apartamento pela manhã.

O trajeto foi silencioso. Era como se Greyson e eu ainda estivéssemos processando o que havia acabado de acontecer. Quando entramos na propriedade, ele saiu do carro primeiro, então ofereceu a mão para ajudar Shay a saltar.

Ela agradeceu a ele e seguiu o mais rápido que pôde para a casa de hóspedes, permitindo que Greyson e eu tivéssemos um momento a sós.

Quando ele me ajudou a sair do carro, também agradeci a ele.

— De nada. Espero que a noite tenha sido... — Ele passou o polegar pelo lábio inferior e corou de leve. — Espero que a noite tenha sido tão boa pra você quanto foi pra mim.

— Foi perfeita.

Mais que perfeita.

— Bom, bom. Isso é bom. — Ele abriu o sorriso mais tímido que eu já tinha visto. — Boa noite, Ellie.

— Boa noite, Grey.

Quando comecei a ir em direção à casa, Greyson me chamou mais uma vez.

Eu me virei e vi que ele balançava para a frente e para trás, as mãos enfiadas nos bolsos.

— Nenhum arrependimento? — perguntou ele.

— Não. — Balancei a cabeça enquanto meu coração explodia em uma nova forma de felicidade. — Nenhum arrependimento.

Capítulo 49

Eleanor

Nós nos jogamos na mesma hora. E nos jogamos rápido. Assim que começamos a descida, não houve um único momento de arrependimento. Havia apenas respeito e compreensão. Nós superamos os pontos difíceis juntos e encontramos maneiras de encarar os dias complicados.

E, nossa, como aprendemos a desfrutar ao máximo os dias bons. Nós os recebíamos de braços abertos.

Quando as meninas pegavam no sono, Greyson adentrava o meu mundo. Nós ríamos juntos, nos beijávamos, fazíamos amor.

Amor...

Eu estava me apaixonando por ele, o que aconteceu naturalmente. Quase como se tudo o que eu deveria fazer na vida fosse amar um homem como ele.

— Bom dia — Greyson cumprimentou as filhas ao entrar na sala de jantar para o café da manhã.

Ele parecia revigorado naquela manhã, e eu não pude deixar de pensar que aquele comportamento tinha algo a ver com os *nossos* cumprimentos de manhã cedo.

Ele foi até Lorelai e deu um beijo em sua testa enquanto pegava uma banana de cima da mesa.

— Bom dia, papai! – exclamou Lorelai, enfiando uma colherada de cereal na boca.

Greyson foi até a cozinha pegar seu café, cantarolando sem parar.

Karla arqueou uma das sobrancelhas.

— Tem alguma coisa errada com você? — perguntou ela, quando ele voltou à sala de jantar, ainda cantarolando.

— Como assim? — indagou ele.

— Sei lá, você tá... esquisito.

Greyson jogou a banana que estava em sua mão esquerda para cima e a pegou com a mão direita.

— Não sei do que você está falando, Karla.

Ela estreitou os olhos, ainda desconfiada, mas voltou a comer.

— Tanto faz, pai.

Greyson saiu para trabalhar, me deixando sozinha com as meninas.

— Ele tava muito esquisito — comentou Karla de novo, servindo-se de mais cereal.

— Como assim?

Ela deu de ombros.

— Sei lá. Ele parecia... o pai de antes. O pai que ele era antes de tudo acontecer. Como se fosse ele mesmo de novo. Depois que a mãe morreu, ele nunca mais ficou cantando assim.

Eu me esforcei ao máximo para não demonstrar nenhuma reação àquele comentário, mas Greyson tinha voltado a cantar.

E eu achava isso lindo.

Minha relação com Greyson era como um sonho. Era, tipo, o melhor sonho do mundo. A cada novo contato, ele me tirava o fôlego. A cada dia que nos tocávamos, eu rezava para que ele fosse meu.

Certa noite, após muita conversa e também muito vinho, começamos a nos perder um no outro na casa de hóspedes. Eu gemia enquanto ele me beijava todinha. As mãos dele passeavam pelas minhas curvas como se eu fosse a única mulher que ele desejasse tocar pelo resto da vida. Cada vez que beijava a parte interna das minhas coxas, eu me arqueava para ele. Cada vez que me lambia e enfiava a língua dentro de mim, eu pedia mais.

E, então, foi a minha vez. Eu o deitei de barriga para cima e caí de boca nele. Eu amava a forma como, sempre que eu o tocava, Greyson gemia. Amava como, sempre que eu o chupava, ele demonstrava prazer.

— Isso — sussurrou ele, projetando os quadris enquanto eu demonstrava o quanto desejava cada pedacinho dele. — Hum — gemeu ele, agarrando os lençóis. Eu sentia a ânsia dele. Sentia sua vontade. Sentia o desejo dele toda vez que Greyson falava. — Isso, isso...

Eu adorava a maneira como ele gemia, como ele me desejava.

Depois do clímax, ficamos abraçados. Foi nesse momento que eu tive certeza de que havia encontrado o paraíso.

Nós conversamos, rimos e eu percebia que estava me apaixonando ainda mais pelo meu primeiro amor.

— Você sente cócegas? — sussurrou ele, deslizando os dedos pelas minhas costelas e fazendo com que eu me contorcesse na cama.

— Ai, meu Deus, para! — exclamei, rindo, enquanto tentava me desvencilhar dele. Como não consegui, revidei e comecei a fazer cócegas nele também. E como ele sentia cócegas!

— Chega! Chega!

Ele ria sem parar enquanto eu subia e descia as mãos a toda a velocidade pelas costelas dele. Eu adorava aquele som — vivia pela risada dele.

— Está bem! Você venceu! Você venceu! Para, Nicole! — disse ele, rindo.

Congelei ao ouvir aquilo, e então senti a dor que o nome dela me provocou.

Pareceu uma facada no peito, me forçando a me afastar dele.

No instante que parei, ele se sentou, se dando conta do que havia feito.

— Meu Deus... Ellie, me desculpa.

Eu estava prestes a cair no choro. As lágrimas estavam ali, implorando para que eu permitisse que elas escorressem, mas eu abri um sorriso contido.

— Tá tudo bem — falei, balançando a cabeça.

Ele abriu ainda mais a boca, mas não falou nada. O que mais ele poderia dizer?

Ele tinha me chamado pelo nome dela.

Minha cabeça estava rodando, e a vergonha se instalou bem fundo em mim. Eu me senti tola; idiota, até. Era nisso que ele sempre pensava toda vez que nos tocávamos? Quando nossas bocas se encontravam, era nela que ele estava pensando?

Meu Deus...

Eu precisava de um banho.

— Eu... — começou ele, levantando-se, mas eu balancei a cabeça.

— Tá tudo bem, mesmo. Mas acho que devemos encerrar a noite por aqui — falei, pegando o lençol e enrolando-o no corpo. — Só vou tomar um banho, antes de ir pra casa.

Eu me sentia magoada.

Usada.

Envergonhada.

Ele parecia ter tanto a dizer, mas sabia que nada poderia consertar o que havia feito. Não havia palavras que pudessem curar minha humilhação, então ele simplesmente pegou suas roupas e se vestiu.

Ao sair, ele murmurou outro pedido de desculpas, mas eu não consegui nem responder.

Fechei a porta e fui direto para o chuveiro, permitindo que a água me lavasse inteira. Também aumentei a temperatura, fazendo com que queimasse minha pele de leve.

Queria me livrar daquilo. Queria que os toques dele, que não foram feitos para mim, desaparecessem. Queria que o gosto dele saísse da minha boca. Queria que o nome dele deixasse a minha mente.

A água martelava minha pele enquanto as gotas se misturavam com minhas lágrimas.

Acho que esse é o problema dos sonhos.

O maior problema dos sonhos é que, um dia, você tem que acordar, e, assim que sai do estado de letargia, não pode mais retornar ao mundo de faz de conta que estava criando.

A realidade se instala, e você tem que encarar a verdade de frente.

— Ele te chamou pelo nome dela? — exclamou Shay, perplexa.

Eu estava sentada em nosso sofá, abraçando os joelhos.

— Chamou.

Ela franziu as sobrancelhas.

— Depois de vocês...?

— É.

— Caraca — soltou ela, pasma. — Eu sinto muito, Ellie. Não consigo nem imaginar como deve ter sido difícil pra você.

— Bem, eu chorei durante o banho todo. Nada de mais — falei brincando, mas Shay não riu. Ela apenas continuou com a testa franzida. — Estou bem. Quer dizer, estamos bem, Greyson e eu. Tenho certeza de que isso é só uma coisa que teremos que superar juntos. Apenas um obstáculo.

— Peraí, como é que é? Ellie, isso não é um obstáculo. É um sinal vermelho. É uma placa de "pare". É uma carta de "vá para a prisão" do Banco Imobiliário! Você não pode estar achando que você e o Greyson ainda são... alguma coisa.

— Por que não posso achar isso? Parece que nós nos reencontramos pra isso, pra sermos "nós".

— Mas vocês não são esse "nós" — argumentou ela. — Eleanor... Ele te chamou pelo nome da esposa morta. Isso é bem esquisito.

Eu me mexi e balancei a cabeça.

— Você não entende, existe algo entre mim e o Greyson. Sempre houve uma coisa entre nós.

— É, eu sei, e, acredite em mim, eu estive lá durante todo o processo, mas isso muda tudo.

Meu estômago se revirou enquanto Shay falava, e minha raiva começou a crescer cada vez mais.

— Foi você que ficou enfiando essa ideia na minha cabeça! Você e aquele seu papo de *reality show*.

— É, eu sei, mas isso... Isso é mais do que um deslize nos estágios iniciais de um relacionamento, Ellie. Isso não é saudável. Sei como você se sente com relação a ele. Sei disso desde que éramos adolescentes, eu entendo, mas ele não está numa situação em que pode te dar o que você merece.

— Eu o mereço — afirmei. — Ele é o cara certo pra mim.

Eu sabia disso.

Sabia bem no fundo da minha alma.

— É, merece. Você merece o Greyson totalmente recuperado, não esse cara que ele é agora. Além disso, ele também merece poder se recuperar por completo antes de conseguir se entregar a outra pessoa de novo. Não comece a catar os cacos dele e chamar isso de "amor".

Eu me levantei, irritada com a minha prima.

Como ela podia dizer uma coisa daquelas?!

Foi ela quem deu a maior força para essa história toda. Foi ela quem insistiu para que eu me permitisse gostar do Greyson, e agora estava voltando atrás. Agora estava sendo realista.

Eu não precisava que ela fosse realista.

Só precisava que eu e Greyson ficássemos bem.

— Acho que foi um erro contar pra você — falei, pegando minha bolsa e caminhando em direção à porta. — Acho que preciso tomar um ar.

— Você nunca vai errar me contando nada, Ellie. E você sabe disso. Foi mal se eu te chateei, mas prefiro te desagradar, por amor a você, a simplesmente dizer o que você quer ouvir. Eu te amo, Ellie. Você é a pessoa mais importante da minha vida e merece mais do que o amor medíocre de alguém. O melhor tipo de amor é aquele que nos preenche por inteiro, que passa segurança, e não dúvida. Você merece isso. Você merece ser tudo para alguém.

— Eu realmente acredito que fomos feitos um pro outro, Shay.

— Eu sei, minha querida. Eu também acredito nisso, mas não é só porque duas pessoas foram feitas uma pra outra que significa que tudo tem que acontecer nesse exato instante. Às vezes, as melhores histórias de amor são sobre os que têm que esperar.

Aquelas palavras partiram meu coração, porque eu sabia que Shay tinha razão.

Capítulo 50

Eleanor

— Nós estamos nos evitando agora, é isso? — perguntou Greyson quando passei na frente do quarto dele depois de colocar Lorelai na cama. Ele estava tirando as abotoaduras dos punhos da camisa e olhando para mim.

Dei alguns passos até o quarto dele e parei à porta.

— Perdão, eu só... — Respirei fundo. — Não queria te deixar se sentindo mal.

— Me sentindo mal? Ellie, eu te chamei pelo nome de outra mulher. Se alguém deveria estar se sentindo mal, esse alguém é você. Eu sinto muito mesmo.

Ele enrolou as mangas da camisa e se sentou na beirada da cama. Suas mãos apertaram o colchão, e todos os músculos do braço dele ficaram visíveis.

Eu gostaria que ele parasse de ser tão irresistível. Eu ainda não tinha conseguido tirar da cabeça o gosto da boca dele, e, quanto mais via aqueles olhos cinzentos, mais eu queria que eles se fixassem nos meus.

Balancei a cabeça, tentando me recompor.

— Não é culpa sua. Não é culpa de ninguém. Nós bebemos vinho demais. As coisas saíram do controle...

Ele baixou a cabeça.

— Eu não estava tão bêbado assim — sussurrou ele com sinceridade.

Suspiro.

Eu também não.

Quando aqueles olhos voltaram a me encarar, todas as borboletas reassumiram seus postos. Abri os lábios levemente e lembrei a mim mesma de respirar de vez em quando.

— Me perdoa, Ellie — pediu ele. — Eu não queria que aquilo tivesse acontecido. Estou apavorado... e sou um babaca. E não sei exatamente o que está acontecendo entre nós...

Eu queria convencê-lo a nos dar uma chance.

Queria dizer a ele que podíamos tentar de novo.

Queria abraçá-lo.

Beijá-lo.

Tê-lo pra mim.

Mas eu também sabia que esses pensamentos eram egoístas e errados. Além disso, eu não queria magoá-lo nesse sentido, pois sabia que ele não tinha se recuperado totalmente da perda da esposa. Greyson ainda não era capaz de amar plenamente, e eu sabia que Shay tinha razão, embora isso me deixasse triste. O melhor tipo de amor era o que nos preenchia por inteiro, e Greyson não podia me oferecer isso naquele momento.

Se eu não podia ter todo o amor dele, não queria me apaixonar cada vez mais por ele.

— Vamos voltar umas casas — sugeri, indo até ele e me sentando ao seu lado na cama. Minhas mãos apertaram o colchão, como ele estava fazendo, e eu fiz um gesto breve de sim com a cabeça. — Vamos voltar para onde estávamos antes daquela noite.

— Mas...

Ele olhou para mim com uma expressão pesarosa, e eu quis arrancar a culpa dos olhos dele. Eu precisava que ele entendesse que eu compreendia perfeitamente o quanto a alma dele estava sofrendo.

Greyson estava em guerra consigo mesmo, lutando para seguir adiante, mas ainda apegado ao passado.

Ele não estava preparado para se desapegar dela, e eu precisava respeitar isso.

Meu amor era paciente. Por ele, eu esperaria para sempre.

— Está tudo bem, Grey. Juro, eu estou bem. Nós estamos bem.

Ele abriu um meio sorriso, e eu contribuí com a outra metade.

— Tudo que eu disse é verdade, Ellie, sobre como me sinto em relação a você. Só quero que você saiba que todas aquelas palavras foram verdadeiras.

Eu acreditava nele. Como podia não acreditar? Ele era o meu Grey. O primeiro menino a deixar sua marca em mim.

— Eu sei disso, mas você não precisa de uma namorada agora, Greyson. Precisa de uma amiga. Me deixa cumprir esse papel. Me deixa ser sua amiga.

Ele pigarreou e esfregou a nuca.

— Você não sabe como eu preciso disso, de como preciso de uma amiga.

Eu sabia, porque também precisava de um amigo. Nós precisávamos um do outro, talvez não de lábios colados, mas de corações colados. Talvez nós dois precisássemos de alguém para nos ajudar a superar os dias ruins, para nos conduzir para mais perto da luz.

— Você não fala sobre ela, né?

— Não.

— Porque não quer?

Ele balançou a cabeça.

— Não, porque as pessoas se cansam da tristeza dos outros. Todos começam a seguir com as suas vidas e esperam que você faça o mesmo.

Inclinei a cabeça e encarei aqueles olhos cinzentos que há tanto tempo eu amava.

— Me conta.

— Contar o quê?

— Absolutamente tudo sobre ela.

Capítulo 51

Eleanor

— Oi, Eleanor? Você pode vir me buscar? — perguntou Karla quando atendi o telefone.

Era perto das dez da noite de um sábado, e eu fiquei confusa com a ligação dela. A Claire e o Jack estavam viajando, então as meninas ficaram em casa no fim de semana, o que tornava o fato de ela estar me ligando bastante estranho.

— Por favor — choramingou ela.

Sua voz era baixa e trêmula. Eu me sentei na cama.

— Como assim, ir buscar você? — perguntei. — Você não está no seu quarto?

— Eu estava, mas eu... hum... fugi pra vir pra uma festa. Eu... — Ela começou a fungar. — Por favor, só vem me buscar, pode ser?

— Onde você está? — indaguei, saltando da cama e vestindo uma calça jeans e uma camisa de malha.

Saí correndo pelo quarto para calçar os sapatos e peguei a bolsa e as chaves enquanto ela me passava o endereço.

— Você se machucou? Você está bem?

— Estou bem, está tudo bem. Eu só... Eu só quero ir pra casa.

Ela começou a chorar do outro lado da linha, e aquilo partiu meu coração.

— Estou a caminho. Chego rapidinho.

— Só não conta nada pro meu pai, tá? Ele nunca mais vai confiar em mim — suplicou ela, em meio às lágrimas.

— Não sai daí, Karla, tá bem? Estou a caminho — repeti, tentando lhe passar toda a segurança que conseguia por telefone.

Desliguei, saí correndo de casa e fui direto até a casa do Greyson. Toquei a campainha sem parar até ele atender.

Ele me olhou espantado.

— Eleanor? O que foi?

— É a Karla. Ela está numa festa, e precisamos ir buscá-la.

— O quê? Não. Ela subiu pro quarto já faz um tempo — afirmou ele, esfregando a nuca.

— Não, ela acabou de me ligar. Ela fugiu.

— O quê?! — indagou ele, seus olhos se arregalando com o choque. — Vou matar essa menina — sibilou Greyson, correndo para calçar os sapatos.

— Primeiro vamos verificar se ela está bem. Ela parecia bastante chateada ao telefone. Vou pegar a Lorelai.

— Tá. Encontro vocês aqui na frente.

Quando peguei Lorelai, ela bocejou e perguntou o que estava acontecendo, mas eu só falei que íamos fazer um passeio rápido. Quando saí com ela, Greyson já estava com o carro ligado. Coloquei Lorelai em sua cadeirinha e afivelei o cinto, então me acomodei no banco do carona e fechei a porta.

— Aonde é? — perguntou Greyson, as mãos apertando o volante com força. — Aonde é? — repetiu ele em um tom severo.

Dei o endereço a ele e nós partimos em silêncio. Eu podia ver a raiva no maxilar contraído dele e na maneira como ele apertava o volante. O estresse havia dominado sua mente.

— Esse foi meu último voto de confiança nela — sibilou ele. — Ela acabou de provar...

— Greyson — eu o interrompi, falando devagar e colocando a mão no antebraço dele. — Você terá tempo suficiente pra ficar chateado. Mas, nesse momento, acho que ela só precisa que você esteja lá para apoiá-la. Ela parecia bem transtornada.

Ele bufou e ficou calado, sem dizer mais nenhuma palavra.

Quando chegamos ao endereço que Karla havia me passado, nós a encontramos sentada no meio-fio. Ela estava toda encolhida, abraçando as pernas e com a cabeça baixa, balançando para a frente e para trás.

Lorelai agora estava completamente desperta, olhando para a irmã pela janela.

— O que aconteceu com a Karla? — perguntou ela, confusa.

— Fica aqui, Lorelai — ordenou Greyson enquanto nós dois saíamos do carro.

Fomos até a Karla, olhamos para ela, e um fedor intenso chegou aos nossos narizes à medida que nos aproximamos. Um líquido estranho escorria pelo corpo dela e ela tinha lixo grudado nas roupas.

— Karla? — sussurrei, e ela se sobressaltou, alarmada, como se alguém fosse atacá-la.

— Me deixa em paz! — berrou ela, com os olhos arregalados enquanto olhava em volta. Quando ela percebeu que era eu, respirou fundo. — Eleanor. — Ela se levantou e então avistou Greyson. Seus olhos se mostraram apavorados. — Você contou pra ele? Eu pedi pra você não contar pra ele!

— Eu precisava contar, Karla. Ele é seu pai.

Ela olhou para Greyson e começou a tremer, como se soubesse exatamente o quanto estava encrencada.

— Pai, olha, eu sinto muito, tá? — Lágrimas começaram a escorrer pelo rosto dela enquanto seu corpo frágil tremia. — Sei que você está chateado e que nunca mais vai confiar em mim, mas, olha, você não entende. Ninguém entende.

— Entende o quê, Karla? — perguntei, porque Greyson permaneceu parado ali, calado.

Eu não sabia o que ele estava pensando naquele momento. Sua postura era indecifrável. Sua expressão era impassível. Parecia que Greyson estava congelado ali.

— *Eu me sinto sozinha*! — berrou ela, jogando as mãos para o alto. — Não tenho amigos, e todo mundo me odeia e zoa com a minha cara todos os dias. Todos os dias são difíceis pra mim, e vocês não entendem. Ninguém entende! Pensei que, quando meus antigos amigos me chamaram para uma festa, eu estava sendo aceita de volta no grupo, eu só pensei que, eu pensei que, eu pe... — As palavras dela eram tão emboladas e trêmulas que ficou cada vez mais difícil entender o que ela dizia em meio ao choro. — Desculpa, pai. Desculpa. Desculpa. Des...

Antes que ela pudesse continuar, antes que pudesse se desculpar mais uma vez, Greyson se aproximou da Karla e a abraçou. Ele a apertou com tanta força que ela não conseguiria se desvencilhar nem se quisesse. Ela continuava repetindo "desculpa" para Greyson, e ele a abraçava com mais força ainda.

— Está tudo bem, Karla. Você está bem. Eu estou aqui.

Ele continuou abraçado à filha, que não parava de chorar.

— Você nunca vai me perdoar — disse ela. — Eu só faço besteira.

— Ei, ei, olha pra mim. — Greyson se afastou e se abaixou para ficar na altura dos olhos dela. — Você é minha filha. Eu sempre vou estar do seu lado.

Aquilo só a fez chorar ainda mais e ela enrolou os braços nele, afundando em seu peito.

Meu coração estava partido pela Karla. Eu não conseguia sequer imaginar o que ela estava passando.

— Karla. O que aconteceu? — perguntou Greyson quando eles finalmente se soltaram.

Ela esfregou o braço direito com a mão esquerda, e estava coberta de lixo, aparentemente.

— A Missy me ligou e perguntou se eu queria fazer alguma coisa. Pensei que era alguma piada, porque ela passou o último ano todo me ignorando, desde que começou a namorar o Colton Stevens, um babaca do terceiro ano, e, bem... o Colton disse que não namoraria com ela se ela andasse com uma aberração como eu.

— Quem é Missy? — perguntei.

— A antiga melhor amiga da Karla — respondeu Greyson. — Continua. Ela te ligou, e daí?

— Bem, ela e o Colton foram me buscar, dizendo que queriam compensar por terem ficado tanto tempo sem falar comigo. Eles me convidaram para uma festa na casa dos pais dele, que estão viajando, e acabei concordando em vir. Aí, quando cheguei aqui, todo mundo começou a me chamar de aberração, e eles... Eles... — Os olhos dela se encheram de lágrimas, e ela estremeceu, claramente revivendo o que havia acontecido. — Eles me disseram que o meu rosto parecia algo que se joga no lixo, e que então eu também deveria ter cheiro de lixo. E aí começaram a jogar coisas em mim, e a esfregar carne crua e um monte de coisa em mim.

Greyson estava visivelmente furioso. Ele olhou para a casa.

— Fica aqui, Karla.

— O quê? Não, pai! Você não pode...

— Eu mandei você ficar aqui — ordenou ele, marchando diretamente para a casa onde a festa estava acontecendo.

Ele esmurrou a porta. Um menino abriu, com uma expressão presunçosa no rosto.

— Hum, e aí? — disse ele olhando para Greyson.

— Você é o Colton? — perguntou Greyson. — Essa casa é sua?

— É.

Greyson apontou para Karla.

— Você fez aquilo com a minha filha?

Colton olhou para Karla e deu uma risadinha.

— Não, acho que a árvore fez aquilo com ela, quando ela se fodeu toda no ano passado.

Greyson se enfureceu, e sua mão se cerrou em um punho. No momento em que percebi aquilo, corri até a varanda à entrada da casa e me posicionei entre os dois.

— Greyson. Respira.

— É, velhote. Você vai acabar tendo um ataque do coração — comentou Colton, mais arrogante do que nunca.

Eu também queria bater naquele menino.

— Ei, galera, saca só. O Quasímodo chamou o papai pra salvar o dia. Ele fede tanto quanto ela — zombou Colton, olhando para dentro de casa e fazendo seus amigos rirem.

— Escuta aqui, seu bostinha — sibilou Greyson, os punhos ainda mais cerrados. — Se você chegar perto da minha filha de novo ou disser qualquer merda sobre ela, eu vou...

— Vai o quê? Me encher de porrada? Tenho uma notícia pra você, seu velho, eu tenho 17 anos. Se você encostar um dedo em mim, eu chamo a polícia. Você não pode bater em um menor de idade. Eu não sou idiota.

— Vamos ver então — respondeu Greyson, projetando o braço para trás, mas eu o segurei.

— Greyson, você não quer fazer isso — sussurrei.

— Ah, eu quero, sim — respondeu ele, encarando Colton como se estivesse a segundos de cometer um assassinato.

— Greyson, olha pra mim — ordenei.

— Não.

— Greyson, olha pra mim — repeti.

— Não.

O braço dele se contraiu ainda mais, e eu podia sentir a intensidade da raiva que percorria suas veias.

— *Grey!* — Coloquei a mão no rosto dele e o forcei a olhar para mim. Os olhos dele se fixaram nos meus, e eu baixei o tom de voz, sentindo arrepios percorrerem meu corpo enquanto olhava nos olhos ferozes dele. — Esse não é você. Esse não é você — entoei, suavemente.

A tensão no braço dele começou a relaxar, e ele começou a baixá-lo, mas Colton decidiu abrir a boca de novo.

— É, e que tal sair da porta da minha casa e ir tomar um banho? Você fede que nem a sua filha nojenta — disse ele.

Pelo amor de Deus, era como se o fedelho estivesse querendo apanhar.

A tensão de Greyson ressurgiu quando Colton disse aquilo, a raiva voltou a se espalhar por cada centímetro de seu corpo. Ele estava tão tenso que eu não sabia se conseguiria segurar o braço dele por muito mais tempo, mas, por sorte, não foi preciso.

Lorelai passou marchando por mim, com suas asinhas de borboleta nas costas, e levantou a perna bem na altura da virilha do Colton.

— Deixa a minha irmã em paz, sua vaca mirim! — gritou ela, dando um chute certeiro nos países baixos do Colton.

Greyson baixou o braço, e nós ficamos de queixo caído, chocados. Minha nossa, Lorelai tinha dado uma surra em um menino de 17 anos. Eu nunca senti tanto orgulho na vida como naquele momento.

Colton cambaleou para trás e caiu no chão, urrando enquanto segurava o saco.

— Meu Deus! — gritou ele, choramingando de dor. — Que porra é essa?!

— Cara! O Colton acabou de apanhar de uma criança! — gritou um menino, e todos começaram a gargalhar.

Greyson curvou-se diante do adolescente e o cutucou com o pé.

— Como eu te disse. Deixa a minha filha em paz. Ou minha outra filha vai fazer isso de novo. Só que mais forte. — Ele se virou para mim e para Lorelai. — Vamos, meninas. Vamos embora.

Voltamos para o carro, e todos entraram nele. Antes de dar a partida, Greyson pegou o celular.

— O que você tá fazendo? — perguntou Karla, desconfiada.

— Ligando pra polícia pra registrar uma queixa de barulho — respondeu ele. Quando a ligação foi atendida, Greyson pigarreou. — Alô?

Oi. Eu queria registrar uma queixa de barulho na W Shore, 1.143. Parece que tá rolando uma festa, e tenho certeza de que há menores de idade bebendo bebidas alcoólicas. Obrigado.

Ele desligou o celular, e, quando eu me virei para as meninas, reparei que havia um sorrisinho no rosto da Karla.

— Obrigada, pai — sussurrou ela.

— Sempre às ordens, Karla — respondeu ele. Então virou-se para olhar para a filha mais velha, colocou a mão em seu joelho e o apertou de leve. — Sempre.

— Por que o carro tá com cheiro de pum? — gritou Lorelai, fazendo todos rirem.

— Vamos pra casa tomar um banho — disse Greyson. — Antes de qualquer coisa... Lorelai, estou muito orgulhoso de você por defender a sua irmã, mas, no futuro, vamos tentar não chutar as pessoas. E não podemos falar aquelas coisas pros outros, está bem?

— Mas, papai, ele estava sendo uma vaca mirim — insistiu ela.

— Onde foi que você aprendeu essa expressão? — perguntou ele, perplexo.

Não diga que fui eu, não diga que fui eu.

— A Eleanor falou isso pra mãe da Caroline, mas pediu pra não te contar, senão ela podia ser mandada embora — respondeu ela.

Traidora.

Precisei virar a cabeça para que ela não me visse rindo. Greyson olhou para mim com um sorriso torto nos lábios, mas logo reassumiu o tom adulto.

— Tá, mas não é legal e nem educado. Principalmente para uma menina da sua idade.

— Qual parte não é legal? "Vaca" ou "mirim"? — quis saber ela parecendo claramente confusa.

— A primeira parte — respondeu ele.

— "Vaca", então? — indagou ela.

Karla começou a rir.

— É, Lorelai. Não diga isso. Mas obrigada por me defender.
— Eu sempre vou te defender, Karla. Você é minha melhor amiga.
Reparei que Karla sorriu ao ouvir aquilo da irmã e sussurrou:
— Você também é minha melhor amiga, pirralha.
Fomos para casa em silêncio, com exceção dos comentários da Lorelai sobre o fedor. Quando chegamos, eu pretendia colocar Lorelai na cama enquanto Greyson e Karla tomavam banho. Mas, enquanto andávamos, nossos passos cessaram quando Greyson falou atrás de nós:
— Eu te devo um pedido de desculpas.
Nós três nos viramos para ele. Os ombros dele estavam curvados para a frente, e ele esfregava a mão na boca. Seus olhos estavam fixos na Karla.
— O quê? — perguntou Karla.
— Eu te decepcionei e, por isso, te devo um pedido de desculpas.
— Pai... Fui eu que saí de casa sem te avisar. — Karla coçou o ombro, balançando de um lado para o outro, nervosa. — Se alguém tem que pedir desculpas, esse alguém sou eu.
Greyson balançou a cabeça.
— Não, eu não estive presente na sua vida nesse último ano. Eu me distanciei das pessoas e mergulhei no trabalho só pra não ter que encarar o que eu tinha tirado de você. O que eu tirei de todos nós. E eu sinto muito, Karla. Se eu tivesse sido um pai presente, talvez essa noite não tivesse acontecido. Talvez você não se sentisse abandonada ou sozinha... Eu, hum... sei que você não vai me perdoar agora. Bem, a verdade é que eu não mereço o seu perdão. Mas quero que você saiba que tô aqui agora. Tá bem? Eu pisei na bola e abandonei você, abandonei nossa família, e sinto muito, mas tô aqui. Então, quando você se sentir solitária, saiba que não está sozinha. Estou aqui, Karla. Estou de volta e não vou te abandonar de novo.
Karla parecia não saber como reagir. Ela mordeu o lábio inferior e envolveu o próprio corpo com os braços.
— Eu te odiei, sabia? Por dar as costas. — Ela fungou e esfregou os olhos com o dorso da mão. — Eu precisava de você, e você nunca estava presente.

Ele andou até ela, assentindo.

— Eu sei. Não posso voltar atrás pra consertar meus erros, mas prometo que, daqui pra frente, vou passar meus dias tentando compensar todos eles.

Karla ainda parecia em dúvida enquanto olhava para o chão, seu corpo tremendo de leve.

— Você promete prometido? — perguntou ela, olhando para o pai. — Não vai mais trabalhar o tempo todo?

Ele levantou o mindinho.

— Juramento de dedinho — sussurrou ele.

Meu coração quase explodiu quando vi Karla se aproximando do pai e enganchando o mindinho no dele.

Greyson olhou para Lorelai e estendeu o outro dedo para ela.

— Você também, Lorelai.

Ela correu até ele e enganchou um mindinho no de Greyson e o da outra mão no da irmã, fazendo um pequeno círculo.

— E a Eleanor, papai? — perguntou Lorelai, me olhando.

Todos se viraram para mim, e eu dei um passo atrás, me sentindo totalmente deslocada. Aquele era um momento de família e, de certa forma, eu estava sobrando.

— Ah, não, Lorelai. Acho que esse é um juramento de família.

Karla olhou para mim e sorriu, então ergueu os ombros de leve enquanto soltava seu dedo do mindinho da irmã e o estendia para mim. Minhas emoções começaram a transbordar com aquele pequeno gesto, e a Karla suspirou.

— Eleanor, eu juro por Deus que, se você começar a chorar, vou recolher meu dedinho — alertou ela.

— Perdão — respondi, rindo, secando os olhos e correndo até o círculo que eles haviam formado

Enganchei um mindinho no da Lorelai e o outro no da Karla, e ficamos todos conectados ouvindo Greyson falar.

— De agora em diante, vamos trabalhar juntos, tudo bem? Somos um time e vamos sempre apoiar um ao outro. Nos momentos bons e nos ruins. Se um cair, todos cairão juntos. É assim que vai ser. Vocês prometem?

— Eu prometo — respondeu Lorelai.

— Eu prometo — replicou Karla.

Greyson olhou para mim com olhos que me revigoraram, e eu soltei um suspiro silencioso.

— Eu prometo.

Aquela noite, depois de colocar Lorelai na cama, parei no quarto da Karla só para ver como ela estava. A filha mais velha do Greyson estava sentada na beirada da cama, secando os cabelos, com uma expressão sombria no rosto.

— Ei, você está bem? — perguntei, batendo de leve à porta e fazendo-a erguer os olhos.

— Você sabia que é muito difícil tirar cheiro de peixe do cabelo?

— Karla, o que aquelas pessoas fizeram com você foi pra lá de perturbador. Sei que seu pai vai conversar com o diretor da escola amanhã cedo, mas será que tem alguma coisa que eu possa fazer por você agora? Qualquer coisa?

Ela hesitou por um instante e então balançou a cabeça.

— Não. Eu tô bem.

— Tá. Bom, se você precisar de alguma coisa, é só falar. Você tem o meu número e pode me ligar a hora que for. Estou aqui pro que você precisar.

O lábio inferior dela deu uma leve tremida.

— Obrigada, Eleanor.

— De nada, querida. Conta comigo.

— Você não tá só fingindo porque é seu trabalho, né? Você se importa de verdade com a gente?

Eu ri.

— Mais do que você imagina. Tenta dormir um pouco.

— Vou tentar. E, Eleanor?

— O quê?

— Obrigada — disse ela, passando a mão pelos cabelos. — Você sabe... por levar meu pai até lá hoje com você pra me buscar. Eu realmente precisava dele lá. Precisava de vocês dois.

Meus olhos se encheram de lágrimas.

— Posso te dar um abraço?

— Não, acho que não — respondeu ela secamente.

Ah, tudo bem, então.

Estava tudo normal.

∼

— Ei, como você está? — perguntei ao último integrante da família.

Greyson estava sentado na cama, as mãos apertando o colchão com força. Ele batia o pé sem parar no piso acarpetado.

Ele olhou para mim com os olhos repletos de emoção.

— Ela se sente sozinha — sussurrou ele, antes de voltar a olhar para o chão. — Ela se sente sozinha, Ellie.

Suspirei, entrando no quarto dele e fechando a porta. Seus pensamentos deviam estar confusos com tudo o que havia acontecido naquela noite. Como poderiam não estar? A filha dele tinha sido atacada, humilhada, diminuída. Tudo porque ela se sentia sozinha.

Eu me sentei ao lado dele e vi que seus ombros estavam curvados para a frente.

Eu conhecia Greyson o suficiente para saber quando ele estava se martirizando. Sabia quando o mundo pesava em seus ombros. Sabia quando ele estava pensando nas piores coisas possíveis.

— Não é culpa sua, Grey — falei, mas ele se contraiu todo, como se não acreditasse em mim.

— Se eu tivesse sido um pai presente, ela não se sentiria sozinha. Se eu não tivesse abandonado a minha filha, isso não teria acontecido. Se eu tivesse mantido os olhos na estrada...

Ele não conseguia desacelerar a mente. Não conseguia ouvir nada além de suas crenças deturpadas. Eu não sabia nem se conseguiria falar alguma coisa que pudesse ajudá-lo.

— Como eu posso te ajudar? — perguntei, colocando uma das mãos na perna dele, tentando tranquilizá-lo. — Precisa que eu faça alguma coisa?

Ele virou a cabeça para mim, e pude ver lágrimas escorrendo por seu rosto. A boca dele se abriu devagar. Sua voz saiu tão baixa e embargada que quase não ouvi o que ele falou.

— Fica — sussurrou ele. — Só preciso que você fique aqui.

Então foi exatamente isso que eu fiz.

Nós nos deitamos na cama, um de frente para o outro. Não estávamos nos tocando, mas eu podia jurar que o sentia. Sentia as batidas do coração dele. Quando ele sofria, meu coração chorava. Quando ele sentia dor, eram os meus olhos que choravam. Nós éramos íntimos a esse ponto. Nossa história de amor era muito mais que uma história romântica qualquer. Nossa história girava em torno de amizade. De família. De cuidar daqueles que sempre cuidaram de você.

A alma dele havia nascido para ser amada pela minha.

Acabamos pegando no sono e, toda vez que ele acordava de seus terrores noturnos, eu estava lá para acalmá-lo. Eu o abraçava forte enquanto ele padecia de empatia pela filha.

Eu precisava que ele entendesse que não havia problema nenhum em desmoronar, em ficar aos pedaços. Em se quebrar e em se queimar. Quando chegasse a hora de ele se levantar de novo, toda vez que Greyson precisasse de uma mão, eu sempre ofereceria a minha.

— Ainda estou aqui, Grey — sussurrei, a cabeça dele repousada na curva do meu pescoço.

Ainda estou aqui.

Capítulo 52

Greyson

— Papai, acorda! Já é de manhã e a vovó sempre faz panqueca de chocolate no domingo de manhã. — Lorelai entrou no meu quarto, bocejando. Eu estava exausto e poderia muito bem ter dormido mais algumas horas. Mas Lorelai continuou falando, e as palavras seguintes dela me fizeram abrir os olhos. — Por que a Eleanor está na sua cama, papai?

Eu olhei para a esquerda, onde Eleanor ainda dormia, num sono profundo. Meu braço estava embaixo do corpo dela e, quando me ergui de leve, ela se mexeu.

— Lorelai, o que foi que eu te disse? Deixa o papai dor... Que porra é essa? — murmurou alguém, e eu sabia que não tinha sido a Lorelai.

Karla estava parada à porta, atrás da irmã, mas a expressão das duas era completamente diferente.

Lorelai parecia fascinada, ao passo que Karla parecia ter sido traída.

— Você e a Eleanor? — sussurrou ela, perplexa.

— Não, não é o que parece — gritei, puxando o braço de debaixo do corpo da Eleanor. — Eleanor, levanta — falei, cutucando o braço dela.

Ela se mexeu ligeiramente antes de despertar de vez, e, no instante em que percebeu onde estava, no instante em que viu as meninas, o pânico transpareceu em seus olhos.

Lágrimas se acumularam nos olhos da Karla.

— Meu Deus! *Você* e a *Eleanor*? — sibilou ela, furiosa dessa vez.
— Como você pôde? — reprimiu ela. — Como pôde fazer isso com a mamãe? — gritou ela, e saiu correndo para o quarto.

— Merda — murmurei, me levantando da cama.

Lorelai olhou para mim bastante confusa.

— O que você fez com a mamãe, papai? — perguntou ela, coçando a cabeça.

— Nada, eu explico mais tarde. Fica aqui.

Corri até o quarto da Karla, mas a porta já estava fechada. Eu tentei abrir, mas ela empurrava a porta do outro lado.

— *Vai embora!* — berrou ela, e eu pude ouvir a dor em sua voz.

Apoiei os punhos no batente da porta.

— Karla... Não é nada do que você tá pensando — tentei argumentar.

— Ah, então você não tava na cama abraçadinho com a maldita babá? — rugiu ela.

Hum... certo.

Ela estava certa.

Eleanor apareceu, colocando o cabelo atrás das orelhas. Ela olhou para mim com o cenho franzido, então bateu de leve à porta do quarto da Karla.

— Karla? Sou eu, a Eleanor.

— Vai embora, sua puta! — rosnou ela.

Abri a boca para reprimi-la pelas palavras, mas Eleanor levantou a mão para que eu não fizesse isso.

Ela voltou a falar.

— Karla, sei o que você está pensando, mas...

— Você é uma mentirosa! Tudo que você faz é mentir! Você falou que se importava comigo de verdade, mas só tava falando isso pra conquistar o meu pai. Você não se importa nem um pouco comigo nem com a Lorelai.

— Isso não é verdade — rebateu Eleanor com um suspiro.

A porta se abriu; o rosto da Karla estava coberto pelas lágrimas que escorriam sem parar. Ela cruzou os braços e bufou.

— Então olha nos meus olhos. Se você não é mentirosa, olha nos meus olhos e me diz que vocês nunca dormiram juntos desde que você começou a trabalhar aqui.

Ficamos boquiabertos. Não conseguimos dizer nada. Então Karla começou a tremer mais ainda e fechou a porta de novo.

— Vão embora! Eu odeio vocês dois. Eu odeio vocês. Eu odeio vocês...

Nós dois paramos de tentar abrir a porta, porque éramos culpados. Eu, mais que a Eleanor.

Eu tinha estragado tudo.

— Talvez você devesse ficar fora por um tempo — sugeri, sem conseguir olhar para a Eleanor, mas já imaginando a dor em seus olhos. — Melhor a gente dar um tempo pra ela se acalmar.

— Se você não se importar, eu gostaria de esperar na casa de hóspedes por algumas horas, só pra ver se consigo conversar com ela mais tarde e explicar tudo.

— Tá, claro.

Eleanor assentiu e colocou uma das mãos no meu ombro, tentando me tranquilizar, mas eu ainda não conseguia olhar para ela.

— Me procure se precisar de alguma coisa, Grey — sussurrou ela antes de se afastar.

Apoiei as mãos e a testa na porta e fechei os olhos.

— Me desculpa, Karla — falei, baixinho. — Me desculpa, me desculpa...

Inspirações profundas.

Pulsação errática.

Me desculpa.

Capítulo 53

Greyson

— Ela fugiu — falei, ofegante, depois de esmurrar a porta da casa de hóspedes. Eleanor estava parada ali, com uma expressão aflita. Minha mente girava a mil por hora, e eu não sabia como desacelerar os pensamentos que não paravam de surgir na minha cabeça. — Fui até o quarto da Karla, pra ver se ela estava preparada pra conversar, mas ela não estava mais lá.

Eleanor arregalou os olhos, preocupada, o que só me deixou ainda mais assustado. Ela pôs a mão no meu antebraço e suspirou.

— Tá. Não se preocupa, nós vamos encontrar a Karla. Então, aonde ela iria? Temos que saber onde procurar. Quais são os lugares preferidos dela?

— Não sei, não sei aonde ela iria. Ela estava tão chateada, pode estar em qualquer lugar agora — respondi, andando de um lado para o outro, passando as mãos pelos cabelos. — Isso tudo é culpa minha. Eu causei isso. Eu fiz a Karla fugir — murmurei, desmoronando mais a cada segundo que passava.

Eu precisava da Eleanor, porque estava quase perdendo as estribeiras. Naquele momento, minha cabeça pensava o pior. Eu precisava dela para me dar alguma garantia de que tudo ia ficar bem.

Ela deu um passo atrás e estreitou os olhos.

— Tudo bem. Vejamos, aonde eu iria se me sentisse traída? Aonde iria se me sentisse perdida? Aonde eu iria? O que eu faria? Quem eu procura... — Ela parou de falar de repente. — Minha mãe. Eu procuraria minha mãe. É isso que ela provavelmente faria. Ela procuraria a mãe.

— Como assim? — perguntei, intrigado.

— Quando estou perdida, confusa ou nos meus piores dias, sempre vou ao Lago Laurie, pois, no meu coração, é lá que minha mãe está. É pra lá que eu iria. Eu iria até a minha mãe.

As peças se encaixaram na minha cabeça.

— O cemitério — soltei. — Você pode tomar conta da Lorelai?

— Claro. Vai. Me liga se precisar de alguma coisa.

— Tá bem. Obrigado — falei, descendo as escadas correndo.

— E, Grey? — gritou ela.

— O que foi?

— *Respira.*

~

Sei que ela me mandou respirar, mas eu não respirava desde que havia saído de casa em direção ao cemitério. Meus pensamentos eram dominados pelo medo. Minha garganta estava apertada, e tive de juntar todas as forças para não desmoronar ali mesmo.

O passado continuava lampejando na minha cabeça, as lembranças assumiram a dianteira na minha mente.

Eu me forcei a me levantar e fui até a Lorelai. Embora estivesse chorando, ela parecia estar bem. Então, fui procurar a irmã dela. Corri em meio à chuva cegante em busca da minha filha.

— *Karla!* — *gritei uma, duas, um milhão de vezes.*

Não houve resposta, nada. Os pensamentos que passavam pela minha cabeça eram terríveis, e eu precisei usar todas as minhas forças para não desmoronar.

— Não — murmurei para mim mesmo. — Ela está bem. Ela está bem. Ela está bem — fiquei repetindo isso sem parar. Ela estava bem.

Ela precisava estar bem, porque, se não estivesse, eu não sabia o que faria.

Meus olhos ficaram embaçados, mas pisquei para afastar as emoções. Eu não derramaria uma única lágrima até que ela estivesse comigo. Eu não desmoronaria até ter certeza de que ela estava bem.

Estacionei o carro e cruzei o cemitério correndo.

Quanto mais eu me aproximava do túmulo da Nicole, mais preocupado ficava.

Havia uma pequena figura deitada diante dele. Meu coração batia mais rápido à medida que eu acelerava o passo, voando pelo caminho, pedindo a Deus que ela estivesse bem. Mas ela parecia imóvel e tão pequena...

Quando me virei para a direita, eu a vi: uma figura pequena esparramada diante de duas árvores. Ela parecia tão pequena e imóvel.

Tão, tão imóvel.

Aquilo foi o que mais me assustou.

— Karla — chamei. — Karla! — gritei.

Quando o corpo dela se mexeu, um sopro de alívio me atingiu. Continuei correndo, cada vez mais rápido, correndo para chegar até ela.

— Pai? — perguntou ela, virando-se para mim.

Desabei no chão assim que cheguei até a minha filha, puxando-a para perto de mim, abraçando-a tão apertado que eu podia ouvir seus batimentos cardíacos. Tão apertado que eu tinha certeza de que não poderíamos ficar mais próximos.

— O que você tá fazendo aqui? — berrou ela, afastando-se de mim.

Os olhos dela estavam vermelhos de tanto chorar, e eu segurei o rosto dela com as duas mãos. Senti cada centímetro de sua cabeça. Toquei cada pedacinho dela para me certificar de que estava bem.

— Kar...

Parei de falar quando encostei no bolso dela. Enfiei a mão nele, e meu coração se partiu em dois quando tirei dele um frasco dos comprimidos controlados que ela tomava. Fiquei olhando para eles. Então, olhei para Karla.

O corpo dela começou a tremer.

Os lábios dela estremeceram.

Meu coração se despedaçou.

— O que você tá fazendo com isso aqui, Karla? — perguntei, minha voz era baixa, muito baixa, para que ela não percebesse o medo que alimentava minha alma.

— Pai...

— Karla. O que você ia fazer com esses comprimidos? — perguntei de novo.

Os olhos dela se encheram de lágrimas, e ela deixou transbordar um turbilhão de emoções. Karla começou a chorar aos soluços, as mãos cobrindo o rosto.

— Eu odeio isso! — berrou ela. — Eu odeio tudo isso! Odeio ser eu. Odeio estar sozinha. Odeio o quanto sinto falta da mamãe. Odeio que tudo seja tão difícil. Eu me odeio tanto, pai. Odeio esse mundo. Mas eu não ia fazer nada, pai. Eu juro, não ia. Eu só... — As palavras dela se emaranharam, e cada pedacinho de mim se despedaçou enquanto eu observava minha filha desmoronar. — Tô cansada, pai. Tô cansada.

Eu a abracei forte e a segurei como se minha vida dependesse da força daquele abraço.

— Eu estou aqui com você, Karla. Estou aqui com você. Agora vamos ser só você, a Lorelai e eu, tá bem? De agora em diante.

— Só nós três? — perguntou ela, os olhos repletos de surpresa.

— É. Só nós três. Não tem ninguém, eu juro, ninguém que seja mais importante pra mim do que você e a sua irmã. Vocês são o meu mundo, Karla. Vocês são meu único mundo, meu mundo todinho.

Aquilo tinha vindo do ponto mais profundo da minha alma.

Eu abriria mão do meu mundo pelas minhas filhas.

Eu renunciaria a tudo se isso significasse que o coração delas estaria bem.

Capítulo 54

Eleanor

Mais tarde, naquela noite, Greyson bateu à porta da casa de hóspedes. Fiquei ali esperando até ter certeza de que a Karla estava bem — eu não conseguiria ir para casa sem saber disso. Quando abri a porta, abracei meu próprio corpo.

— Oi, ela tá bem?

— Sim e não — respondeu ele, olhando para o chão. — A Claire está lá com ela agora, e estamos procurando algumas clínicas pra ela. A Karla... hum... — Ele engoliu em seco. — Ela estava com um frasco de comprimidos, Ellie. Não tomou nenhum, mas acho que pensou em tomar. Parece que alguns adolescentes maldosos do colégio disseram pra ela se matar.

— Minha nossa, Grey...

Eu não conseguia entender como as pessoas podiam ser tão cruéis. Onde os humanos aprenderam a ser tão maus? Como aquelas palavras sequer podiam sair da boca de alguém?

— Depois de tudo pelo que ela passou, acho que ver nós dois juntos foi demais pra ela. Não posso permitir que ela continue sofrendo, Ellie. E é por isso que vou te pedir uma coisa. Será que você pode...

— Claro — falei, interrompendo-o. — Sei que não é bom pra saúde dela que eu continue aqui, então vou procurar outro emprego, Grey.

— Só quero que você saiba que isso tudo foi mais do que um emprego, Ellie... Você foi mais do que uma babá.

— Eu sei, mas está tudo bem. A Karla é o mais importante aqui. Quando perdi minha mãe, só uma coisa foi capaz de me manter em pé todos os dias, e tenho certeza de que isso vai impedir que a Karla afunde também.

— E o que era?

— Você. Foi você, Greyson. E quem sabe? Talvez seja pra ser assim. Talvez a gente se encontre só quando mais precisa um do outro e, depois, cada um segue seu caminho.

— É, talvez. Mas teve um momento em que eu pensei que poderíamos ser "nós" de novo. Mas, tipo, mais do que "nós". Um novo tipo de "nós"... que ficássemos juntos de verdade.

Eu sorri.

— É, eu também pensei.

Sonhar não custa nada.

— Mas a verdade é que eu não estou bem, porque não posso ficar bem se minhas filhas não estiverem bem também. Sinceramente, não sei quando todos nós estaremos bem, mas estou trabalhando nisso, Ellie. Estou tentando juntar minha família de novo. E aí pretendo procurar você de novo.

Meu corpo começou a tremer quando ele disse aquelas palavras.

— Grey...

Ele balançou a cabeça e olhou para mim.

— Meu mundo é melhor com você nele. Só preciso que você saiba disso. Só não posso ser quem você merece nesse momento. Mas juro, do fundo do meu coração, que vou me esforçar pra me tornar um homem digno de te amar. Porque, no fim das contas, é do seu lado que eu quero dormir. É do seu lado que eu quero acordar. Eu sei que não é justo da minha parte pedir a você que espere, mas...

— Estou aqui, Greyson — eu o interrompi. — Estou aqui, esperando. Já faz mais de 15 anos que sonho com você — brinquei. — O que é mais um tempinho?

— Então essa é a hora em que a gente se despede de novo? — perguntou ele. — Parece que a gente tá dando "adeus" logo depois de dizer "oi".

— Não é um "adeus", é só um "até breve". Até lá, podemos manter contato? Por e-mail?

— Claro. Ou você pode me ligar, ou qualquer coisa assim. Estou sempre aqui por você, Ellie, mesmo que não possa estar com você fisicamente.

Ele se aproximou de mim e me abraçou. Eu me encaixei nele da mesma forma que sempre fazia, sem esforço nenhum. Nossas testas se encostaram, e nossa respiração estava em sincronia. Naquele instante, o *timing* era perfeito. Ele estava ali, eu estava ali, e éramos um só.

Fechei os olhos e tentei controlar meus batimentos cardíacos. Estávamos tão perto que eu podia jurar que senti os lábios dele roçarem nos meus.

— Eu quero te beijar, mas não posso — disse Greyson baixinho. — Agora, não. Ainda não. Mas preciso que você saiba que, da próxima vez que eu te beijar... — A respiração dele dançou sobre a minha pele à medida que suas palavras penetravam em minha alma. — Será pra sempre.

~

Depois de tudo o que tinha acontecido, eu sabia que precisava fazer uma viagem. Greyson se esforçava para restabelecer a união em sua família, e eu senti que finalmente estava na hora de eu fazer o mesmo pela minha.

Arrumei as malas para ir à Flórida visitar meu pai. Eu nem avisei que estava indo, porque, se fizesse isso, tinha certeza de que ele inventaria desculpas para não me ver.

Mas, antes de ir para o aeroporto, fiz uma parada importante.

Levei um tempo para encontrar o túmulo, mas, quando encontrei, respirei fundo algumas vezes antes de falar. Permaneci em pé, segurando um buquê de rosas.

— Oi, Nicole. Sei que você não me conhece, mas eu sou a Eleanor e estou apaixonada pela sua família. Amo cada um deles, mas não vou poder tomar conta deles por um tempo. Então, quis passar aqui pra te pedir uma ajudinha. Será que você poderia continuar tomando conta de todos? Estou preocupada com a Karla, mas sei que, se a mãe estiver tomando conta dela, ela ficará bem, porque é isso que as mães fazem. Elas fazem com que tudo fique bem. Então, por favor, cuide do coraçãozinho dela, porque sei que ela é uma pessoa importante pra esse mundo. O mundo precisa da Karla, então, se você puder envolvê-la com a sua luz, eu ficaria muito grata.

"Também quero agradecer por continuar conversando tanto com a Lorelai. Ela te ama mais do que você poderia imaginar. Por fim, se puder cuidar do Greyson por mim, seria ótimo. Sei que às vezes ele pensa que precisa desapegar de você pra gente poder ficar junto, mas eu não acho que seja por aí. De verdade. Você mostrou a ele um amor que o transformou no homem que ele é, uma pessoa linda de se ver. É por sua causa que o Greyson é forte, então, por favor, continue ao lado dele. Proteja todos eles por mim, Nicole, e eu sei que eles sentirão o seu amor no vento."

Coloquei as flores sobre o túmulo dela e lhe agradeci mais uma vez.

— Ah, e se você vir minha mãe por aí, pode dizer a ela que eu a amo? E que, não importa o que aconteça, eu sempre estarei ao lado dela.

Enquanto eu falava com um anjo sobre outro anjo, uma libélula passou bem ao meu lado, e eu poderia jurar que os pedaços da minha alma começaram lentamente a se curar.

Capítulo 55

Eleanor

Assim que aterrissei na Flórida, senti um bolo gigante se formar em meu estômago enquanto pegava o carro alugado. Já fazia mais de um ano que eu não via meu pai, e não sabia ao certo o que esperar. No entanto, quando parei na frente da casa dele e fui até a varanda da entrada, meu coração se partiu na hora.

— Eleanor — murmurou meu pai, surpreso por me ver ali. Ele estava um caco, como se não tomasse banho havia dias. Os cabelos estavam desgrenhados, a barba, por fazer, e ele tinha engordado um pouco desde a última vez que nos vimos. — Oi. O que você tá fazendo aqui? Você tá bem?

Olhei para além dele e vi que a casa estava um lixo. A mesinha de centro estava coberta de embalagens de comidas nada saudáveis e havia roupas espalhadas por toda parte.

Ergui uma das sobrancelhas.

— *Você tá bem?*

Ele se mexeu de leve, tentando bloquear minha visão, mas eu já tinha visto tudo que precisava ver. Ele começou a tossir, cobrindo a boca com a palma da mão, e eu tive a impressão de que meu pai iria perder um dos pulmões a qualquer instante.

— Estou bem, estou bem. Vivendo um dia de cada vez — respondeu ele, coçando a nuca.

Os olhos dele eram vazios. Ele parecia um tanto pálido. E triste.

Meu pai parecia tão triste.

Mas isso não era novidade. Nos últimos 16 anos, ele havia sido um homem triste. Esse era o novo "normal" dele.

— Posso entrar? — perguntei, dando um passo à frente.

Ele fez uma careta e bloqueou minha entrada.

— Tá uma bagunça aqui dentro, Eleanor. Talvez seja melhor a gente sair pra comer alguma coisa.

Ele se sentia envergonhado, mas eu não me importava. Eu era filha dele e o amava.

Independentemente do que ele estivesse passando, eu podia ajudar.

— Me deixa entrar, pai. Vou te ajudar a arrumar a casa. Além do mais, eu tava pensando em passar alguns dias aqui antes de voltar. Pra gente poder botar o papo em dia.

— Ah? Bem, não sei. Você podia ter me avisado, Eleanor.

— Pai. Me deixa entrar.

Ele balançou a cabeça.

— Está ruim...

— Pai — insisti. — Me deixa entrar.

Eu o tirei do meu caminho e entrei na casa. Estava mil vezes pior do que parecia quando espiei da porta.

Havia lixo por todos os lados, restos de comida no carpete, latas de refrigerante vazias, garrafas de bebida, pacotes de biscoito. Embalagens de tudo quanto era coisa. As roupas dele estavam amontoadas em uma pilha no canto da sala de estar, e a pia da cozinha estava lotada de louça suja.

Eu já tinha visto meu pai em momentos bem ruins, mas nunca naquele estado. Ele estava vivendo na imundície e parecia que não se importava.

Ele começou a dar uma geral na casa, recolhendo algumas coisas, obviamente atordoado com a minha chegada.

— Não é sempre assim — mentiu ele. — As coisas têm estado um pouco caóticas ultimamente — murmurou ele.

— Você não pode viver assim, pai — falei, atônita. — Você merece mais do que isso.

Ele se encolheu.

— Não começa, Eleanor. Você apareceu sem avisar. Não tive tempo de arrumar a casa.

— A casa nunca deveria chegar a esse estado! E olha pra você, pai. Você tem tomado seus remédios?

Ele fez uma carranca.

— Eu tô bem, Eleanor. Não preciso que você venha até aqui pra me humilhar.

— Não estou tentando te humilhar, pai. Só estou preocupada. De verdade. Isso não é saudável, e você parece mais fraco do que da última vez que eu te vi. Só quero te ajudar.

A vergonha dele estava se transformando em raiva.

— Eu não pedi a sua ajuda! Não preciso da sua ajuda. Eu tô bem.

— Não, não está. Você está um caco, e já faz anos que está assim.

— Tá vendo? É por isso que não gosto de visita. Foi por isso que não deu certo a gente morar junto. Você vive apontando os meus defeitos.

— Pai, não é isso que eu estou fazendo! Só estou dizendo que estou preocupada.

— É, bom, para de se preocupar então. Não preciso da sua pena.

— Não é pena, é amor. Eu te amo, pai, e quero que você seja o melhor que pode ser.

Ele não disse que também me amava.

Isso sempre doía.

Ele baixou a cabeça e coçou a nuca. Meu pai não olhava para mim com muita frequência, e eu tinha certeza de que era porque eu me parecia com a minha mãe. Talvez fosse difícil demais, para ele, me encarar. Talvez suas dores fossem piores.

— Talvez seja melhor você não ficar aqui. Não tô muito bem no momento e não quero que você se sinta mal por eu ser quem eu sou, tá bem? Talvez seja melhor você ir embora, Eleanor.

Ele me dispensou.

Sem nem olhar para mim.

Ele me rejeitou e me mandou embora, e isso foi tudo.

Chorei durante todo o voo de volta para Illinois. Chorei por ele, de medo. De preocupação. De dor. E, então, rezei para que minha mãe cuidasse dele, porque eu tinha certeza de que não havia nada que eu pudesse fazer para trazê-lo de volta para mim.

~

Quando cheguei a Illinois, comecei a procurar emprego. Eu estava juntando os cacos do meu coração despedaçado e tentando ensinar os pedaços a baterem sozinhos novamente.

Volta e meia, pensava tanto no meu pai como em Greyson. Pensava no coração deles e torcia para que os dois também estivessem batendo. Fiz a única coisa que eu podia de fato fazer pelos dois em meio ao lamaçal em que todos nos encontrávamos: eu os amei a distância.

Capítulo 56

Greyson

Eu sentia falta dela.

Sentia falta da Eleanor todos os dias, desde que ela foi embora, mas me esforcei ao máximo para continuar seguindo em frente, pelas meninas. Elas eram meu foco e, até que tudo estivesse bem com elas, eu não podia pensar em mais nada, nem em mais ninguém. Mas, às vezes, eu me permitia pensar na Eleanor. Para falar a verdade, pensar nela tornava alguns dias mais fáceis.

Logo dezembro chegou, e aquele seria nosso segundo Natal sem a Nicole. As festas de fim de ano ainda eram difíceis para todos nós, mas eu e as meninas encararíamos isso juntos. Na manhã de Natal, a grama estava congelada, pois fazia muito frio. Coloquei o casaco de inverno, peguei algumas cobertas no armário e fui até a sala de estar, onde Lorelai e Karla estavam.

Ambas me fitaram com expressões confusas.

— Aonde você vai? — perguntou Karla.

— Achei que seria uma boa ideia visitar a mãe de vocês e desejar um feliz Natal pra ela — expliquei. — Querem pegar seus casacos?

Elas fizeram o que eu sugeri e nós seguimos em silêncio de carro até o cemitério. Quando entramos, reparei que havia mais pessoas visitando seus entes queridos naquele dia, compartilhando histórias e lembranças.

Eu e as meninas fomos até o túmulo da Nicole e espalhamos as cobertas pelo chão antes de nos sentarmos juntos, encostados uns nos outros para permanecermos aquecidos.

Ficamos em silêncio por um tempo, apenas olhando e refletindo.

— Era aqui que eu vinha — sussurrou Karla, olhando para o túmulo. — Quando eu tava matando aula, eu vinha pra cá, ficar com ela — confessou minha filha. — Eu me sentia melhor quando tava perto da mamãe. Era como se ela sempre tivesse alguma coisa pra me contar, mas eu não conseguisse ouvir. Eu não conseguia entender.

Olhei para minha filha e sorri.

— Eu costumava fazer o mesmo, depois que ela faleceu. Eu me sentia assim também. Como se ela estivesse tentando nos dizer algo, mas eu não conseguisse entender.

— Por que vocês não perguntam pra ela? — questionou Lorelai, confusa. — Eu pergunto coisas pra mamãe o tempo todo, e ela responde.

Sorri para Lorelai e torci para que o dom que ela tinha de continuar conectada à mãe nunca desaparecesse. Puxei-a mais para perto de mim.

— Acho que é mais fácil para algumas pessoas, Lorelai. Algumas pessoas conseguem manter relacionamentos bem próximos com seus entes queridos depois que eles morrem.

— É, a mamãe é minha melhor amiga — afirmou ela. — Por que vocês não tentam conversar com ela?

— Como você faz, Lorelai? — quis saber Karla. — Como você fala com ela e sabe que ela te escuta?

Ela deu de ombros.

— Você só precisa acreditar.

Karla respirou fundo e fechou os olhos.

— Oi, mãe, sou eu, a Karla. Só queria dizer que sinto muito a sua falta. Todos os dias, e nunca fica mais fácil. Sinto saudade das suas piadas ruins, da sua risada e do seu péssimo gosto musical. Sinto saudade da forma como você fazia meus dias ruins ficarem melhores. E de como você acabava com a minha dor sempre que alguém me tratava mal. — Lágrimas começaram a escorrer pelo rosto da minha filha mais velha, e eu as sequei enquanto ela continuava falando. — E sinto falta de te abraçar. Sinto muita falta de te abraçar, mas o papai tem feito um bom trabalho nessa parte dos abraços. Então é isso. Não estamos bem sem você aqui, mas estamos bem. Estamos cuidando uns dos outros, e eu só queria que você soubesse disso. Estamos bem, e eu te amo.

Ela abriu os olhos e secou as lágrimas.

— Tá vendo, Karla? — sussurrou Lorelai. — Você ouviu?

— Ouvi o quê?

— A mamãe disse que também te ama.

E, pela primeira vez em mais de um ano, acho que Karla finalmente sentiu as palavras da mãe.

~

— Você já conhecia ela? — perguntou Karla, entrando no meu escritório na noite seguinte à do dia de Natal.

Ela segurava um envelope e retorcia os dedos. A Nicole sempre dizia que ela tinha puxado isso de mim.

— Conhecia quem?

— A Eleanor. Você conhecia ela antes de ela ser babá da gente?

Só de ouvir o nome dela, senti um aperto no peito.

— Conhecia. A gente estudou junto no ensino médio.

— Ela era sua namorada?

— Bem, não... não exatamente.

— Então, ela era só sua amiga.

Cocei a nuca.

— Não. Não exatamente.

— Você tá me confundindo — disse ela.

— Eu sei. É que é difícil de explicar. Ela era ela, eu era eu, e nós éramos nós. Não havia um rótulo. Éramos apenas duas pessoas se ajudando a respirar.

Karla assentiu, andando na minha direção. Ela se sentou na poltrona à minha frente.

— Foi isso que ela disse também.

— Como assim "foi isso que ela disse"?

— Hum... eu queria que você lesse isso. — Ela colocou um envelope em cima da minha mesa. — É da Eleanor. Ela escreveu essa carta pra mim na noite em que foi embora e enfiou o envelope por baixo da minha porta. Só li ontem à noite, e acho que você também deveria ler.

Ela se recostou na poltrona, esperando pacientemente enquanto eu abria o envelope. Dentro, havia uma carta e uma fotografia da qual eu não conseguia tirar os olhos.

Era uma foto de nós dois, tirada na noite do baile de boas-vindas. Parecíamos muito jovens e totalmente alheios ao rumo que nossas vidas tomariam. Éramos tão felizes, tão livres.

— Que terno horroroso esse — comentou ela, me fazendo rir.

— É, bem... na época era da hora.

Ela grunhiu.

— Pai, as pessoas não falam mais "da hora".

— O que se diz hoje em dia? Massa? Irado? Maneiro? Joia? — zombei.

Ela revirou os olhos.

— Só lê a carta.

Larguei a foto e desdobrei a folha de papel. Enquanto meus olhos desciam pela página, fui me lembrando de todas as coisas que amava na Eleanor Gable.

Karla,

Acho que não há palavras suficientes no universo para expressar o quanto eu lamento pela maneira como as coisas se desenrolaram, mas vou me esforçar ao máximo para me desculpar. E acho que a melhor forma de fazer isso é voltar ao início.

Eu estava no ensino médio quando minha mãe teve câncer. Eu era jovem e estava perdida e com o coração partido. Foi exatamente nesse momento que seu pai entrou na minha vida. Ele surgiu durante meus dias mais sombrios e me iluminou com a sua luz.

Quando minha mãe morreu, ele testemunhou meu sofrimento e minhas dores. Ele dizia que minhas cicatrizes eram lindas.

Ele foi o meu primeiro amor, mas não foi só um amor romântico. Ele nem era meu namorado, e eu poderia contar em dois dedos a quantidade de vezes que nos beijamos na adolescência.

Ele era ele, eu era eu, e nós éramos nós.

Seu pai me salvou. Sem ele, tenho certeza de que teria me afogado.

Perder a mãe é uma perda diferente de todas as outras.

As mães conhecem as batidas do nosso coração quando nós mesmas não conseguimos interpretar o som delas. Elas nos veem como criaturas magníficas, mesmo quando achamos que não merecemos ser amadas por ninguém. Elas apaziguam as dúvidas que atormentam a nossa alma. Elas demonstram o que é amor incondicional desde o dia da nossa primeira respiração.

Às vezes, é como se elas nos conhecessem melhor do que nós mesmas e, então, um dia, elas se vão.

Nós nos sentimos traídas. Traídas pelas coisas que elas não puderam nos ensinar. Traídas pelas lições que nós ainda precisávamos aprender com elas. Traídas por sermos privadas das risadas, dos sorrisos, do conforto e do amor delas.

Mas o que eu aprendi com o tempo é que minha mãe continua do meu lado. Eu a vejo em tudo. Sempre que há beleza, é lá que minha mãe está.

Sei que ela nunca foi embora, não importa o que a realidade tente me dizer, pois meu coração foi moldado pelo amor dela e, enquanto estiver batendo, ela continua viva.

Então, sabe esse seu coraçãozinho? Esse coração que você pensa estar partido, ferido e indigno de existir? Esse coração está perfeito e não vê a hora de te mostrar quanto amor ainda espera por você no mundo. E sempre que você precisar desse lembrete, ponha as mãos no peito e sinta o amor da sua mãe em cada batida.

Você vai ficar bem, Karla.

Você vai ficar mais que bem.

Mas preciso pedir a você que faça uma coisa por mim: cuide do seu pai. A verdade é que ele vai precisar de você mais do que você precisa dele. Porque ele não tem as batidas do coração dela dentro do peito. Não. Para ele, a lembrança da Nicole está nos olhos de vocês duas. No sorriso de vocês. No seu amor.

Vocês estão salvando seu pai. Sem vocês, tenho certeza de que ele afundaria.

Então, mesmo que você nunca me perdoe, mesmo que continue me odiando, mesmo que você nunca mais pense em mim... Quero que saiba que estou aqui para o que você precisar. Dia e noite. Noite e dia. Sempre que precisar de mim, eu estarei à sua disposição, Karla, porque você significa muito pra mim. Não apenas como filha do Greyson, mas como outro ser humano que precisa saber que não está sozinho.

Estou a uma ligação de distância e sempre vou te atender.

Ainda estou aqui.

Eleanor

P.S: Sei que você está sofrendo, mas suas cicatrizes são lindas.

Coloquei a carta em cima da mesa e me recostei na poltrona, atônito.

— Uau!

Karla concordou com a cabeça.

— Pois é. — Ela passou as mãos pelos cabelos e então se inclinou para mim. — E aí... Quando é que a gente vai atrás dela?

— O quê?

— Da Eleanor. Quando ela volta? — Arqueei as sobrancelhas, e Karla suspirou dramaticamente. — Pai, você tá de brincadeira?! Você não leu a carta toda?

— Li, e é perfeita, mas isso não significa que a Eleanor vai voltar.

— O quê? É claro que vai.

Eu queria concordar com ela. Queria sair correndo de casa, ir até a Eleanor e dizer que estávamos prontos. Mas eu não podia fazer isso. Ainda não.

— Karla, aconteceu muita coisa nesses últimos meses, e nós ainda temos um longo caminho pela frente. Minha preocupação é com você e com a sua irmã. Se for pra eu e a Eleanor ficarmos juntos, as coisas vão se encaminhar pra isso uma hora. Mas, por enquanto, somos só nós três contra o mundo.

— Olha, eu sei que as coisas não têm sido fáceis pra nós e sei que, às vezes, eu acabei deixando tudo ainda mais difícil, mas você merece ser feliz, pai. Sei que tem sido complicado pra todos nós, mas a verdade é essa. Tenho certeza de que você pensa que eu mereço ser feliz, e, se eu mereço, você também merece.

Sorri para a minha filha.

— Eu sou feliz. Tenho vocês.

Ela grunhiu, batendo a mão no próprio rosto.

— Por que você precisa ser tão brega?

— Sou pai. São ossos do ofício.

Ela se levantou e estava quase na porta do escritório quando eu a chamei.

— O quê? — perguntou ela.

— O que te fez abrir a carta hoje?

— Sei lá. — Ela deu de ombros. — Talvez tenha sido a mamãe sussurrando no meu ouvido.

Quando a Karla saiu do escritório, eu peguei a carta e a reli incontáveis vezes.

— Obrigado, Nicole — sussurrei ao vento, e fiz o que Lorelai me ensinou a fazer.

Acreditei piamente que Nicole podia me ouvir.

— Então, a Karla me ligou dizendo que você estava de teimosia — comentou Claire no nosso almoço de terça-feira.

— Ah, é?

— Aham. Ela me disse que você tinha algo legal com a Eleanor e estava abrindo mão de tudo porque é um cagão. Palavras dela, não minhas.

Abri um sorriso torto.

— Parece mesmo a minha filha.

— Então por que você não entra em contato com a Eleanor? O motivo principal pra se manter afastado dela não era a Karla? E agora, com a bênção dela...

Claire deixou as palavras evaporarem no ar.

— É mais complicado que isso — argumentei. — É uma longa história.

— Bem, por sorte, tenho direito a uma hora inteirinha do seu tempo toda terça-feira. A menos que você queira que eu volte a tocar músicas do Journey.

Suspirei.

— Eu cometi um erro grave quando estava meio bêbado... Eleanor e eu estávamos juntos e eu acidentalmente a chamei de Nicole. Foi estupidez minha. Foi um erro grave e não acho que eu vá conseguir apagar esse deslize.

Ela assentiu, demonstrando que compreendia.

— Assim que comecei a namorar o Jack, fiquei apavorada. Eu tinha sido casada com meu marido por quarenta anos antes de o Jack aparecer na minha vida, e tinha certeza de que nunca mais voltaria a amar. Não havia como amar outra pessoa da mesma maneira que eu amava meu marido e, de certa forma, eu estava certa. Meu amor por aquele homem foi único. Foi algo especial. Uma coisa nossa.

Ela parou de falar por um instante, e então prosseguiu.

— Mas aí, quando o Jack apareceu... — Os olhos da Claire ficaram marejados de lágrimas de tanta esperança que eu quase chorei. — O Jack me ensinou a confiar nas pessoas de novo. Ele me ensinou que eu não precisava ser perfeita, que eu podia ser eu mesma, com minhas cicatrizes e todo o resto. Ele me ensinou que ser eu mesma era tudo o que eu precisava fazer. Pra falar a verdade, eu não pensava que meu coração pudesse bater por outro homem, mas estava errada. O que aprendi foi que o coração é resiliente. Ele sempre se lembra de como voltar a bater. Nós só precisamos estar dispostos a dar a ele algo pelo que bater. E a única forma de fazer isso é deixando o medo de lado.

— Mas o meu erro... — sussurrei.

Ela sorriu.

— Eu já chamei o Jack pelo nome do Randy uma porção de vezes. Não foi de propósito. Eu me lembro de ter ficado horrorizada e de ter tido certeza de que ele se afastaria de mim pra sempre. Mas sabe o que aconteceu?

— O quê?

— Ele ficou. E, minha nossa, acredite em mim: eu dei a ele um milhão de motivos pra fugir, mas ele se recusou a fazer isso. Ele estava sempre lá. — Claire cruzou os braços e continuou sorrindo para mim, como se soubesse de algo que eu não sabia. — O que aconteceu depois do seu deslize? Ela fugiu depois da conversa de vocês?

— Não, ela não fugiu. Ela conversou comigo. Ouviu meu desabafo. Ela ficou.

— Então, meu querido... — Claire colocou a mão no meu ombro e balançou a cabeça. — Por que você está fugindo?

Eu queria parar de fugir. Queria ligar para a Eleanor e pedir a ela que voltasse para mim. Mas então pensei nas meninas e em todo o processo de cura pelo qual ainda tínhamos de passar.

— Ainda é cedo — afirmei, balançando a cabeça. — Só preciso de mais tempo.

— Eu entendo isso, filho, mesmo. Só tome cuidado pra não deixar a areia da ampulheta acabar. Nossa vida é curta, e o amanhã só a Deus pertence. Se existe alguma coisa que todos nós temos, é o direito de ser feliz. Talvez você mereça isso mais do que a maioria das pessoas, Greyson.

Feliz.

Era só isso que eu queria ser, e tinha certeza de que conseguiria um dia.

Mas não agora.

Capítulo 57

Greyson

Dois dias depois, a campainha tocou, e eu me levantei do sofá para abrir a porta. No instante que a porta se abriu, fiquei confuso. Eleanor estava parada ali, os olhos cheios de preocupação.

— Ellie, o que você...

— Ela está bem? — perguntou, a voz trêmula.

Fiquei confuso.

— Ela quem?

— A Karla. Ela me mandou uma mensagem dizendo que tinha se metido em confusão e que precisava da minha ajuda. Vim o mais rápido que pude.

— Ah, eu tô bem — falou uma voz atrás de mim.

Eu me virei e vi Karla parada ali, um sorriso torto no rosto.

— Então por que você mandou mensagem pra Eleanor? — perguntei.

— Porque eu preciso, sim, da ajuda dela. Todos nós precisamos.

Eleanor parecia atônita, não fazia ideia do que estava acontecendo, mas eu estava começando a entender. Esfreguei a nuca com a mão.

— Foi mal, Ellie. Parece que a minha filha adolescente está armando alguma.

— Só porque você tá sendo teimoso, pai. Só aceita... Você gosta da Eleanor. E, Eleanor, você nem pode negar que gosta dele também, porque não consegue esconder suas emoções por nada nesse mundo. Então vocês dois deveriam só... ficar juntos.

— Karla... — Meu tom de voz baixou, e eu fiz uma careta. — Você sabe por que não podemos...

— Tá, pai, eu entendo. Você é fodido da cabeça, eu sou fodida da cabeça, a Eleanor é fodida da cabeça... Todo mundo é fodido da cabeça! Não vejo por que não podemos ser fodidos da cabeça juntos.

— *Olha a boca* — dissemos Eleanor e eu, em uníssono.

Eu sorri, ela sorriu, e, caramba, eu adorei aquilo.

Você devia fazer isso mais vezes, Ellie...

Estava com saudade daqueles sorrisos.

— Tá vendo? Vocês são até brega juntos, então, precisam ficar juntos. — Karla deu de ombros. — Olha, eu entendo. Às vezes, eu perco a linha e faço as coisas ficarem difíceis, mas só quero que você saiba que eu quero a Eleanor aqui. E a Lorelai também quer. A gente não precisa esperar até estar totalmente recuperado, pai. A gente pode ser um time com algumas rachaduras pra consertar. Nos momentos bons e nos ruins. Além do mais... — Ela abriu um sorriso hesitante para Eleanor. — Fizemos um juramento de dedinho.

Ela se virou e voltou para o quarto.

Abri a boca para falar, mas nenhuma palavra saiu. Porque era aquilo que eu queria, era a Eleanor que eu desejava.

Fixei meus olhos nos dela e cocei o queixo com o polegar. O nervosismo tomou conta de mim, mas ela continuava sorrindo.

— Grey, se você não estiver pronto pra isso, eu...

— Ellie?

— O que é?

Enfiei as mãos nos bolsos da calça.

— Você tem sido meu norte desde que eu te conheci. Você curou minha família em mais sentidos do que eu poderia descrever. Você me trouxe de volta à vida quando minha alma tinha morrido. Você salva minha vida toda e cada vez que passa pelo meu pensamento. O simples fato de pensar em você já me cura. Sei que existem coisas que precisamos resolver, sei que existem obstáculos que precisamos transpor, mas, se você estiver disposta, estou disposto a me jogar de cabeça. Quero me jogar e voar com você pelo resto da minha vida. Então, o que você me diz?

Ela chegou mais perto de mim e me abraçou. Coloquei as mãos na lombar dela e a puxei mais para perto ainda. Nossas bocas se roçaram, e eu poderia jurar que toda a minha vida se iluminou com a possibilidade de um futuro juntos.

— Tá bem — sussurrou ela. — Vamos voar.

Eu a beijei enquanto a puxava para mim. Nós nos beijamos pelo nosso passado, nos beijamos pelo nosso presente e nos beijamos pelo nosso futuro.

Os lábios dela se apossaram dos meus, como se estivessem me prometendo o para sempre.

Para sempre.

Aquele beijo significava o para sempre.

E eu estava feliz com isso.

Nós tínhamos conseguido. Depois de tantos anos, chegamos aos nossos capítulos mais lindos. Os capítulos nos quais a dor se transformava em beleza. Nos quais os corações partidos começavam a se recuperar. Nos quais o "sempre" encontrava o "para sempre".

Ela era ela, eu era eu, e nós éramos nós.

Aquela era a nossa história.

Aquele era o nosso "sempre" e "para sempre".

E seria lindo.

Capítulo 58

Greyson

Eleanor não falava mais tanto no pai quanto costumava falar, mas eu sabia que aquilo ainda consumia sua alma. Sempre que eu tocava no assunto, ela sorria e dizia:

— Ele é o que ele é, e não há espaço pra mim na vida dele.

Aquilo partia o meu coração, porque eu sabia que despedaçava o dela. E, se o coração dela estava machucado, o meu também estava.

— Tenho uma viagem a trabalho hoje — disse a Eleanor quando estávamos deitados na cama ao acordar, algumas semanas depois de ela ter voltado à minha vida. — Será que você pode tomar conta das meninas até eu voltar? Meu voo sai cedo, mas eu volto pra casa hoje mais tarde. Vai ser uma viagem bem rápida, mas é pra resolver um assunto bem importante.

— Claro. Eu tomo conta delas.

Eu me aproximei dela e a beijei.

— Eu te amo — sussurrei.

Aquelas palavras saíram da minha boca sem esforço nenhum. Quase como se elas sempre tivessem feito parte das nossas vidas.

Foi a vez dela de me beijar.

— Eu também te amo.

É claro que nós nos amávamos.

Eu tinha certeza de que o nosso amor, desde que brotou todos aqueles anos antes, nunca havia realmente desaparecido.

E então eu estava na Flórida, parado na varanda da entrada da casa do pai da Eleanor. Shay tinha me dado o endereço. Fiquei parado ali por um minuto com um livro nas mãos até tomar coragem para bater.

— Posso ajudar? — perguntou Kevin, abrindo a porta.

Eleanor podia ter o sorriso da mãe, mas os olhos certamente eram do pai.

— Oi, sim, eu sou o Greyson. Não sei se o senhor se lembra de mim, mas nós nos conhecemos há alguns anos, por causa da Eleanor. Eu era amigo dela no ensino médio. Fui eu que a levei ao baile de boas-vindas.

Ele estreitou os olhos.

— Ah, sim, Greyson. Quanto tempo.

— Já faz muito tempo mesmo.

— Como posso te ajudar? — perguntou ele, fechando a porta atrás de si para que eu não pudesse ver a bagunça na casa.

— Pra falar a verdade, eu estou aqui por causa da Ellie. Veja, senhor... Eu a amo. Eu amo a sua filha por um milhão de motivos. Ela realmente é o maior presente que esse mundo já me deu, mas anda com o coração partido porque sente saudades do pai.

Kevin fez uma carranca e bufou.

— Olha só, se você veio até aqui pra fazer eu me sentir mal...

— Não é por isso que estou aqui — interrompi. — De jeito nenhum. Acredite em mim, se existe alguém que sabe o que o senhor está passando, esse alguém sou eu. Não faz muito tempo, minha mulher morreu, me deixando com nossas duas filhas. Eu me fechei completamente, me afastei de tudo e de todos, porque não conseguia suportar um mundo onde a Nicole não existia mais. Mas então, apesar da minha teimosia, a Eleanor Gable voltou à minha vida e me salvou. Ela é a pessoa mais paciente do mundo, Kevin, e aposto que puxou essa característica da mãe. Aposto que muitas das melhores características dela vieram da Paige.

No instante em que eu disse o nome dela, vi Kevin reagir. A dor que residia dentro dele ainda estava viva e forte. Mas eu não ia parar de falar, pois sabia que ele precisava ouvir o que eu tinha a dizer.

— A Eleanor é acolhedora, gentil, e o sorriso dela é capaz de iluminar o ambiente inteiro. Quando ela ri, ri com o corpo todo; quando ela chora, é de partir o nosso coração. Ela é tolerante, mesmo quando não deveria ser. É compreensiva, mesmo quando as pessoas são difíceis de entender. Ela é carinhosa. Ela é sensível. Ela é linda por dentro e por fora, e eu sei que ela puxou tudo isso da mãe. Então, isso torna as coisas bem difíceis para o senhor.

Ele fechou os olhos e respirou fundo algumas vezes.

— Você não entende...

— Ela tem os olhos da mãe — eu o interrompi delicadamente, porque eu entendia, sim. Eu entendia mais do que ele podia imaginar. — E é isso o que faz com que seja difícil o senhor olhar para ela. A Eleanor tem o sorriso da mãe, o que faz o senhor querer fechar a cara. Ela tem muitas partes da mulher que o senhor perdeu, então o senhor se afasta dela, porque dói demais. Mas em algum momento o senhor vai ter que aceitar que aquilo que considera uma maldição é, na verdade, um milagre. Eu consigo ver a Nicole toda vez que olho nos olhos das minhas filhas. Consigo ver o sorriso dela. Consigo ouvi-la rir, e esse é o maior presente que esse mundo poderia oferecer.

Ele abriu os olhos, e eu vi o mesmo desespero que costumava habitar em mim. A tristeza que o consumia por inteiro havia 16 anos.

— Como você chegou a esse ponto? — perguntou ele. — Como conseguiu começar a se recuperar?

— Fácil. Eu deixei a Eleanor se aproximar. E acho que o senhor deveria fazer o mesmo.

Ele balançou a cabeça e resmungou enquanto secava as lágrimas.

— Não. Não posso. Já faz muito tempo. Já se passaram muitos anos. Não posso mais consertar o nosso relacionamento.

— Não pode ou não quer tentar? Tudo o que eu estou dizendo é: se o senhor um dia quiser consertar as coisas com a Eleanor, ela estará pronta para ouvir.

— Como você sabe disso? Como pode ter tanta certeza disso?

— Porque essa é a mulher que o senhor criou. O senhor trouxe a esse mundo uma mulher que respira amor incondicional.

Kevin baixou a cabeça, e eu quase conseguia ouvir as engrenagens girando na mente dele. Enfiei a mão no bolso e tirei um dos meus cartões de visita.

— Olha, não quero tomar mais do seu tempo. Eu só dei um pulo aqui pra falar que vale a pena lutar pelo amor da sua filha. E, quando o senhor estiver no fundo do poço, me ligue. Me ligue que eu vou ajudar. De um viúvo para outro, eu garanto que o sol pode brilhar novamente. Tudo o que o senhor precisa fazer é despertar.

Ele pegou o cartão da minha mão e assentiu lentamente com a cabeça.

— Obrigado, Greyson.

— Não tem de quê. E, aqui, pegue isso. — Entreguei o livro a ele. — Só para o caso de vocês dois precisarem de algo em comum para conversar.

Eu me virei para ir embora e ele me chamou de volta.

— Greyson?

— Sim?

Eu me virei para olhar para ele mais uma vez.

Kevin pigarreou.

— Você vai cuidar dela?

— Sim, senhor — prometi. — Pelo tempo que nós dois vivermos.

Capítulo 59

Eleanor

No dia do aniversário de morte da minha mãe, separei um tempinho para agradecer a ela, porque eu sabia que ela devia ser uma das grandes responsáveis por me unir a Greyson de novo. Eu sabia que ela sempre encontrava uma maneira de demonstrar seu amor por mim.

— A gente devia ir ao Lago Laurie — sugeriu Greyson, caminhando até mim e me abraçando. — Você sabe, pra celebrar a memória dela.

— Eu adoraria isso.

As meninas estavam na casa da Claire, então pegamos o carro e fomos até o lago. À medida que nos aproximávamos, eu sentia a calma. Era como se pudesse sentir a presença dela ali. Quando começamos a caminhar por entre as árvores até nosso oásis oculto, meu coração parou de bater. Vi meu pai parado ali, de costas para mim.

— Pai? — chamei, perplexa e confusa.

Ele se virou e abriu o sorriso mais triste do mundo.

— Oi, Snickers — sussurrou. Em volta dele, havia pilhas e pilhas de pacotes de presente e envelopes. Ele estava com um livro na mão e o acenou para mim. — Finalmente consegui ler aquele tal de Harry Potter de que você vivia falando. É bastante bom.

Tentei falar, mas minha voz falhou. Quando tentei mais uma vez, tudo o que saiu foi um sussurro.

— O que você está fazendo aqui?

Olhei para Greyson, que abriu um sorriso maroto. É claro que ele tinha algo a ver com aquilo tudo.

— Acho que deixei uma coisa no carro. Já volto — disse Greyson. Eu o segurei, nervosa, sem saber ao certo o que fazer, mas ele apertou minha mão de leve. — Você não precisa perdoar seu pai, Ellie, mas pode ouvir o que ele tem a dizer. Você vai ficar bem, e eu vou estar logo ali, no carro, esperando por você, tudo bem?

Concordei com a cabeça.

— Tá bem.

Ele nos deixou a sós, e meu pai ficou alternando o olhar entre mim e a lagoa. Eu me aproximei, mas continuei sem dizer uma única palavra. Havia tantas coisas que eu queria dizer a ele, mas nada vinha à minha boca naquele momento.

Ele tossiu e esfregou a nuca.

— Acho que sou Corvinal, com base em todos os detalhes. Chuto que você seja Lufa-Lufa, com base no que eu li e no que conheço de você.

— O que significa tudo isso? — perguntei, olhando em volta, mais confusa do que nunca.

— Ah, é... Hum, bom, é... — Os pensamentos dele estavam emaranhados, mas eu não o culpava. Meus próprios pensamentos estavam no mesmo estado. — São 16 cartões de aniversário e 16 presentes de Natal, por todos os anos que eu perdi. Eu, hum... — Ele coçou a cabeça e então pressionou o punho contra a boca. — Eu perdi tanta coisa, e sei que você não vai me perdoar por isso, mas eu só queria que você soubesse que eu... Eu sinto muito, Ellie.

— Você virou as costas pra mim — sussurrei. — Você virou as costas pra mim durante anos e acha que uns cartões e presentes vão compensar isso? Eu não queria os seus presentes, pai. Queria você.

— Eu sei, eu sei, e eu não mereço o seu perdão. Não sei se um dia vou conseguir o seu perdão, mas quero lutar por isso. Quero fazer o meu melhor pra ser digno de ter você de volta na minha vida. Ellie, depois que a sua mãe morreu, algo dentro de mim se quebrou, se partiu em pedacinhos, e eu não queria descobrir como juntar os cacos. Ver você... O seu sorriso, os seus olhos... Cada parte da sua mãe vive em você, e eu não fui forte o suficiente pra lidar com isso. Eu não fui forte o suficiente, estraguei tudo, e eu sinto muito. Sei que isso não muda o que fiz esses anos todos, mas sinto muito por ter sido um pai de merda. Você merece algo muito melhor que eu.

— É — concordei. — Mereço.

Ele baixou a cabeça, magoado com as minhas palavras.

— Mas, independentemente disso, você continua sendo a única coisa que eu quero.

Quando ele levantou a cabeça, lágrimas estavam escorrendo por seu rosto, o que também me fez chorar.

— Sou todo errado, Ellie.

— Eu sei. Eu também já fui toda errada e, não vou mentir, ainda estou muito brava com você. Ainda estou magoada, e vai levar um bom tempo até eu chegar a um estágio em que sinta que posso te perdoar totalmente.

— É. Eu entendo.

— Mas, se você estiver disposto a tentar... — continuei.

Os olhos dele se iluminaram.

— É, estou. Estou mais do que disposto. Farei o que for preciso.

— Se fizermos isso, faremos juntos — falei. — Se falharmos, falhamos juntos. Se desabarmos, desmoronamos como um só, mas não vamos nos abandonar mais, está bem, pai? Lutamos por isso. Lutamos pela nossa família. Lutamos por nós.

— Um por todos — sussurrou ele.

— E todos por um — completei, abraçando-o.

O processo de cura com meu pai levaria um tempo. Seria necessário mais do que uma conversa, mais do que dez conversas. Eu sabia que talvez levasse anos, sabia que talvez nunca mais fôssemos o pai e a filha que costumávamos ser, mas ter alguma coisa já era melhor do que nada.

No fim das contas, valia a pena lutar pela família, com cicatrizes e tudo.

∽

Quando voltei ao carro, meu pai estava comigo. Ele ia ficar uns dias com a gente antes de voltar para a Flórida, para que pudéssemos ter mais tempo juntos para acertar os ponteiros.

Naquela noite, quando me deitei na cama com Greyson, eu o abracei com mais força do que já tinha abraçado antes.

— Você fez isso por mim? — perguntei, referindo-me ao fato de o meu pai ter voltado à minha vida.

— É claro que sim, Ellie. Não há nada que eu não faria pra garantir a sua felicidade.

— Grey?

— O que é?

— Será que eu poderia guardar você num potinho pra sempre? Sei que eu já perguntei isso antes, mas, tipo, dessa vez é sério. Posso guardar você num potinho?

— Pode, Ellie. — Ele riu de leve e deu um beijo na minha testa enquanto nossos olhos começavam a se fechar. — Sou seu.

Capítulo 60

Eleanor

Já fazia quase um ano que Greyson e eu tínhamos decidido permitir que nossa história de amor crescesse, e era uma história linda de se viver.

A vida ficou mais fácil. Embora meu pai tivesse voltado para a Flórida, ele me procurava com mais frequência. Conversávamos mais agora e, quando ele dizia que viria me visitar, realmente vinha. Meu pai estava empregando o esforço necessário, e eu era extremamente grata por isso.

Ele veio passar o Natal comigo, e fiquei surpresa.

— A gente pode abrir os presentes?! — gritou Lorelai, entrando como um foguete na sala de estar na manhã de Natal.

Claire, Shay e eu tínhamos acabado de preparar o *brunch* enquanto os meninos viam um jogo na TV. Até o Landon tinha aparecido para o *brunch* de Natal, alegando que estava apenas passando por ali de novo. Eu sabia o quanto significava para Greyson contar com a presença do melhor amigo e, se havia uma coisa em que Landon se mostrava excelente, era em se fazer presente. Ele sempre aparecia quando Greyson precisava dele.

Embora ele não fosse muito bom com a minha prima, ele era um ótimo melhor amigo.

— Só depois que a gente comer — disse Claire a Lorelai, que reclamou por não poder abrir os presentes ainda.

Shay passou por mim na cozinha depois de espiar os meninos na sala de estar pela milésima vez. Ou, essencialmente, espiar Landon.

— Sabe o que eu mais odeio no mundo? — perguntou ela.

— O quê?

— O Landon Harrison. Quer dizer, dá pra acreditar nisso? Quando eu cheguei, ele teve a cara de pau de falar "feliz Natal" pra mim. Dá pra acreditar nesse babaca?

Ri entre os dentes.

— Que grosseria.

— Exatamente! É como se ele estivesse tentando fazer algum joguinho psicológico maluco comigo.

Ela bufou, e suas bochechas coraram. Minha prima ficava muito vermelha quando Landon estava por perto. Aquilo era, para falar a verdade, bastante fofo.

— Ou talvez ele só estivesse te desejando um feliz Natal mesmo.

Ela franziu as sobrancelhas, pensando.

— É, talvez. Talvez seja isso. É, beleza. Foi só um "feliz Natal". Nada além disso.

Exatamente naquele momento, Landon passou a cabeça pelo batente da porta da cozinha e abriu um grande sorriso.

— Precisam de ajuda, meninas? — perguntou ele.

— Você cozinha? — perguntou Shay, colocando as mãos de forma atrevida na cintura.

— Cozinho, de vez em quando.

— Por que estou achando difícil de acreditar nisso? — zombou ela.

— Não sei, mas, se você me der uns minutinhos, tenho certeza de que posso colocar uma bela linguiça na sua vida.

Ele piscou para ela, me fazendo rir.

Shay grunhiu.

— Você é nojento.

— Provavelmente vai ser a melhor carne que você terá provado em um bom tempo. E, se não me falha a memória, e tenho certeza de que não falha, você já me contou que gosta bastante da minha linguiça.

— Cala a boca, Landon — sibilou Shay, ficando mais vermelha do que um pimentão. — Você é tão convencido.

Ele abriu um sorriso torto, satisfeito por estar conseguindo mexer com ela.

— Eu sei.

— Ah, vai à merda, Landon — soltou ela, batendo nele com um pano de prato, fazendo-o voltar correndo para a sala.

Ela ainda estava vermelha, enquanto colocava o cabelo atrás da orelha.

— Que escroto — resmungou ela. — Tomara que ele volte logo pra Califórnia.

— E eu mal posso esperar pela temporada um, episódio um da série "Landon e Shay" — brinquei. — Adoro uma boa trama inimigos--que-viram-amantes.

Ela apontou o dedo para mim, com um ar sério.

— Isso nunca, em momento algum da história, vai acontecer. *Nunca*.

Porém, parte de mim sabia que ela estava mentindo. A Shay e o Landon viviam esse jogo intenso de gato e rato e, por algum motivo, eu sentia que a história deles estava apenas começando.

Enfim, chegou a hora de todos nos sentarmos à mesa e nos deleitarmos com a refeição. Conversamos, sorrimos, gargalhamos, e havia paz ao redor da mesa. Aquela atmosfera aqueceu cada pedacinho meu. Depois que terminamos de comer, Claire entregou pedacinhos de papel e bolas de Natal transparentes a cada um.

Ele teve a ideia de pedir que todos desejassem algo para o ano vindouro. Todos deveriam escrever um desejo para o próximo ano no papel e enfiar nas esferas de vidro. Então, quando o ano terminasse, nós abriríamos as bolas e veríamos se nossos desejos tinham se tornado realidade. Depois, poderíamos usar tinta para decorar a bola como quiséssemos.

Enquanto todos estavam ocupados decorando suas bolas, com expressões de alegria no rosto, eu me recostei na minha cadeira, completamente fascinada.

Era aquilo.

Aquilo era o que eu sempre quis. Tudo o que eu queria era aquele momento. Tudo o que eu queria era aquela família. Tudo o que eu queria estava ali.

Quando fui colocar meu desejo para o ano seguinte, pensei nas palavras que tinha escrito e no que eu queria. Olhei em volta, observando a felicidade que me rodeava, e me senti mais abençoada ainda.

Aquilo era tudo o que eu queria para os próximos meses.

Mais.

Mais felicidade, mais risada, mais sorrisos.

Mais dele, mais de mim, mais de nós.

Greyson afastou a cadeira da mesa e pigarreou enquanto se levantava.

— Pessoal, eu só queria aproveitar para agradecer a todos vocês por terem vindo hoje. Vocês não fazem ideia do que significa, pra mim e pras meninas, ter todas as cadeiras dessa mesa ocupadas. Houve um tempo em que pensei que isso jamais fosse acontecer de novo. Houve um tempo em que achei que a felicidade tinha ido embora pra sempre, mas aí um raio de luz voltou à minha vida, e tudo mudou. Então, eu queria que todos vocês estivessem aqui quando eu demonstrasse minha gratidão à mulher que salvou a minha família, à mulher que me salvou.

Meu coração palpitou quando ele se virou para mim e enfiou a mão no bolso de trás da calça, tirando uma caixinha. Então, ele se ajoelhou.

— Greyson, o que você tá fazendo?

Minha voz tremia, e lágrimas inundaram meus olhos.

— Ellie, você é tudo o que há de melhor nesse mundo. Você trata minhas filhas com muito amor. Você respeitou o tempo que foi necessário pra gente se recuperar. Você se fez presente sempre que a gente precisou de você. Você sempre esteve aqui, mesmo quando tinha todos os motivos do mundo pra ir embora. Você é a paz em meio ao caos. Você é o raio de sol que atravessa as nuvens. Você é a definição de felicidade, e isso é tudo que eu sempre quis. Eu queria ser feliz. E é por isso que eu quero passar o resto da minha vida nos seus braços.

Ele abriu a caixinha, revelando um lindo anel de noivado. Fiquei perplexa quando olhei mais de perto. Lágrimas começaram a escorrer pelas minhas bochechas à medida que minhas emoções saíam do controle.

O anel continha inúmeros brilhantes pequeninos, formando uma libélula.

Quando olhei para Greyson, ele sorriu.

Eu adorei.

Tanto faz.

— Eleanor Gable, você é meu coração, meu sorriso e meu amor. Você quer se casar comigo? — perguntou ele, mas antes que eu pudesse responder, meu coração começou a chorar ainda mais quando Lorelai correu até nós dois, segurando outra caixinha.

— E comigo? — perguntou ela, ajoelhando-se.

Ela abriu a caixinha e exibiu outro anel de libélula.

Karla veio logo em seguida e se ajoelhou ao lado da irmã. Ela também abriu sua caixinha.

— E comigo?

Meu coração estava explodindo em mil pedaços. Aquelas três pessoas e o amor delas eram o que tornava minha vida completa.

Com facilidade e muito, muito amor, eu respondi a cada um deles.

— Sim, sim, e mil vezes sim — gritei, enquanto a sala de jantar eclodia em comemoração.

Greyson colocou a aliança no meu dedo, e então me puxou em um abraço apertado, me segurando com mais força que nunca. Ele me beijou intensamente, e eu senti o "para sempre" nos lábios dele.
Para sempre.
Esse beijo significa "para sempre".
Quando ele se afastou, sorriu, e eu sorri para ele também.
— Você devia fazer isso mais vezes, Ellie — disse ele, se aproximando de mim e me beijando de novo.
Sim, exatamente.
Mais.

Agradecimentos

Em primeiro lugar, gostaria de agradecer às minhas leitoras e aos meus leitores brasileiros. Sem vocês, nenhum dos meus livros existiria no seu lindo idioma. É por sua causa que eles continuam a ser publicados pela minha editora maravilhosa. É por causa do seu apoio que posso seguir sonhando alto. Obrigada por se juntarem a mim nessa jornada fantástica.

Em segundo lugar, gostaria de agradecer às minhas agentes, Flávia Viotti e Meire Dias, por continuarem sempre ao meu lado. Nós estamos nesta forte parceria há quase seis anos, e eu não conseguiria imaginar nada disso sem vocês ao meu lado.

Um agradecimento enorme à minha incrível editora na Record, Renata Pettengill. Trabalhar com ela é não só a maior dádiva deste mundo, mas também uma honra. Eu me sinto honrada só de conhecer uma mulher com um coração e uma alma tão generosos. Obrigada, Renata, por tornar meus livros mais perfeitos a cada nova edição. Você é uma raridade neste mundo, e é um privilégio trabalhar com você.

Obrigada à minha tradutora, Thalita Uba, que fez um trabalho primoroso, e à Marina Albuquerque, que fez o copidesque no texto inteiro.

Um agradecimento especial à Mariana Ferreira, a editora de projeto que cuidou do processo editorial deste livro do início ao fim, à Juliana Brandt, a talentosa assistente editorial que o revisou, e à Beatriz Carvalho, que cuidou tão bem da diagramação.

É por causa da Letícia Quintilhano que esta capa maravilhosa existe. Seu trabalho me deixa sem palavras. Eu me sinto extremamente grata por ter testemunhado a beleza desta capa.

E muito obrigada à fabulosa Carina Rissi, por escrever um lindo texto de orelha para o meu livro!

Sem essa equipe, eu não estaria onde estou hoje. Tanto esforço e dedicação foram colocados na criação de *Eleanor & Grey*, e eu não teria feito nada isso sem a ajuda de cada uma de vocês.

Até a próxima,

BCherry

Leia o primeiro capítulo de:

Landon & Shay

VOLUME UM

1

Landon

Eu não pretendia ser um monstro, mas, de vez em quando, ficava me perguntando se algumas pessoas já nasciam assim, se nasciam com uma escuridão que se infiltrava por suas veias e contaminava suas almas.

Meu nome era a maior prova de que eu deveria ter me tornado uma pessoa melhor.

Eu vinha de uma linhagem de homens extraordinários. Minha mãe tinha me batizado em homenagem ao meu tio Lance e ao meu avô Don — duas das melhores pessoas que já existiram no mundo. O nome Don significava honrado, e Lance, servo. E eles faziam jus a esses nomes. Os dois lutaram em guerras. Os dois sacrificaram suas vidas e suas mentes pelos outros. Os dois se doaram por completo, de braços abertos, e permitiram que as pessoas sugassem sua generosidade até não sobrar mais nada.

A combinação dos seus nomes deveria ser um sinal de que eu me tornaria um servo honrado do mundo, mas eu passava longe disso. Se você perguntasse para a maioria dos meus colegas de escola o que meu nome significava, eles provavelmente responderiam babaca. E com razão.

Eu não era nem um pouco parecido com meu avô nem com meu tio. Eu era uma vergonha para o legado deles.

Havia um peso tão sombrio no meu peito, e eu não entendia por quê. Eu não entendia por que sentia tanta raiva. Só sabia que sentia.

Eu era um escroto, mesmo quando tentava não ser. As únicas pessoas que aturavam minha babaquice eram meu grupo de amigos mais próximos e Monica, a garota de quem eu queria me livrar a todo custo.

Não havia nem uma gota de honra ou servilidade em mim. Eu me importava apenas comigo e com as pouquíssimas pessoas que ainda tinham coragem de me chamar de amigo.

Eu odiava isso em mim. Odiava não ser uma boa pessoa. Eu não chegava a ser considerado nem aceitável. As besteiras que eu aprontava deviam fazer Lance e meu avô se revirarem em seus túmulos.

E por que eu era assim?

Bem que eu queria saber.

Meu cérebro era um quebra-cabeça, e eu não entendia muito bem como as peças se encaixavam.

Depois de uma manhã inútil de aulas inúteis, segui para o refeitório e peguei minha bandeja de almoço. Último ano do ensino médio, estou a um semestre de poder me livrar de Raine, Illinois, a cidade minúscula onde morava.

Quando me virei para minha mesa, fiz uma careta ao ver Monica sentada lá. Por um instante, cogitei ficar enrolando até Greyson, Hank ou Eric aparecerem, mas ela me viu e acenou para mim.

— Landon! Pega um leite para mim. Desnatado — ordenou ela em uma voz aguda demais.

Eu odiava aquele som. Ela parecia uma demônia, e juro que eu tinha pesadelos com aquela garota gritando meu nome.

No passado, acho que sua voz não me irritava tanto. Mas, por outro lado, naquela época, eu estava sempre bêbado ou chapado quando a gente interagia. Nós nos conhecíamos havia muito tempo. Eu e Monica éramos vizinhos e adolescentes com vidas meio complicadas. Eu tinha as minhas questões, e Monica, as dela.

Quando a vida ficava pesada demais, nós transávamos para não ter que pensar em nada. Não havia nada romântico entre a gente. Para falar a verdade, nós nem gostávamos tanto assim um do outro, e era por isso que esse esquema funcionava para mim. Eu não estava a fim de ter uma namorada nem qualquer rolo sentimental. Eu só queria transar de vez em quando para silenciar meu cérebro hiperativo.

Esse esquema deu certo por um tempo, até eu resolver largar a bebida e as drogas.

Desde que parei de me drogar, Monica não parou de me encher o saco.

— Você era mais legal quando estava doidão — havia me dito ela na última vez que trepamos.

E eu tinha respondido:

— Você era mais legal quando a sua boca estava no meu pau.

Isso nem era verdade. Eu nem gostava de transar com Monica. Só fazia aquilo para passar o tempo. Ela transava feito uma atriz pornô, o que, na teoria, deveria ser fantástico. Porém, na realidade, significava muita baba e várias manobras que não davam muito certo; no fim das contas, eu acabava tendo que encontrar meu final feliz por conta própria.

Na noite em que falei isso para ela, Monica me deu um tapa na cara, e uma parte de mim havia gostado da ardência. Minha pele corou e formigou com a sensação. Era um lembrete de que eu continuava vivo, de que ainda era capaz de sentir alguma coisa, apesar de sempre ter a sensação de que tinha me transformado em gelo — completamente congelado, causando dor em qualquer um que tentasse me segurar por tempo demais.

Monica havia me dito que só voltaria a transar comigo quando eu estivesse chapado.

Portanto nossa relação desastrosa tinha sido oficialmente encerrada — pelo menos para mim.

Ela não entendeu o recado. Fazia semanas que eu tentava arrancá-la da minha vida, mas, como um carrapato obstinado, ela permanecia grudada em mim, surgindo nos piores momentos.

— Você já tá doidão? Teve uma recaída? Quer tomar um shot nos meus peitos?

A última coisa que eu queria fazer nesta semana era lidar com Monica, mas sabia que fugir só faria com que ela me importunasse ainda mais.

Larguei a bandeja em cima da mesa e a cumprimentei com um aceno de cabeça.

— Mas que porra é essa? Cadê o meu leite? — perguntou ela.

— Não te ouvi — respondi, seco.

Ela esticou o braço, pegou o leite da minha bandeja sem nem pensar que eu poderia estar com sede e abriu a caixinha. A sorte dela era que eu não tinha forças para brigar. Eu não estava dormindo bem e preferia guardar minha raiva para coisas e pessoas que realmente importassem. Essa lista era bem pequena e não incluía o nome dela.

— Eu estava pensando... Você devia dar uma festa na sua casa no fim de semana — disse ela, bebendo meu leite. Vendo pelo lado bom, o leite era integral, então ela não conseguiu tudo o que queria.

— Você está sempre pensando nisso — rebati, atacando meu almoço.

Era a primeira semana de aula depois das férias de inverno, e foi bom ver que o refeitório continuava servindo a mesma gororoba de antes. Se havia uma coisa de que eu gostava na minha vida, era consistência.

— É, mas você devia mesmo dar uma festinha neste fim de semana, por causa do aniversário do Lance. A gente pode comemorar por ele.

Senti um fogo queimar dentro de mim ao ouvi-la falando de Lance como se o tivesse conhecido ou como se ela se importasse com ele. E era exatamente por isso que ela havia tocado no assunto — para me provocar. Para me alfinetar. Para me transformar no monstro de que ela sentia falta. Em sua cabeça, ela não poderia me usar para se esquecer das próprias cicatrizes se as minhas feridas não estivessem abertas.

Fazia quase um ano que Lance havia morrido.

Mas parecia que tinha sido ontem.

Trinquei os dentes.

— Não me irrita, Monica.

— Por quê? Eu adoro te irritar.

— Por que você não vai se distrair com o pau de algum coroa qualquer?

Eu bufei, e ela abriu um sorriso sinistro.

Ela gostava quando eu falava de suas saídas com homens mais velhos. Era assim que ela tentava se vingar de mim quando eu a ignorava. Ela pegava um velho aleatório e depois me contava.

Pena que era um plano idiota, porque eu estava pouco me lixando. Se muito, eu sentia pena de sua falta de autoestima.

Monica era o caso típico da garota rica com traumas paternos. O fato de o pai dela realmente ser um babaca de marca maior não ajudava. Quando Monica lhe contou que tinha sido apalpada por um dos sócios da empresa dele durante uma festa de fim de ano, ele a chamou de mentirosa. Mas eu sabia que não era mentira, porque a tinha visto ir para o próprio quarto naquela noite e desmoronar. Ninguém choraria daquele jeito se não estivesse falando a verdade. No fim das contas, aquele não havia sido o primeiro abuso que Monica sofrera nas mãos dos sócios do pai, mas ele a chamava de dramática e carente sempre que ela lhe contava o que acontecia.

Então Monica acabara se tornando exatamente tudo aquilo que seu pai dizia que ela era: uma pessoa dramática e carente.

Ela procurava os homens que, segundo seu pai, nunca a desejariam. Para lidar com seus traumas paternos, ela ia para a cama com caras da idade dele. E até os chamava de papai durante o sexo, algo perturbador em muitos sentidos.

Ela havia me chamado de papai na cama uma vez, e eu parei tudo que estava fazendo no mesmo instante. Não tinha intenção de alimentar os demônios dela; só queria fazer os meus calarem a boca por um tempo.

Verdade seja dita, eu estava feliz pelo fato de termos parado de transar.

Monica pressionou a língua contra a bochecha e levantou uma sobrancelha.

— O que foi? Você está com ciúme?

Só se fosse nos sonhos, nas esperanças e orações dela.

Eu não estava com ciúme.

— Monica, você sabe que a gente não tem nada, né? Você pode fazer o que quiser, com quem quiser. Nós não estamos juntos.

Eu tinha o dom de deixar bem claro para as garotas o que estava rolando entre nós — ou melhor, o que não estava rolando. Eu nunca iludia ninguém com a ideia de que teríamos algo sério, porque algo sério não era a minha praia. Havia pouco espaço livre na minha cabeça, e eu sabia que namorar não era para mim. Eu não tinha forças para ser a pessoa de outra pessoa — só um pau amigo.

Para falar a verdade, "amigo" seria forçar a barra. Eu não fazia amizade nem trocava confidências com as pessoas, e jamais faria isso.

Monica piscou para mim como se pensasse que eu era um gato e ela, o rato que eu tentava pegar. A culpa era minha, na verdade. A pior coisa que uma pessoa problemática pode fazer é se envolver com outra pessoa problemática. Dez em cada dez casos acabavam em desastre.

Monica pegou o celular e começou a digitar, tagarelando umas bobagens aleatórias, seus lábios abrindo e fechando. Ela falava sobre outras pessoas, comentando o quanto eram feias, burras ou pobres. Apesar de ser gostosa, ela era uma das pessoas mais horrorosas que eu já tinha conhecido.

Mas eu não podia julgá-la. Quando me drogava, eu conseguia ser mais babaca do que era sóbrio. Seu nível de compaixão pelos outros cai bastante quando você está alucinado. Eu já tinha falado e feito tanta merda que com certeza acabaria pagando todos os meus pecados mais cedo ou mais tarde.

— Ouvi falar que você vai dar uma festa no sábado — comentou Greyson ao se aproximar da mesa, na companhia de Hank e Eric.

Graças a Deus. Ficar sozinho com Monica era um pesadelo.

— Como assim? — perguntei.

Ele acenou com o telefone para mim, exibindo uma mensagem de Monica. *Claro.* Eu tinha certeza de que a mesma mensagem havia sido enviada para um monte de gente e que, independentemente do que eu fizesse, as pessoas apareceriam na minha casa em busca de diversão. Então não tinha jeito, eu daria uma festa.

Feliz aniversário, Lance.

Eu me virei parcialmente de costas para Monica e arregalei os olhos para Greyson enquanto sussurrava:

— Cara, ela é doida.

Ele riu e passou uma das mãos pelo cabelo cor de carvão.

— Não quero dizer que eu te avisei, mas... — Ele parou de falar e riu.

Desde o começo, Greyson me falou que seria uma péssima ideia ir para a cama com Monica, mas eu não havia escutado. Minha filosofia seguia mais a linha do *transe primeiro e veja no que dá depois*. Eu sempre pagava o preço logo depois.

Monica me cutucou nas costas.

— Vou ao banheiro. Toma conta das minhas coisas.

Dei de ombros, sem querer falar mais nada com ela. Conversar com Monica era quase tão cansativo quanto fazer dever de casa. Eu preferia resolver equações de álgebra a falar com ela, e eu era péssimo em matemática.

Quando Monica estava sando do refeitório, Shay entrou, e senti um frio na barriga. Desde o ano anterior, esse frio sempre surgia quando Shay Gable aparecia. Eu não sabia muito bem o que significava aquilo, nem se havia mesmo um significado, mas a porcaria da sensação estava ali.

Devem ser gases, era o que eu dizia a mim mesmo.

Eu odiava Shay Gable.

Se eu tinha uma certeza na vida, era essa.

Fazia anos que nós nos conhecíamos. Ela era um ano mais nova do que eu, mas sua avó trabalhava como doméstica na minha casa e costumava levar Shay para lá quando os pais dela estavam ocupados.

Nunca fomos com a cara um do outro, desde o primeiro dia. Sabe quando as pessoas fazem amizades instantâneas? Nós fizemos uma inimizade instantânea. Eu odiava o jeito dela, toda certinha. Nem quando éramos mais novos, Shay nunca fez besteira. Ela sempre tirava notas boas, virava amiga de todo mundo. Não chegava perto de drogas, não bebia nas festas. Ela devia rezar e dar um beijinho de boa-noite na avó todo dia antes de dormir.

Tão perfeitinha.

Ou melhor, tão falsinha.

Eu não engolia aquela imagem de santa.

Nenhuma pessoa era capaz de ser tão boazinha assim. Não era possível alguém ter tão poucos problemas na vida.

Nós andávamos com as mesmas pessoas, tínhamos os mesmos amigos, mas não passávamos de inimigos. E eu me sentia confortável com nossa relação de ódio. Era uma sensação estranhamente agradável. Odiar Shay era a maior constante da minha vida. Odiá-la era tipo um vício que eu não conseguia largar, e, conforme os anos passavam, mais prazer eu sentia com o desprezo de Shay por mim. Havia certa energia no desprezo que compartilhávamos, e, quanto mais velhos ficávamos, mais eu ansiava por aquilo.

Shay havia crescido do jeito que a maioria das garotas sonhava em crescer. Seu corpo se desenvolvera tão rápido quanto sua mente. Ela tinha curvas em todos os lugares que nós, babacas, queríamos ver, olhos que brilhavam em todas as situações, e uma covinha tão profunda que você era capaz de desejar que ela passasse o tempo todo sorrindo. Às vezes, eu ficava olhando para ela, me odiando por gostar do que via. Naquele ano, Shay voltara para a escola parecendo muito adulta. Mais curvas, mais peito, mais bunda. Se eu não a odiasse tanto, até cogitaria trepar loucamente com ela.

Ela não só era bonita, como também era esperta. Ela era a melhor aluna do segundo ano. Inteligente e linda — mas eu jamais diria isso na cara dela. Até onde Shay sabia, tudo que eu sentia por ela era repulsa e raiva, mas, de vez em quando, eu a observava em seus momentos de distração. De vez em quando, eu a observava rir com as amigas. Eu prestava atenção no jeito como ela analisava as pessoas, como se fossem obras de arte, tentando compreender como haviam sido criadas. Ela também vivia escrevendo em cadernos, como se sua vida dependesse das palavras contidas naquelas páginas.

Nunca vi ninguém anotar os próprios pensamentos com a mesma intensidade que Shay. Ela já devia ter preenchido centenas de cadernos com suas habituais reflexõezinhas.

Monica parou para falar com Shay, provavelmente para convidá-la para a festa.

Para que fazer isso? Todo mundo sabia que eu e Shay nos detestávamos. Por outro lado, eu estava falando de Monica. Ela era tão focada no próprio umbigo que nunca se interessava pela vida dos outros. Ou então queria chamar Shay só para me provocar. Esse era um dos seus passatempos favoritos.

Shay estava com suas melhores amigas, Raine e Tracey. Eu também era próximo de Raine, já que ela namorava Hank, um dos meus melhores amigos. Raine era a piadista do grupo. Se você precisasse dar umas risadas, ela era a pessoa certa para isso. Ela sempre dizia, brincando, que tinha recebido o nome da nossa cidade natal porque os pais foram preguiçosos demais para inventar alguma coisa melhor. *"Ainda bem que não nasci em Accident, Maryland"*, zombava ela. *"Eu teria que gastar uma grana na terapia."*

E então havia Tracey. Ela era a princesinha do colégio Jackson. Se você estivesse em busca de uma garota com espírito escolar, Tracey o tinha para dar e vender, com porções extras de purpurina e arco-íris. No momento, parecia que Tracey queria jogar toda aquela alegria para cima de Reggie, mas, na minha opinião, ele não parecia muito interessado. Reggie era o novato da escola, que tinha acabado de se mudar, vindo do Kentucky, e a maioria das garotas estava caidinha por ele por causa do seu sotaque sulista. Sinceramente? Para mim, ele não passava de um escroto medíocre que falava juntando as vogais. Eu era especialista em identificar babacas.

A gente reconhece uns aos outros.

Tracey era inocente demais para um cara como ele. Apesar de ser um pouco irritante e de encher o saco com sua alegria purpurinada, ela era uma pessoa legal, no geral. Ela não fazia mal a ninguém, e era exatamente por isso que não precisava de um cara como Reggie em sua vida. Ele a faria de gato e sapato, então seguiria em frente como se os dois nunca tivessem se conhecido.

Era assim que nós, escrotos, agíamos: nós nos aproveitávamos das garotas boazinhas e as descartávamos depois que nos cansávamos delas.

Reggie precisava de uma Monica da vida. Os dois formariam um casal dos infernos.

As garotas continuaram conversando, e eu sabia que Monica devia estar tagarelando sobre a festa que eu não queria dar. Shay lançou um olhar desconfiado e desdenhoso na minha direção.

Olá, olhos castanhos.

Se havia algo que despertava mais o ódio daquela garota do que eu, eram as minhas festas, e ela fazia questão de não ir a nenhuma. No instante em que nossos olhares se encontraram, eu me virei. Nossos caminhos não se cruzavam com frequência, mas, quando isso acontecia, tentávamos falar o mínimo possível. E boa parte desse mínimo era uma troca de farpas. A gente seguia essa linha. Nós gostávamos de nos odiar.

Tirando aquela única vez, nove meses atrás.

A avó dela, Maria, tinha ido ao velório de Lance e levara Shay. As duas foram para uma recepção na minha casa depois, e Shay me pegara no flagra em um dos meus momentos menos másculos.

Eu queria que ela não tivesse me visto daquele jeito: destruído, arrasado, acabado, verdadeiro.

Eu também queria que Lance não tivesse morrido, mas sabe como é. Desejos, sonhos, esperanças — tudo isso é invenção da nossa cabeça.

— Você tem certeza de que quer dar uma festa? — perguntou Greyson, baixando a voz e me distraindo dos pensamentos sobre Shay. Os outros caras na mesa conversavam sobre basquete e garotas, mas Greyson não parecia muito interessado no papo. — Já que é aniversário do Lance e tal.

Ainda bem que ninguém mais sabia sobre o aniversário do meu tio. Greyson só tinha tocado no assunto porque fazia questão de se lembrar das coisas importantes. Ele era esse tipo de amigo. Sua memória era imbatível, e ele a usava para o bem. Monica só se lembrava das coisas porque colecionava informações que poderiam ser usadas contra suas vítimas. Ela era o completo oposto de Greyson.

Dei de ombros.

— Acho melhor estar com outras pessoas do que sozinho. — Ele abriu a boca para argumentar, mas balancei a cabeça. — Não tem problema. Vai ser bom ter companhia. Além do mais, a Monica não vai desistir da ideia.

— Posso dar a festa na minha casa — ofereceu ele, mas eu recusei. Uma coisa seria eu dar uma festa; com Greyson, o buraco era bem mais embaixo. Meus pais se irritariam quando descobrissem, mas esqueceriam rápido. Se Greyson fosse pego, seu pai o puniria de um jeito bem pior. Se tinha algo que eu sabia sobre o Sr. East era o fato de ele ser violento e não hesitar em agir dessa maneira com a esposa e o filho.

A sorte dele era que eu nunca o vira encostar um dedo no meu amigo. Senão esse dedo teria sido arrancado na mesma hora.

Algumas meninas se aproximaram da nossa mesa, rindo feito bobas, e acenaram para nós. Não era novidade que todas as garotas eram a fim de Greyson, e muitas eram a fim de mim também. Isso era curioso, porque nós dois tínhamos personalidades diferentes em quase todos os sentidos. Na escola, Greyson fazia a linha de bom aluno angelical. Eu era o capeta, mas, no fim das contas, algumas mulheres queriam amar anjos durante o dia e pecar com demônios durante a noite.

— A gente ficou sabendo que você vai dar uma festa no sábado, Landon — comentou uma das garotas, enrolando o cabelo em um dedo. — Podemos ir?

— Eu conheço vocês? — perguntei.

— Ainda não, mas a gente pode se conhecer na sua festa — respondeu ela em um tom sugestivo.

Para deixar suas intenções ainda mais claras, ela pressionou a língua contra a bochecha, movendo-a para a frente e para trás. *Nossa.* Fiquei meio surpreso por ela não enfiar logo a mão dentro da minha calça, puxar meu pau para fora e começar a babar nele.

Elas eram nitidamente mais novas do que nós — do primeiro ano, talvez. As garotas do primeiro ano eram as mais safadas. Parecia que elas de repente acordavam, se cansavam das brincadeiras inocentes de boneca e começavam a fazer a Barbie e o Ken treparem feito doidos. Eu entendia por que os pais se preocupavam com suas filhas adolescentes. O ensino médio era tipo um reality show de pegação. Se eu fosse pai, deixaria minha filha trancada no porão até ela completar trinta anos.

Dei de ombros, ignorando o gesto provocante.

— Se vocês conseguirem descobrir o endereço, podem ir.

Os olhos das garotas se iluminaram de animação, e elas riram, saindo correndo para tentar descobrir onde eu morava. Se tivessem me perguntado, era bem provável que eu respondesse. Eu estava me sentindo generoso naquela tarde.

— Então vai rolar mesmo a festa? — perguntou Greyson.

Dei uma mordida no meu sanduíche seco de frango e tentei tirar Lance da minha mente e do meu coração. Uma festa resolveria as coisas. Seria algo que poderia me distrair um pouco.

— Aham. — Concordei com a cabeça, totalmente decidido. — Vai rolar.

Olhei para o outro lado do refeitório e vi Shay conversando com um nerd da banda da escola ou algo do tipo. Ela sempre fazia essas merdas — falava com gente de todas as esferas sociais. As pessoas não simplesmente a amavam; elas a *amavam*.

Shay fazia parte do grupinho popular da escola Jackson, mas não de um jeito babaca e escroto feito eu e Monica. As pessoas gostavam de mim e da Monica porque tinham medo da gente. As pessoas amavam Shay porque ela era... Shay, a princesa Diana do ensino médio.

E era exatamente por isso que eu a detestava. Eu odiava sua felicidade inabalável, odiava seu jeito tão confiante e contente de ser. Aquela alegria toda me deixava revoltado.

Ela até parecia uma princesa: alta, com grandes olhos castanhos e inocentes, lábios carnudos sempre sorridentes. Sua pele tinha um tom quente, e seu cabelo era pretíssimo, levemente ondulado. Seu corpo era perfeitamente curvilíneo, e, mesmo sem querer, eu ficava me perguntando como ela seria sem roupa. Resumindo, Shay era linda. Muitos caras diziam que ela era gostosa, mas eu discordava. Chamá-la de gostosa parecia idiota e vulgar, porque ela não era só gostosa, como algumas garotas da escola, Shay era uma luz intensa. Ela era um brilho que iluminava a porra do céu. Uma estrela.

Por mais clichê e piegas que parecesse, todos os caras a queriam, e todas as garotas desejavam ser ela.

E ela era amiga de todo mundo — de cada pessoa ali. Mesmo quando namorava alguém, as coisas nunca acabavam de um jeito ruim. O término sempre parecia tranquilo. Não apenas Shay tinha a aparência de uma princesa, como se comportava feito uma. Serena, calma, controlada. Segura de si. Ela cumprimentava qualquer um que passasse pelo seu caminho. Nunca excluía ninguém. Se organizasse um evento, convidava os nerds, o pessoal da banda da escola e os jogadores de futebol americano.

Ela não diferenciava ninguém, e isso fazia com que fosse uma anomalia na escola e na vida como um todo. Era como se Shay tivesse nascido com uma mentalidade anos-luz à frente da nossa e soubesse que a posição de alguém no ensino médio não significava porra nenhuma no contexto geral da vida. Ela não era uma peça que se encaixava em um único quebra-cabeça. Ela se encaixava em todos. Ela conseguia fazer parte de todos os grupos e de uma forma muito natural. Os nerds e os góticos da escola falavam de Shay do mesmo jeito — com amor e admiração. Todo mundo a achava maravilhosa.

Todo mundo *menos* eu.

Mas não tinha problema. Na verdade, eu ficava com vontade de vomitar só de pensar em Shay sendo legal comigo.

Para mim, seus olhares raivosos eram mil vezes melhores do que sua postura de boa moça.

Este livro foi composto na tipografia ITC Berkeley
Oldstyle Std, em corpo 11,5/16, e impresso em
papel off-white no Sistema Cameron da Divisão
Gráfica da Distribuidora Record.